Y0-AGX-443

MICHEL HOUELLEBECQ

SEROTONIN

MICHEL HOUELLEBECQ

SEROTONIN

ROMAN

Aus dem Französischen
von Stephan Kleiner

DUMONT

Es ist eine kleine weisse, ovale, teilbare Tablette.

Gegen fünf Uhr morgens, manchmal auch gegen sechs wache ich auf, das Bedürfnis ist dann am größten, es ist der schmerzvollste Moment des Tages. Mit meinem ersten Handgriff schalte ich die elektrische Kaffeemaschine ein; am Vortag habe ich den Tank mit Wasser und den Filter mit gemahlenem Kaffee gefüllt (meist Malongo, beim Kaffee bin ich noch einigermaßen anspruchsvoll). Die Zigarette zünde ich mir nicht vor dem ersten Schluck an; das ist eine selbstauferlegte Beschränkung, ein täglicher Erfolg, der mich stolz macht wie nur noch wenige andere Dinge (wobei ich zugeben muss, dass elektrische Kaffeemaschinen ziemlich schnell arbeiten). Die Erleichterung, die mir der erste Zug verschafft, setzt augenblicklich und mit erstaunlicher Kraft ein. Nikotin ist eine perfekte Droge, eine simple und harte Droge, die keinerlei Freude auslöst, die ganz vom Mangel und dem Abstellen des Mangels bestimmt ist.

Ein paar Minuten später, nach zwei oder drei Zigaretten, schlucke ich eine Captorix-Tablette mit einem Viertelglas Mineralwasser – meist Volvic.

Ich bin sechsundvierzig Jahre alt, ich heiße Florent-Claude Labrouste, und ich hasse meinen Vornamen. Ich glaube, er geht auf zwei Familienmitglieder zurück, die mein Vater und meine Mutter jeweils ehren wollten; das ist umso bedauerlicher, als ich meinen Eltern darüber hinaus nichts vorzuwerfen habe, sie waren in jeder Hinsicht ausgezeichnete Eltern und haben ihr Bestes getan, mich mit den notwendigen Waffen für den Lebenskampf zu rüsten, und wenn ich letztlich versagt habe, wenn mein Leben in Trauer und Leiden endet, dann kann ich nicht sie dafür verantwortlich machen, sondern nur eine Verkettung von Umständen, auf die ich noch zu sprechen kommen werde – ja die sogar den eigentlichen Gegenstand dieses Buches darstellen –, jedenfalls habe ich meinen Eltern nichts vorzuwerfen außer dieser geringfügigen, dieser ärgerlichen, aber geringfügigen Namensgeschichte; nicht nur finde ich die Verbindung Florent-Claude lächerlich, sondern beide Teile für sich missfallen mir, und in der Gesamtheit finde ich meinen Vornamen völlig missraten. Florent ist zu lieblich, zu nah an dem weiblichen Florence und in gewissem Sinne geradezu androgyn. Der Name passt überhaupt nicht zu meinen markanten, je nach Blickwinkel sogar groben Gesichtszügen, die schon häufig (zumindest von gewissen Frauen) als besonders männlich betrachtet wurden, aber gar nicht, wirklich gar nicht als das Gesicht einer botticellihaften Schwuchtel. Von Claude gar nicht zu reden, der lässt mich sofort an die Claudettes denken, und sobald ich den Vornamen Claude auszusprechen versuche, kommt mir direkt wieder das entsetzliche Bild aus einem alten Video von Claude François in den Sinn, das auf irgendeiner Soirée alter Homos in Endlosschleife lief.

Seinen Vornamen zu ändern, ist nicht schwierig, wobei ich

das nicht aus behördlicher Sicht meine, aus behördlicher Sicht ist so gut wie gar nichts möglich, das Ziel der Behörden ist eine maximale Beschränkung der Lebensmöglichkeiten, sofern es ihnen nicht gelingt, sie schlicht ganz zu vernichten, aus behördlicher Sicht ist ein guter Staatsbürger ein toter Staatsbürger, ich rede ganz einfach von der praktischen Anwendung: Es genügt, sich unter einem neuen Vornamen vorzustellen, und nach ein paar Monaten oder sogar Wochen haben sich alle daran gewöhnt, es kommt den Leuten gar nicht mehr in den Sinn, dass man einmal anders geheißen haben könnte. In meinem Fall wäre die Sache umso einfacher gewesen, als mein zweiter Vorname, Pierre, perfekt zu dem Eindruck der Entschiedenheit und Virilität gepasst hätte, den ich der Welt hätte vermitteln wollen. Aber ich habe nichts unternommen, ich habe mich weiter bei diesem abscheulichen Vornamen Florent-Claude nennen lassen, ich habe lediglich bei gewissen Frauen (bei Camille und Kate, um genau zu sein, aber ich komme darauf zurück, ich komme darauf zurück) erreicht, dass sie sich auf Florent beschränkten, bei der Gesellschaft als Ganzer habe ich gar nichts erreicht, in dieser Hinsicht habe ich mich wie in fast jeder anderen Situation auch zum Spielball der Umstände machen lassen, ich habe meine Unfähigkeit bewiesen, mein Leben wieder in die Hand zu nehmen, die Virilität, die mein quadratisches Gesicht mit seinen klaren Kanten, meine scharf geschnittenen Züge auszustrahlen schienen, war nichts weiter als eine Illusion, ein reiner Schwindel – für den ich allerdings nichts konnte, Gott hatte mich so geformt, aber ich war nichts anderes, war tatsächlich nichts anderes, war nie irgendetwas anderes gewesen als ein substanzloses Weichei, und nun bin ich schon sechsundvierzig Jahre alt, ich war nie in der Lage, über mein eigenes Leben zu bestimmen, kurzum erscheint es mir sehr wahrscheinlich, dass der zweite Teil meiner Existenz ähnlich wie der erste nur in einem schlaffen und schmerzvollen Zusammensacken bestehen wird.

Die ersten bekannten Antidepressiva (Seroplex, Prozac) erhöhten den Serotoninspiegel im Blut, indem sie die Serotoninwiederaufnahme durch die 5-HT_1-Rezeptoren hemmten. Die Entdeckung von Capton D-L im Jahr 2017 ebnete einer neuen Generation von Antidepressiva mit einer letztlich einfacheren Verfahrensweise den Weg, bei der es darum geht, mittels Exozytose die Freisetzung des in der Magenschleimhaut gebildeten Serotonins zu befördern. Seit Ende des Jahres wird Capton D-L unter dem Produktnamen Captorix vermarktet. Es erwies sich auf Anhieb als erstaunlich wirksam und erlaubte den Patienten, mit einer neuen Leichtigkeit an den entscheidenden Riten eines normalen Lebens innerhalb einer hochentwickelten Gesellschaft teilzuhaben (Körperpflege, ein auf gute Nachbarschaftsverhältnisse beschränktes Sozialleben, simple Behördengänge), ohne dabei im Gegensatz zu Antidepressiva der vorherigen Generation den Hang zu Selbstmord oder Selbstverstümmelung zu verstärken.

Die bei Captorix am häufigsten beobachteten unerwünschten Nebenwirkungen waren Übelkeit, Libidoverlust, Impotenz.

Unter Übelkeit habe ich nie gelitten.

DIE GESCHICHTE BEGINNT in Spanien, in der Provinz Almería, genau fünf Kilometer nördlich von El Alquián an der N-340. Es war im Sommer, wahrscheinlich Mitte Juli, gegen Ende der 2010er-Jahre – ich meine mich zu erinnern, dass Emmanuel Macron Staatspräsident war. Die Sonne schien, und es war extrem heiß, wie immer zu dieser Jahreszeit in Südspanien. Der Nachmittag war gerade angebrochen, und mein Geländewagen, ein Mercedes G 350 TD, stand auf dem Parkplatz der Repsol-Tankstelle. Ich hatte ihn gerade mit Diesel vollgetankt und trank, an die Karosse gelehnt, langsam eine Coke Zero, von einer zunehmenden Niedergeschlagenheit befallen bei dem Gedanken, dass Yuzu am nächsten Tag ankommen würde, als ein VW Käfer gegenüber der Luftdruckstation hielt.

Zwei junge Frauen um die zwanzig stiegen aus, und selbst aus der Entfernung war zu erkennen, dass sie hinreißend aussahen; ich hatte in letzter Zeit vergessen, wie hinreißend Frauen sein konnten, es versetzte mir einen Schreck wie ein übertriebener Knalleffekt im Theater. Die Luft war so heiß, dass sie leicht zu flimmern schien, ebenso wie der Asphalt des Parkplatzes, es waren genau die richtigen Bedingungen für eine

Fata Morgana. Doch die Mädchen waren echt, und ich wurde von einer leichten Panik befallen, als eine der beiden auf mich zukam. Sie hatte langes, ganz leicht gewelltes kastanienbraunes Haar und trug ein schmales, mit einem farbigen Muster verziertes Lederband um die Stirn. Ein weißes Schlauchtop aus Baumwolle bedeckte notdürftig ihre Brüste, und ihr kurzer, flatternder Rock, ebenfalls aus weißer Baumwolle, schien förmlich darauf zu warten, sich beim geringsten Luftzug zu heben – wobei es keinen Luftzug gab; Gott ist gnädig und barmherzig.

Sie wirkte gelassen und fröhlich und schien überhaupt keine Angst zu haben – die Angst, sagen wir es, wie es ist, war ganz auf meiner Seite. In ihrem Blick lagen Gutmütigkeit und Glückseligkeit – ich wusste vom ersten Augenblick an, dass ihr in ihrem Leben seitens Tieren, Menschen, ja selbst Arbeitgebern nur Gutes widerfahren war. Warum kam sie, die so jung und begehrenswert war, an diesem Sommernachmittag zu mir? Ihre Freundin und sie wollten ihren Reifendruck prüfen (das heißt den Reifendruck ihres Autos, ich habe mich falsch ausgedrückt). Das ist eine in fast allen zivilisierten und sogar einigen unzivilisierten Ländern von der Verkehrswacht empfohlene Vorsichtsmaßnahme, das junge Mädchen war also nicht nur begehrenswert und gutherzig, sondern auch noch umsichtig und vernünftig. Meine Bewunderung ihr gegenüber wuchs mit jeder Sekunde. Konnte ich ihr meine Hilfe verweigern? Ganz offensichtlich nicht.

Ihre Begleiterin entsprach eher dem, was man von einer Spanierin erwartet – tiefschwarzes Haar, dunkelbraune Augen, dunkler Teint. Sie sah etwas weniger nach coolem Hippie aus, das heißt, sie wirkte auch ziemlich cool, aber weniger hippiemäßig, mit einem kleinen Einschlag ins Schlampenhafte, im linken Nasenloch trug sie einen silbernen Ring, und das Schlauchtop, das ihre Brüste bedeckte, war bunt und in einem aggressiven Schrift-Design gestaltet, überzogen mit Slogans, die man dem Punk oder dem Rock hätte zuordnen können, ich hatte den Unterschied vergessen, sagen wir der Einfachheit halber Punk-Rock-Slogans. Anders als ihre Begleiterin trug sie Shorts, und das war noch schlimmer, ich weiß nicht, warum so eng anliegende Shorts überhaupt hergestellt werden, es war unmöglich, nicht von ihrem Arsch hypnotisiert zu werden. Es war unmöglich, ich schaffte es nicht, konnte mich aber recht bald wieder auf die bestehende Situation konzentrieren. Zuerst einmal, erklärte ich, müsse man den für das entsprechende Automodell empfohlenen Reifendruck ermitteln: Er stehe normalerweise auf einer unterhalb der linken Vordertür angeschweißten kleinen Metallplakette.

Die Plakette war tatsächlich an der angegebenen Stelle zu finden, und ich fühlte ihre Achtung vor meiner männlichen Kompetenz wachsen. Ihr Auto war nicht sehr stark beladen – sie hatten sogar erstaunlich wenig Gepäck dabei, zwei leichte Taschen, die wohl ein paar Tangas und die üblichen Schönheitsprodukte enthielten – ein Druck von 2,2 bar wäre völlig ausreichend.

Blieb noch das eigentliche Befüllen der Reifen. Der Druck auf dem linken Vorderreifen, konstatierte ich sofort, lag nicht über 1,0 bar. Ich wandte mich voller Ernst an sie, um nicht zu sagen mit der leichten Strenge, zu der mich mein Alter befugte. Sie hätten gut daran getan, sich an mich zu wenden, es sei allerhöchste Zeit gewesen, ohne sich dessen bewusst zu sein, hätten sie in ernsthafter Gefahr geschwebt. Zu niedriger Reifendruck könne zu mangelnder Bodenhaftung und schwammiger Lenkung führen, irgendwann würde es fast zwangsläufig zu einem Unfall kommen. Sie zeigten sich erschüttert und arglos, und die Brünette legte mir eine Hand auf den Unterarm.

Zugegebenermaßen sind diese Geräte verdammt schwer zu bedienen, man muss auf das Zischen der Vorrichtung horchen und sie dabei immer wieder neu ausrichten, bevor man die Tülle auf das Ventil aufsetzt, da ist vögeln einfacher, es ist intuitiver, ich war mir sicher, dass sie darin mit mir übereingestimmt hätten, aber ich wusste nicht, wie ich das Thema hätte anschneiden sollen, kurz gesagt, ich füllte den linken Vorderreifen und im Anschluss den linken Hinterreifen auf, sie hockten links und rechts von mir, verfolgten meine Handbewegungen mit äußerster Aufmerksamkeit, murmelten in ihrer Sprache »*Chulo*« und »*Claro que sí*«, und dann übergab ich an sie und ließ sie unter meiner väterlichen Aufsicht die übrigen Reifen übernehmen.

Die Dunkle, die, wie ich merkte, die spontanere von beiden war, machte sich gleich an den rechten Vorderreifen, und dann wurde es richtig hart, als sie sich hingekniet hatte und sich ihr perfekt gerundeter, in die hautengen Minishorts eingegossener Hintern bewegte, während sie die Tülle zu kontrollieren versuchte, ich glaube, die Brünette hatte Mitleid mit mir in meiner Verstörung, sie legte mir sogar kurz einen Arm um die Taille, einen schwesterlichen Arm.

Schließlich kam der rechte Hinterreifen an die Reihe, um den sich die Brünette kümmerte. Die erotische Spannung ließ etwas nach, wurde jedoch sanft von einer amourösen Spannung überlagert, denn wir wussten alle drei, dass es der letzte

Reifen war und dass ihnen nun nichts anderes übrig blieb, als ihre Fahrt fortzusetzen.

Sie blieben trotzdem noch ein paar Minuten bei mir, verwoben Dankesbekundungen und freundliche Gesten ineinander, und sie meinten es aufrichtig, zumindest sage ich mir das jetzt, mit mehreren Jahren Abstand, während ich mir in Erinnerung rufe, dass ich irgendwann einmal ein erotisches Leben hatte. Sie erkundigten sich nach meiner Nationalität – ich bin Franzose, ich glaube, ich habe es noch gar nicht erwähnt –, nach den Vergnügungsmöglichkeiten in der Gegend, vor allem wollten sie wissen, ob ich irgendwelche netten Orte kannte. Ja, gewissermaßen, es gab da eine Tapas-Bar, in der auch ein reichhaltiges Frühstück serviert wurde, genau gegenüber meiner Ferienwohnung. Ein Stück weiter gab es einen Nachtclub, den man im weitesten Sinne als »nett« bezeichnen konnte. Ich hatte meine eigenen vier Wände, ich hätte sie bei mir unterbringen können, wenigstens für eine Nacht, und das, scheint mir (aber im Rückblick mache ich mir da wohl etwas vor), hätte wirklich nett werden können. Aber ich erzählte nichts von alldem, ich begnügte mich mit einem groben Überblick und erklärte, die Gegend sei insgesamt recht angenehm (was stimmte) und ich verlebte hier eine glückliche Zeit (was nicht stimmte, und die baldige Ankunft von Yuzu würde die Sache nicht besser machen).

Schließlich verabschiedeten sie sich winkend, der Käfer drehte auf dem Parkplatz und fuhr dann auf den Zubringer zur Nationalstraße auf.

An diesem Punkt hätte Verschiedenes passieren können. Hätten wir uns in einer romantischen Komödie befunden, dann wäre ich nach ein paar Sekunden dramatischen Zögerns (hier wäre die Kunst des Schauspielers gefragt gewesen, ich denke, Kev Adams hätte es gut hinbekommen) hinters Steuer meines Mercedes-Geländewagens gesprungen, hätte den Käfer auf der Autobahn rasch eingeholt und wäre mit wilden, leicht dümmlich wirkenden Gesten (wie in romantischen Komödien üblich) an ihm vorbeigezogen, sie hätte auf dem Standstreifen angehalten (in einer klassischen romantischen Komödie wäre es wohl nur ein Mädchen gewesen, höchstwahrscheinlich die Brünette), und inmitten der Abgase der mit wenigen Metern Abstand vorbeifahrenden Lkw hätten sich anrührende menschliche Handlungen vollzogen. Der Dialogautor hätte gut daran getan, sich mit dem Text für diese Szene richtig Mühe zu geben.

Hätten wir uns in einem Pornofilm befunden, wäre die weitere Handlung noch vorhersehbarer, der Dialog aber weniger wichtig gewesen. Alle Männer sehnen sich nach unverbrauchten, umweltbewussten, einem Dreier gegenüber aufgeschlossenen Mädchen – oder zumindest fast alle Männer, ich in jedem Fall.

Wir befanden uns in der Realität, und darum fuhr ich nach Hause. Ich wurde von einer Erektion befallen, was angesichts des Verlaufs, den der Nachmittag genommen hatte, nicht überraschend war. Ich rückte ihr mit den üblichen Mitteln zu Leibe.

DIESE JUNGEN MÄDCHEN, und ganz besonders die Brünette, hätten meinem Aufenthalt in Spanien einen Sinn geben können, und das enttäuschende und banale Ende meines Nachmittags verdeutlichte nur auf grausame Weise, was offensichtlich war: Ich hatte nicht den geringsten Grund, hier zu sein. Ich hatte diese Wohnung mit Camille und für Camille gekauft. Das war in der Zeit gewesen, da wir uns als Paar gemeinsame Projekte überlegt hatten, wie die Schaffung eines familiären Ankerplatzes, den Kauf einer romantischen Mühle in der Creuse oder was weiß ich, das Zeugen von Kindern war vielleicht das Einzige, was wir nicht in Erwägung zogen – und selbst das war eine knappe Sache. Es war mein erster Immobilienkauf, und es ist übrigens auch bei diesem einen geblieben.

Der Ort hatte ihr auf Anhieb gefallen. Es war eine kleine Nudistenkolonie, ruhig, weitab der riesigen, sich von Andalusien bis zur Levante erstreckenden Touristenkomplexe, deren Bewohner vor allem nordeuropäische Rentner waren – Deutsche, Holländer, auch einige Skandinavier, natürlich die unvermeidlichen Engländer, wohingegen es seltsamerweise keinerlei Belgier gab, obwohl die gesamte Kolonie – die Architektur der Pavillons, die Anordnung der Einkaufszentren, die Einrichtung der Bars – ihre Anwesenheit einzufordern schien, es war, kurzum, wirklich ein belgisches Nest. Die meisten der Bewohner hatten ihre berufliche Laufbahn im Bildungswesen absolviert, Beamtentum im weiteren Sinne, Positionen auf mittlerer Ebene. Jetzt beendeten sie ihr Leben in friedlicher Manier, kamen zur Happy Hour nie als Letzte und trugen ihre hängenden Hintern, ihre überflüssigen Brüste und ihre untätigen Schwänze fröhlich von der Bar zum Strand und vom Strand zur Bar. Sie machten keine Probleme, zettelten keinen Nachbarschaftsstreit an, sie breiteten pflichtschuldig ein Handtuch auf den Plastikstühlen des Lokals No problemo aus, bevor sie sich mit übertriebener Aufmerksamkeit in das Studium der doch sehr übersichtlichen Karte vertieften (innerhalb der Kolonie galt es als höflich, durch Auflegen eines Handtuchs den Kontakt zwischen dem gemeinschaftlich genutzten Mobiliar und den möglicherweise feuchten intimen Körperteilen der Gäste zu vermeiden).

Eine weitere, weniger große, aber aktivere Gruppe bildeten spanische Hippies (angemessen vertreten, so wurde mir schmerzlich bewusst, durch die beiden jungen Mädchen, die mich wegen der Befüllung ihrer Reifen angesprochen hatten). Ein kleiner Exkurs in die jüngere Geschichte Spaniens könnte hier zweckdienlich sein. Nach dem Tod General Francos im Jahr 1975 sah sich Spanien mit zwei gegenläufigen Strömungen konfrontiert. Die erste, eine unmittelbare Folge der 1960er-Jahre, legte großen Wert auf freie Liebe, Nacktheit, die Emanzipation der Arbeiterklasse und dergleichen. Die zweite, die sich im Laufe der 1980er-Jahre endgültig durchsetzte, honorierte dagegen Wettbewerb, Hardcore-Porno, Zynismus und Aktienoptionen, gut, ich vereinfache, aber ohne Vereinfachungen kommt man nicht weiter. Die Vertreter der ersten Strömung, deren Niederlage vorprogrammiert war, zogen sich nach und nach zurück in Schutzräume wie die bescheidene Nudistenkolonie, in der ich eine Wohnung gekauft hatte. Hatte sich diese vorprogrammierte Niederlage also endlich vollzogen? Gewisse deutlich nach dem Tod General Francos auftretende Phänomene wie die Bewegung der *indignados* ließen das Gegenteil vermuten. Und dann vor noch kürzerer Zeit das Auftauchen dieser beiden jungen Mädchen an der Repsol-Tankstelle bei El Alquián an diesem beunruhigenden und unheilvollen Nachmittag – war die weibliche Version des *indignado* wohl eine *indignada?* War ich also zwei hinreißenden *indignadas* begegnet? Ich würde es nie erfahren, es war mir nicht gelungen, mein Leben mit dem ihren zu verknüpfen, ich hätte ihnen doch vorschlagen können, mich in meiner Nudistenkolonie zu besuchen, dort wären sie in ihrem natürlichen Habitat gewesen, die Dunkle wäre vielleicht weitergefahren, aber ich wäre mit der Brünetten glücklich gewesen, wobei die Glücksverheißungen in meinem Alter ein bisschen vage wurden, aber nach dieser Begegnung träumte ich mehrere Nächte hintereinander, dass die Brünette an meiner Tür klingelte. Sie war zu mir zurückgekommen, mein Umherirren auf dieser Welt hatte ein Ende gefunden, sie war zurückgekehrt, um in einem Handstreich meinen Schwanz, mein Dasein und meine Seele zu retten. »Und in mein Haus, frei und verwegen, trete ein, meine Gebieterin.« In einigen dieser Träume erklärte sie, ihre dunkle Freundin warte im Auto und wolle wissen, ob sie zu uns herauskommen könne, doch diese Version des Traums wurde immer seltener, das Szenario vereinfachte sich, und schließlich gab es gar kein Szenario mehr, gleich nachdem ich die Tür geöffnet hatte, traten wir in einen erleuchteten, mit Worten nicht zu beschreibenden Raum ein. Diese Fantastereien dauerten etwas über zwei Jahre lang an – aber greifen wir nicht vor.

Im Hier und Jetzt würde ich am darauffolgenden Nachmittag Yuzu am Flughafen von Almería abholen müssen. Sie war noch nie hergekommen, aber ich war mir sicher, dass sie den Ort hassen würde. Für die nordischen Rentner empfand sie nichts als Abscheu, für die spanischen Hippies nichts als Verachtung, keine dieser beiden Kategorien (die hier ohne große Schwierigkeiten zusammenlebten) konnte ihrer elitären Vision des Gesellschaftslebens und der Welt an sich gerecht werden, all diese Leute hatten eindeutig keine *Klasse,* und im Übrigen hatte auch ich keine *Klasse,* ich hatte nur Geld, gar nicht mal wenig Geld, aufgrund von Umständen, die ich vielleicht noch schildern werde, wenn ich dazu komme, und damit ist eigentlich alles gesagt, was es über meine Beziehung mit Yuzu zu sagen gibt, ich musste sie natürlich verlassen, das war offensichtlich, ja, wir hätten gar nicht erst zusammenkommen dürfen, nur brauchte ich lange, sehr lange, um mein Leben wieder in die Hand zu nehmen, wie bereits gesagt, und die meiste Zeit über schaffte ich es überhaupt nicht.

Am Flughafen fand ich problemlos eine Parklücke, der Parkplatz war überdimensioniert, überhaupt war in dieser Gegend alles überdimensioniert, für einen touristischen Ansturm kolossalen Ausmaßes vorgesehen, der nie eingetreten war.

Es war Monate her, dass ich zum letzten Mal mit Yuzu geschlafen hatte, und vor allem zog ich aus anderen Gründen, die ich sicherlich noch erläutern werde, nie in Betracht, wieder damit anzufangen, im Grunde begriff ich überhaupt nicht, warum ich diesen Urlaub organisiert hatte, und während ich auf einer Plastikbank im Ankunftsbereich wartete, überlegte ich schon, den Aufenthalt zu verkürzen – ich hatte zwei Wochen eingeplant, eine Woche wäre mehr als ausreichend, ich würde lügen, was meine beruflichen Verpflichtungen anging, dagegen könnte sie nichts sagen, die Schlampe, sie war komplett von meiner Kohle abhängig, das verschaffte mir immerhin gewisse Rechte.

Der von Paris-Orly kommende Flug war pünktlich, der Ankunftsbereich angenehm klimatisiert und fast menschenleer – der Tourismus in der Provinz Almería ließ wirklich immer weiter nach. Als die elektronische Anzeigetafel die Landung vermeldete, wäre ich beinahe aufgestanden und zum Parkplatz gegangen – sie kannte die Adresse nicht, sie hätte mich niemals gefunden. Ich rief mich schnell zur Vernunft – es könnte gut sein, dass ich an einem der nächsten Tage nach Paris zurückkehren müsste, und sei es nur aus beruflichen Gründen, meine Arbeit im Landwirtschaftsministerium widerte mich, nebenbei bemerkt, genauso an wie meine japanische Partnerin, ich machte wirklich eine schwere Zeit durch, manche bringen sich wegen weniger um.

Sie war wie immer völlig übertrieben geschminkt, förmlich angemalt, der scharlachrote Lippenstift und der rötlich-violette Lidschatten betonten ihren blassen Teint, ihre »Porzellanhaut«, wie es in den Romanen von Yves Simon heißt, in diesem Moment erinnerte ich mich daran, dass sie sich niemals der Sonne aussetzte, denn eine bleiche Haut (beziehungsweise Porzellanhaut, um es mit Yves Simon zu sagen) wurde von den Japanern als der Gipfel der Vornehmheit betrachtet; was aber sollte man in einem spanischen Badeort machen, wenn man sich nicht der Sonne aussetzen wollte, dieser geplante Urlaub war wirklich absurd, ich würde noch am selben Abend die Hotelreservierungen für die Rückreise ändern, eine Woche war schon zu viel, warum nicht ein paar Tage für die Kirschblüte in Kyoto im Frühling aufsparen?

Mit der Brünetten wäre alles anders gewesen, sie hätte sich am Strand ohne Groll und ohne Geringschätzung ausgezogen, solch eine gehorsame Tochter Israels, sie hätte sich nicht an den Wülsten der fetten deutschen Rentnerinnen gestört (sie wusste, dies war das Schicksal der Frauen bis zur glorreichen Wiederkunft Christi), sie hätte der Sonne (und den deutschen Rentnern, die sich das keine Sekunde lang hätten entgehen lassen) das gloriose Spektakel ihres perfekt gerundeten Hinterns, ihrer arglosen, aber nichtsdestoweniger epilierten Muschi (denn Gott hat den Putz erlaubt) dargeboten, und ich wäre wieder steif gewesen, ich hätte einen Ständer gehabt wie ein Tier, aber sie hätte mir nicht gleich am Strand einen geblasen, es war eine familientaugliche Nudistenkolonie, sie hätte die deutschen Rentnerinnen nicht schockieren wollen, die bei Sonnenaufgang am Strand ihre Hatha-Yoga-Übungen machten, trotzdem hätte ich gespürt, dass sie Lust dazu hatte, und meine Manneskraft wäre dadurch wiederhergestellt gewesen, doch sie hätte gewartet, bis wir im Wasser gewesen wären, vielleicht fünfzig Meter vom Ufer entfernt (der Strand fiel ganz sanft ab), bevor sie meinem triumphalen Phallus ihre feuchten Weichteile dargeboten hätte, und später hätten wir uns in einem Restaurant in Garrucha einen Teller *arroz con bogavante* geteilt, Romantik und Pornografie wären nicht länger zwei unterschiedliche Dinge gewesen, die Barmherzigkeit des Schöpfers hätte sich mit Wucht offenbart, meine Gedanken waren kurz hin und her gesprungen, aber ich schaffte es trotzdem, andeutungsweise einen zufriedenen Gesichtsausdruck nachzuahmen, als ich Yuzu erblickte, die inmitten einer dicht gedrängten Horde australischer Backpacker den Ankunftsbereich betrat.

Wir gaben uns ein flüchtiges Begrüßungsküsschen, zumindest berührten sich unsere Wangen leicht, aber das war wohl schon zu viel, sie setzte sich gleich hin, öffnete ihr Beauty-Case (dessen Inhalt streng den gemeinsamen Vorschriften der Fluggesellschaften für das Handgepäck entsprach) und frischte ihren Puder auf, ohne dem Gepäckförderband irgendeine Beachtung zu schenken – offensichtlich würde ich das Gepäck schleppen müssen.

Ich kannte ihr Gepäck gut, zwangsläufig, es war von einem renommierten Hersteller, den ich vergessen habe, Zadig & Voltaire oder vielleicht auch Pascal & Blaise, das Konzept war in jedem Fall, eine dieser Landkarten aus der Renaissance, auf denen die Erde in sehr schematischer Form dargestellt war, aber begleitet von alten Bildlegenden wie »Hier muessen Tyger leben«, auf den Stoff zu drucken. Jedenfalls waren es schicke Gepäckstücke, ihre Exklusivität wurde dadurch unterstrichen, dass sie nicht mit Rollen ausgestattet waren, im Gegensatz zu vulgären Samsonites für mittlere Angestellte musste man sie tatsächlich *schleppen,* ganz genau so wie die Überseekoffer eleganter Damen aus viktorianischer Zeit.

Wie alle Länder des abendländischen Europas hatte sich das in einen tödlichen Prozess der Produktivitätssteigerung verstrickte Spanien Stück für Stück aller nicht qualifizierten

Tätigkeiten entledigt, die einst dazu beigetragen hatten, das Leben etwas weniger unerfreulich zu gestalten, und im gleichen Zug den Großteil seiner Bevölkerung zur Massenerwerbslosigkeit verurteilt. Gepäck wie dieses, ob nun Zadig & Voltaire oder eben Pascal & Blaise daraufstand, hatte nur in einer Gesellschaft Sinn, in der noch der Beruf des *Trägers* existierte.

Das war offenbar nicht mehr so, das heißt, eigentlich doch, dachte ich, während ich die beiden Gepäckstücke (einen Koffer und eine fast ebenso schwere Reisetasche, die zusammen um die vierzig Kilo auf die Waage bringen mussten) nacheinander vom Förderband hob: Der Träger war ich.

DAZU ÜBERNAHM ICH DIE FUNKTION des Chauffeurs. Kurz nachdem wir wieder auf die Autobahn A7 aufgefahren waren, schaltete sie ihr iPhone ein und schloss ihre Kopfhörer an, bevor sie sich eine mit abschwellender Aloe-vera-Lotion getränkte Maske auf die Augen legte. Die Strecke, die in Richtung Süden auf den Flughafen zuführte, war nicht ungefährlich, es kam nicht selten vor, dass ein lettischer oder bulgarischer Lkw-Fahrer die Kontrolle über sein Fahrzeug verlor. In der Gegenrichtung hatten die Lastwagenflotten, die Nordeuropa mit in Gewächshäusern angebautem, von illegal aus Mali eingereisten Arbeitern geerntetem Gemüse versorgten, ihre Reise gerade erst angetreten, die Fahrer litten noch nicht an Schlafmangel, und ich konnte ohne Schwierigkeiten an etwa dreißig Lastern vorbeiziehen, bevor ich die Abfahrt 537 erreichte. Am Eingang der langen Kurve, die zu dem Viadukt führte, das die Rambla del Tesoro überragte, fehlte auf etwas mehr als fünf Metern die Leitplanke; um dem Ganzen ein Ende zu bereiten, hätte ich nur das Lenkrad loslassen müssen. Der Abhang war an dieser Stelle sehr steil, und angesichts der erreichten Geschwindigkeit war mit einer perfekten Durchfahrt zu rechnen, der Wagen würde nicht einmal den felsigen Abhang hinunterrasen, er würde einfach hundert Meter weiter unten zerschellen, ein Augenblick reinen Schreckens, und dann wäre es vorbei, ich würde dem Herrn meine unstete Seele übergeben.

Das Wetter war klar und windstill, und ich fuhr schnell auf den Eingang der Kurve zu: Ich schloss die Augen und umklammerte das Steuer, und es folgten einige Sekunden, gewiss weniger als fünf, eines paradoxen Gleichgewichts und absoluten Friedens, in deren Verlauf es mir vorkam, als wäre ich aus der Zeit herausgetreten.

In einer krampfhaften, ganz und gar unwillkürlichen Bewegung schlug ich das Lenkrad nach links ein. Es war höchste Zeit, der rechte Vorderreifen fraß sich kurz in den steinigen Straßenrand. Yuzu riss sich Maske und Kopfhörer herunter. »Was ist los? Was ist los?«, wiederholte sie wütend, aber auch ein wenig ängstlich, und ich spielte mit dieser Angst: »Alles gut«, sagte ich, so sanft ich konnte, im salbungsvollen Tonfall eines zivilisierten Serienmörders, Anthony Hopkins war mein Vorbild, hinreißend und nahezu unschlagbar, kurzum die Art von Mann, der man irgendwann im Leben einmal begegnen muss. Noch leiser, fast unhörbar wiederholte ich: »Alles gut.«

In Wirklichkeit war gar nichts gut; mein zweiter Befreiungsversuch war soeben fehlgeschlagen.

Wie erwartet, nahm Yuzu meine Entscheidung, unsere Urlaubszeit auf eine Woche zu verkürzen, gelassen auf und versuchte lediglich, nicht allzu erleichtert zu wirken; meine Begründung mit einer beruflichen Weisung schien sie sofort zu überzeugen, in Wirklichkeit war es ihr scheißegal.

Außerdem war es mehr als nur ein Vorwand, ich war nämlich tatsächlich abgereist, bevor ich meinen umfassenden Bericht über die Aprikosenerzeuger aus dem Roussillon eingereicht hatte, angewidert von der Nichtigkeit meiner Arbeit. Sobald die Freihandelsabkommen, über die gerade mit den Mercosur-Staaten verhandelt wurde, unterzeichnet wären, würde klar auf der Hand liegen, dass die Aprikosenerzeuger aus dem Roussillon keine Chance mehr hatten, der Schutz durch die Ursprungsbezeichnung »Rote Aprikose aus dem Roussillon« war bloß eine lächerliche Farce, der Vormarsch der argentinischen Aprikosen war unabwendbar, man konnte die Aprikosenerzeuger aus dem Roussillon im Grunde schon als tot betrachten, keiner, nicht ein einziger von ihnen würde übrig bleiben, nicht einmal ein Überlebender, um die Leichen zu zählen.

Ich war, ich glaube, ich habe es noch nicht erwähnt, im

Landwirtschaftsministerium angestellt, im Wesentlichen bestand meine Arbeit im Verfassen von Mitteilungen und Berichten für Verhandlungsberater, die meist innerhalb der europäischen Verwaltungen saßen, manchmal auch in größeren Handelsrunden mit der Aufgabe, »die Positionen der französischen Landwirtschaft zu bestimmen, zu stützen und zu vertreten«. Meine Mitarbeit auf Vertragsbasis brachte mir ein hohes Gehalt ein, das deutlich über dem lag, was laut der geltenden Vorschriften einem Beamten zugestanden hätte. Dieses Gehalt war in gewisser Weise gerechtfertigt, die französische Landwirtschaft ist komplex und vielschichtig, und es gibt nicht viele, die die Herausforderungen all der verschiedenen Zweige meistern können, und meine Berichte stießen im Allgemeinen auf Wertschätzung, man würdigte meine Fähigkeit, auf den Punkt zu kommen, mich nicht in allzu vielen Zahlen zu verlieren, sondern im Gegenteil gewisse Kernelemente herauszuarbeiten. Andererseits könnte ich eine beeindruckende Reihe von Fehlern in meiner Verteidigung der landwirtschaftlichen Positionen Frankreichs aufzählen, doch diese Fehler waren im Grunde nicht meine gewesen, es waren viel unmittelbarer die Fehler der Verhandlungsberater gewesen, jener seltenen und eitlen Spezies, deren Arroganz durch ihre ständigen Misserfolge nicht im Mindesten gebremst wird, ich hatte einige von ihnen getroffen (nicht allzu häufig, meist kommunizierten wir per E-Mail), und ich war angewidert aus diesen Treffen herausgekommen, meist handelte es sich nicht um Agraringenieure, sondern um ehemalige Handelsschulabsolventen. Ich hatte von Anfang an nichts als Abscheu vor dem Handel empfunden und vor allem, was damit zusammenhing, die Idee eines »handelsgewerblichen Hochschulstudiums« war in meinen Augen eine Schändung des Studienbegriffs als eines solchen, aber letzten Endes war es normal, dass man junge, aus einer Handelsschule hervorgegangene Menschen mit dem Amt des Verhandlungsberaters betraute, Verhandlungen sind immer gleich, ob nun über Aprikosen, Spitzenkonfekt aus der Provence, Mobiltelefone oder Ariane-Raketen verhandelt wird, die Verhandlung ist ein eigenständiges Universum, das seinen eigenen Gesetzen gehorcht, ein allen Nicht-Verhandelnden auf ewig unzugängliches Universum.

Ich hatte meinen Bericht über die Aprikosenerzeuger aus dem Roussillon trotzdem wieder aufgenommen und mich damit in das obere Zimmer zurückgezogen (es war eine Maisonettewohnung), und schließlich hatte ich Yuzu eine Woche lang kaum zu Gesicht bekommen, an den ersten beiden Tagen hatte ich mir noch die Mühe gemacht, wieder zu ihr hinunterzugehen, die Illusion eines Ehebetts aufrechtzuerhalten, danach hatte ich es bleiben lassen, ich hatte mir angewöhnt, allein zu essen, in dieser tatsächlich ganz netten Tapas-Bar, in der ich leider nicht mit der Brünetten von El Alquián zusammengesessen hatte, im Laufe der Tage hatte ich mich dann damit abgefunden, den ganzen Nachmittag dort zu verbringen, diese in geschäftlicher Hinsicht träge, aber in sozialer Hinsicht nicht zu komprimierende Zeitspanne, die in Europa das Mittagessen vom Abendessen scheidet. Die Atmosphäre war beruhigend, es gab dort Menschen, die waren wie ich, nur noch schlechter dran, in dem Maße, dass sie zwanzig oder dreißig Jahre älter waren als ich und das Urteil über sie schon gesprochen war, sie waren *besiegt,* nachmittags waren viele Verwitwete in dieser Tapas-Bar, auch die Nudisten kannten den Witwenstand, genauer gesagt, gab es jede Menge Witwen und nicht wenige homosexuelle Witwer, deren anfälligere Partner schon in den Homohimmel aufgefahren waren, außerdem schienen sich in dieser Tapas-Bar, die die Senioren ganz offensichtlich auserkoren hatten, um dort ihr Leben zu beschließen, die Unterscheidungsmerkmale der sexuellen Orientierungen verflüchtigt zu haben – zugunsten der banaleren nationalen Unterscheidungsmerkmale: Bei den Tischen auf der Terrasse ließ sich die englische Ecke problemlos von der deutschen Ecke abgrenzen; ich war der einzige Franzose; was die Holländer anging, das waren wirklich Schlampen, sie setzten sich, wohin sie wollten, sie sind ein Volk polyglotter Kaufmänner und Opportunisten, diese Holländer, man kann es gar nicht oft genug sagen. Und alle betäubten sie sich sanft mit *cervezas* und *platos combinados,* die Stimmung war insgesamt sehr ruhig, der Tonfall der Unterhaltungen gedämpft. Hin und wieder schwappte dennoch eine Welle jugendlicher *indignados* direkt vom Strand herein, die Haare der Mädchen waren noch feucht, und der Lautstärkepegel im Lokal stieg um eine Stufe an. Was Yuzu ihrerseits machte, weiß ich nicht, denn sie ging ja nicht in die Sonne, wahrscheinlich schaute sie im Netz japanische Serien; ich frage mich heute noch, ob sie überhaupt in der Lage war, die Situation zu begreifen. Ein einfacher *gaijin* wie ich, der nicht einmal aus einem gehobeneren Milieu stammte, der es gerade eben schaffte, ein anständiges, wenn auch nicht fantastisches Gehalt nach Hause zu bringen, hätte sich normalerweise unendlich geehrt fühlen müssen, sein Leben mit irgendeiner Japanerin teilen zu dürfen, und erst recht mit einer jungen, sexy Japanerin, die aus einer prominenten japanischen Familie kam und darüber hinaus mit den avanciertesten künstlerischen Milieus beider Hemisphären in Kontakt stand, die Theorie dahinter war unanfechtbar, ich war es kaum wert, ihr die Sandalen von den Füßen zu lösen, das verstand sich von selbst, nur legte ich ihrem und meinem Status gegenüber leider eine immer rüpelhaftere Gleichgültigkeit an den Tag; als ich eines Abends nach unten ging, um Bier aus dem Kühlschrank zu holen, stieß ich in der Küche mit ihr zusammen, und mir entfuhr ein »Aus dem Weg, fette Schlampe«, bevor ich mir den Bierträger San Miguel und eine angeschnittene Chorizo griff, kurz, ich brachte sie in dieser Woche wohl etwas aus der Fassung. An seinen prominenten Sozialstatus zu gemahnen, ist gar nicht so einfach, wenn einem das Gegenüber als Antwort ins Gesicht zu rülpsen oder einen Furz zu lassen droht, es gab sicherlich viele Leute, mit denen sie ihre Verstörung teilen konnte, nicht ihre Familie, die die Lage sofort zu ihrem eigenen Vorteil ausgeschlachtet und beschlossen hätte, es sei nun an der Zeit, dass sie nach Japan zurückkehrte, aber doch gewiss Freundinnen, Freundinnen oder Bekannte, und ich glaube, sie machte reichlich Gebrauch von Skype in diesen Tagen, während ich mich damit abfand, die Aprikosenerzeuger aus dem Roussillon ihrem Abstieg in die Vernichtung zu überlassen, meine damalige Gleichgültigkeit den Aprikosenerzeugern aus dem Roussillon gegenüber erscheint mir heute als Vorbote jener Gleichgültigkeit, die ich im entscheidenden Augenblick gegenüber den Milcherzeugern von Calvados und dem Ärmelkanal an den Tag gelegt habe, und zugleich jener tiefgreifenderen Gleichgültigkeit, die ich anschließend in Bezug auf mein eigenes Schicksal entwickeln sollte und die mich gegenwärtig begierig die Gesellschaft der Rentner suchen ließ, was paradoxerweise gar nicht so einfach war, enttarnten sie mich doch rasch als falschen Senior, insbesondere von den englischen Rentnern bekam ich mehrere Körbe (was nicht sehr schlimm war, vom Engländer wird man nie freundlich aufgenommen, der Engländer ist fast so ein Rassist wie der Japaner, von dem er eine Art Light-Version darstellt), aber auch von den Holländern, die mich offenbar nicht aus Fremdenfeindlichkeit zurückwiesen (wie sollte ein Holländer fremdenfeindlich sein? Es liegt da schon ein begrifflicher Widerspruch vor, Holland ist kein Land, es ist bestenfalls ein Unternehmen), sondern weil sie mir den Zugang zu ihrem Seniorenuniversum versagten, ich hatte die Bewährungsprobe nicht bestanden, sie konnten mit mir nicht offen und zwanglos über ihre Prostataprobleme und ihre Bypassoperationen reden, überraschenderweise fand ich viel leichter Zugang zu den *indignados*, mit ihrer Jugend ging eine effektive Naivität einher, und während dieser paar Tage hätte ich mich auf ihre Seite schlagen können, und ich hätte mich auf ihre Seite schlagen müssen, es war meine letzte Chance, und zugleich hätte ich ihnen viel beizubringen gehabt, ich kannte mich mit den Entgleisungen der Agrarindustrie bestens aus, in Verbindung mit mir hätte sich ihre militante Haltung verfestigt, zumal die spanische GVO-Politik mehr als fragwürdig war, Spanien war eines der liberalistischsten und verantwortungslosesten Länder, was den Umgang mit genetisch veränderten Organismen betraf, das galt für ganz Spanien, die Gesamtheit der spanischen *campos*, die sich von heute auf morgen in Genbomben zu verwandeln drohten, im Grunde hätte es nur eines Mädchens bedurft, es bedurfte immer nur eines Mädchens, aber es geschah nichts, was mich die Brünette von El Alquián hätte vergessen lassen, und im Rückblick gebe ich nicht einmal den anwesenden *indignadas* die Schuld, ich kann mich nicht einmal mehr richtig an ihre Einstellung zu mir erinnern, im Nachhinein erscheint sie mir als oberflächlich wohlwollend, aber ich war wohl selbst nur auf oberflächliche Weise zugänglich, ich war vernichtet durch Yuzus Rückkehr, durch die offensichtliche Tatsache, dass ich mir Yuzu vom Hals schaffen musste, und das so schnell wie möglich, ich war nicht mehr in der Lage, ihre Reize wirklich wahrzunehmen beziehungsweise sie, selbst wenn ich sie wahrgenommen hätte, für echt zu halten, sie waren wie eine Dokumentation über die Wasserfälle des Berner Oberlands, die ein somalischer Flüchtling im Internet sieht. Meine Tage verrannen zunehmend schmerzhaft in der Abwesenheit spürbarer Ereignisse und schlichter Gründe, weiterzuleben, letztlich hatte ich sogar die Aprikosenerzeuger aus dem Roussillon vollständig aufgegeben; ich ging nicht mehr sehr oft ins Café, aus Angst, mich einer *indignada* mit nackten Brüsten gegenüberzusehen. Ich betrachtete die Bewegungen der Sonne auf den Steinplatten, ich kippte flaschenweise Cardenal-Mendoza-Brandy hinunter, und das war so ziemlich alles.

DER UNERTRÄGLICHEN LEERE meiner Tage zum Trotz sah ich der Rückfahrt ängstlich entgegen, während der mehrtägigen Reise würde ich im selben Bett wie Yuzu schlafen müssen, schließlich könnten wir uns keine getrennten Zimmer nehmen, ich war außerstande, die Weltanschauung der Rezeptionisten und selbst der übrigen Hotelangestellten so brutal und in einem solchen Maß zu erschüttern, wir würden also dauerhaft aneinander gefesselt sein, vierundzwanzig Stunden am Tag, und dieses Martyrium würde vier ganze Tage dauern. Zu Camilles Zeiten hatte ich für den Weg nur zwei Tage gebraucht, zunächst einmal weil sie selbst Auto fuhr und mich jederzeit ablösen konnte, aber auch weil man sich in Spanien noch nicht an die Geschwindigkeitsbegrenzungen hielt, es gab noch kein Punktesystem, und die Koordination der europäischen Bürokratien war ohnehin noch nicht so perfekt organisiert, weswegen ein generell eher laxer Umgang mit kleineren Vergehen von Ausländern herrschte. Nicht nur ließ sich durch eine Geschwindigkeit von hundertfünfzig oder hundertsechzig Stundenkilometern anstelle dieser lächerlichen Beschränkung auf hundertzwanzig Stundenkilometer offensichtlich die Fahrtzeit reduzieren, sondern man konnte auch länger und unter besseren Sicherheitsbedingungen fahren. Auf diesen endlosen spanischen Autobahnen, ewig lange, so gut wie leere Geraden, die sich unter der erdrückenden Sonne durch eine Landschaft von absoluter Eintönigkeit ziehen, vor allem zwischen Valencia und Barcelona, aber durchs Landesinnere zu fahren, änderte auch nicht viel, der Streckenabschnitt zwischen Albacete und Madrid war ebenfalls völlig deprimierend, auf diesen spanischen Autobahnen ließ sich das Einschlafen selbst durch das Trinken eines *café solo* bei jeder Gelegenheit, selbst in Anbetracht der Tatsache, dass man eine Zigarette nach der anderen rauchte, nur sehr schwer verhindern. Nach zwei oder drei Stunden dieser langatmigen Fahrstrecke schlossen sich die Augen unwillkürlich, man wäre nur durch die geschwindigkeitsbedingte Adrenalinausschüttung wach gehalten worden, dem Wiederanstieg tödlicher Unfälle auf den spanischen Autobahnen lag in Wahrheit diese absurde Geschwindigkeitsbegrenzung zugrunde, und wollte ich keinen tödlichen Unfall riskieren – was allerdings eine Lösung gewesen wäre –, musste ich mich darauf beschränken, fünfhundert bis sechshundert Kilometer am Tag zurückzulegen.

Schon zu Camilles Zeiten war es schwierig gewesen, unterwegs Hotels zu finden, in denen das Rauchen erlaubt war, aber aus genannten Gründen hatten wir nur einen Tag gebraucht, um Spanien zu durchqueren, und einen weiteren, um wieder nach Paris zu gelangen, und wir hatten ein paar abtrünnige Hotelbetriebe ausfindig gemacht, einen an der baskischen Küste, einen anderen an der Côte Vermeille, einen dritten ebenfalls im Departement Pyrénées-Orientales, aber tiefer im Landesinneren, in Bagnères-de-Luchon, um genau zu sein, schon in den Bergen, und es ist vielleicht dieser dritte, das Château de Riell, an den ich die märchenhaftesten Erinnerungen habe, was an der kitschigen, pseudo-exotischen, unwahrscheinlichen Einrichtung sämtlicher Zimmer lag.

Die Unterdrückung durch das Gesetz war damals weniger perfekt, es gab noch Schlupflöcher, aber ich war auch noch jünger, ich hatte noch die Hoffnung, innerhalb der gesetzlichen Schranken bleiben zu können, ich glaubte noch an die Gerechtigkeit meines Landes, ich vertraute auf den im Ganzen nutzbringenden Charakter seiner Gesetze, ich hatte mir noch nicht das Guerilla-Know-how angeeignet, das mir später erlauben würde, die Rauchmelder mit Nichtachtung zu strafen: Ist die Abdeckung des Apparats erst einmal geöffnet, muss man nur zweimal ordentlich mit dem Seitenschneider zukneifen, um den Stromkreis des Alarms zu unterbrechen, und das war's. Schwieriger ist es, die Putzfrauen für sich zu gewinnen, deren auf das Wittern von Tabakduft übertrainiertem Geruchssinn normalerweise nichts entgeht, was sie angeht, ist die einzige Lösung, sie zu schmieren, mit großzügig verteilten Trinkgeldern lässt sich ihr Schweigen zuverlässig erkaufen, aber unter diesen Bedingungen wird es natürlich ein teurer Aufenthalt, und gegen Verrat ist man trotzdem niemals gefeit.

Für die erste Station unserer Reise hatte ich das Parador in Chinchón vorgesehen, dagegen gab es kaum etwas einzuwenden, gegen Parador-Hotels im Allgemeinen gibt es wenig einzuwenden, aber dieses war besonders charmant, es befand sich in einem Kloster aus dem 16. Jahrhundert, die Zimmer gingen auf einen gefliesten Innenhof hinaus, wo ein Springbrunnen sprudelte, überall auf den Fluren und auch schon in der Hotelhalle konnte man sich in prächtige spanische Sessel aus dunklem Holz setzen. Dort ließ sie sich nieder, überschlug die Beine mit der ihr eigenen Arroganz und schaltete, ohne der Umgebung die geringste Beachtung zu schenken, sofort ihr Smartphone ein, schon im Voraus bereit, sich zu beschweren, falls es kein Netz gäbe. Gab es aber, was eine ziemlich gute Nachricht war, das würde sie den Abend über beschäftigen. Sie musste trotzdem noch einmal aufstehen, nicht ohne eine gewisse Gereiztheit an den Tag zu legen, um ihren Ausweis sowie ihre Aufenthaltsgenehmigung für Frankreich vorzuzeigen und die verschiedenen Formulare, die ihr der Hotelier hinlegte, an den gekennzeichneten Stellen, drei insgesamt, zu unterschreiben, die Verwaltung der Parador-Hotels hatte sich eine seltsam bürokratische und pedantische Seite bewahrt, die gar nicht mit der Vorstellung abendländischer Touristen von einem charmanten Boutique-Hotel zusammenging, Begrüßungscocktails waren nicht ihr Gebiet, das Fotokopieren von Ausweisen schon, wahrscheinlich hatte sich seit Franco nicht viel geändert, und doch *waren* die Paradors charmante Boutique-Hotels, sie waren nahezu ihr perfektes Urbild, alles, was in Spanien noch an mittelalterlichen Festungen oder Renaissance-Klöstern erhalten war, hatte man zu einem Parador umgebaut. Diese seit 1928 angewandte visionäre Politik hatte ihr volles Ausmaß erst etwas später erreicht, nach der Machtübernahme eines Mannes. Unabhängig von anderen, teils fragwürdigen Aspekten seines politischen Handelns konnte Francisco Franco als der wahre Erfinder des *Wohlfühltourismus* auf Weltniveau gelten, doch sein Lebenswerk erschöpfte sich nicht darin, dieser weltumspannende Geist sollte später die Grundlagen für einen authentischen *Massentourismus* schaffen (man denke nur an Benidorm! Man denke an Torremolinos! Gab es in den 1960er-Jahren irgendwo auf der Welt etwas Vergleichbares?), in Wirklichkeit war Francisco Franco ein echter Tourismusgigant gewesen, und anhand dieses Maßstabs würde man ihn letztlich neu bewerten, in manchen Schweizerischen Hotelfachschulen tat man das übrigens bereits, und auf allgemeinerer volkswirtschaftlicher Ebene war das Franco-Regime jüngst zum Gegenstand interessanter Arbeiten in Harvard oder Yale geworden, die aufzeigten, wie der *Caudillo*, der vorausahnte, dass Spanien niemals wieder Anschluss an den Zug der industriellen Revolution finden würde, dass es ihn, man muss es wirklich so sagen, komplett verpasst hatte, den kühnen Entschluss traf, durch Investitionen in die dritte und finale Phase der europäischen Wirtschaft, die des tertiären Tourismus- und Dienstleistungssektors, Strecke zu machen, wodurch er seinem Land einen entscheidenden Wettbewerbsvorteil verschaffte, zu einer Zeit, da die Arbeitnehmer in den neuen Industrieländern, die zu einer erhöhten Kaufkraft gelangt waren, diese innerhalb Europas einsetzen wollten, je nach ihrem gesellschaftlichen Status entweder per Wohlfühltourismus oder per Massentourismus, wobei es zum Beispiel im Parador von Chinchón momentan nicht einen Chinesen gab, hinter uns wartete ein stinkgewöhnliches englisches Akademikerpaar, aber die Chinesen würden kommen, ganz bestimmt würden sie kommen, ich hatte keinen Zweifel, dass sie kommen würden, man müsste nur vielleicht doch die Aufnahmeformalitäten vereinfachen, bei allem Respekt, den man vor dem touristischen Erbe des *Caudillo* haben konnte und sollte, hatten sich die Dinge doch geändert, es war jetzt kaum mehr wahrscheinlich, dass Spione aus der Kälte kamen, um sich in die unschuldige Schar gewöhnlicher Touristen einzuschleichen, die

Spione, die aus der Kälte kamen, waren selbst zu gewöhnlichen Touristen geworden, dem Beispiel ihres Oberhaupts Wladimir Putin, des Ersten unter Gleichen, folgend.

Als die Formalitäten erledigt, die Unterlagen des Hotels allesamt unterzeichnet waren, überkam mich noch einmal kurz ein masochistischer Jubel, als ich den ironischen, ja verächtlichen Blick sah, den Yuzu mir zuwarf, als ich dem Rezeptionisten meine *Amigos-de-Paradores*-Karte reichte, um mir die Punkte anrechnen zu lassen; sie würde ihr Fett noch wegbekommen. Meinen Samsonite hinter mir herziehend, steuerte ich unser Zimmer an; sie ließ ihre beiden Gepäckstücke von Zadig & Voltaire (oder auch Pascal & Blaise, ich weiß es nicht mehr) mitten in der Empfangshalle stehen und folgte mir erhobenen Hauptes. Ich tat, als hätte ich nichts bemerkt, und sobald wir auf dem Zimmer waren, nahm ich mir ein Cruzcampo aus der Minibar und steckte mir eine Zigarette an – es gab nichts zu befürchten, ich war aufgrund verschiedener Erfahrungen davon überzeugt, dass die Rauchmelder der Parador-Hotels ebenfalls aus der Franco-Ära stammten, oder genauer gesagt, vom Ende der Franco-Ära, und dass es niemanden scherte, dass es sich nur um ein verspätetes und oberflächliches Zugeständnis an die Normen des internationalen Tourismus handelte, dem die trügerische Hoffnung auf amerikanische Gäste zugrunde lag, die sowieso nie nach Europa und erst recht nicht in ein Parador-Hotel kamen, allein Venedig konnte sich in Europa noch gewisser amerikanischer Besucherzahlen brüsten, es war jetzt an der Zeit, dass sich die europäischen Tourismusexperten neuen, weniger gebildeten Ländern zuwandten, für die Lungenkrebs nichts weiter als einen marginalen, schlecht dokumentierten Missstand darstellte. Etwa zehn Minuten lang passierte nichts oder fast nichts, Yuzu ging ein wenig im Zimmer umher, vergewisserte sich, dass ihr Smartphone überall Empfang hatte und dass kein Getränk in der Minibar ihrem Status angemessen war: Es gab Bier, normale Cola (nicht mal Coke light) und Mineralwasser. In einem Tonfall, der nicht einmal mehr den Anschein einer Frage zu erwecken vermochte, stieß sie dann hervor: »Bringen die das Gepäck nicht rauf?« – »Keine Ahnung«, antwortete ich, bevor ich mir ein zweites Cruzcampo aufmachte. Die Japaner können nicht richtig rot werden, der physiologische Mechanismus existiert, aber das Ergebnis ist eher ein Ockerton, sie bebte eine Minute lang vor Wut, schließlich aber, das muss ich anerkennen, schluckte sie ihren Ärger hinunter, wandte sich wortlos um und ging zur Tür. Nach ein paar Minuten kam sie wieder, ihren Koffer im Schlepptau, während ich mein Bier austrank. Als sie fünf Minuten später mit ihrer Reisetasche zurückkehrte, hatte ich ein drittes geöffnet – die Reise hatte mich wirklich durstig gemacht. Wie ich es mir erhofft hatte, sprach sie den ganzen Abend lang kein Wort mehr mit mir, wodurch ich mich auf das Essen konzentrieren konnte – neben der Nutzung des architektonischen Erbes haben sich die Parador-Hotels von Anfang an entschieden, auch die regionale spanische Küche in den Fokus zu rücken, und das Ergebnis ist in meinen Augen oft köstlich, wenn auch im Allgemeinen etwas fettig.

Für unseren zweiten Aufenthalt hatte ich den Einsatz erhöht, indem ich mich für ein Relais & Châteaux entschieden hatte, das auf dem Gebiet der Gemeinde Anglet, nicht weit von Biarritz, gelegene Schloss von Brindos. Diesmal gab es einen Begrüßungscocktail, beflissene und zahlreiche Kellner, Cannelés und Macarons, die uns in Porzellanschälchen gereicht wurden, in der Minibar war eine Flasche Ruinart für uns kalt gestellt, es war eben einfach ein verdammtes Relais-Châteaux an der verdammten baskischen Küste, und alles hätte in bester Ordnung sein können, wäre mir nicht genau in dem Moment, als ich den Lesesaal durchquerte, wo dicke Ohrensessel um die mit Stapeln von *Figaro Magazine, Côte Basque, Vanity Fair* und anderen Publikationen bedeckten Tische herumstanden, plötzlich eingefallen, dass ich in diesem Hotel schon einmal mit Camille gewesen war, am Ende des Sommers vor unserer Trennung, am Ende unseres letzten Sommers, das schwache und sehr kurzzeitige Wiederaufleben meines Wohlwollens gegenüber Yuzu (die in dieser erfreulicheren Umgebung wieder Oberwasser bekommen, die gewissermaßen wieder zufrieden zu schnurren begonnen und sich schon darangemacht hatte, diverse Kleider auf dem Bett auszubreiten, offenbar in der Absicht, beim Abendessen *hinreißend* auszusehen) war durch den Vergleich, den ich zwischen Camilles und ihrem Auftreten zwangsläufig anstellen musste, sofort wieder zunichtegemacht. Camille war mit offenem Mund durch den Empfangsbereich gestreift, hatte mit in die Luft gereckter Nase die gerahmten Gemälde, die unverputzten Steinmauern, die kunstvoll gearbeiteten Stehlampen betrachtet. Beim Betreten des Zimmers war sie vor der blütenweißen Masse des Kingsize-Betts beeindruckt stehen geblieben, bevor sie sich zaghaft auf die Kante gesetzt hatte, um seine Flexibilität und Weichheit zu prüfen. Unsere Junior-Suite bot einen Blick auf den See, sie hatte gleich ein Foto von uns beiden machen wollen, und als ich die Tür der Minibar geöffnet und sie gefragt hatte, ob sie eine Schale Champagner wolle, hatte sie mit einem Ausdruck vollkommener Freude »O jaaa!« ausgerufen, und ich wusste, dass sie jede Sekunde dieses für die obere Mittelschicht erschwinglichen Glücks auskostete, bei mir war das anders, ich hatte schon früher Zugang zu dieser Hotelkategorie gehabt, bei Hotels dieser Art hatte mein Vater haltgemacht, wenn wir in den Ferien nach Méribel gefahren waren, im Château d'Igé im Departement Saône-et-Loire oder auch dem Domaine de Clairefontaine in Chonas-l'Amballan, ich selbst gehörte der oberen Mittelschicht an, während sie ein Kind der mittleren und seit der Krise eigentlich eher verarmten Mittelschicht war.

Ich hatte nicht mal mehr Lust, vor dem Abendessen noch am Ufer des Sees spazieren zu gehen, allein die Vorstellung war mir zuwider, es kam mir wie eine Schändung vor, und ich zog widerstrebend (nachdem ich immerhin die Champagnerflasche geleert hatte) eine Weste über, um in das vom *Guide Michelin* mit einem Stern ausgezeichnete Hotelrestaurant zu gehen, wo John Argand das Baskenland mit seinem Menü »Le marché de John« *auf kreative Weise neu interpretierte*. Nebenbei bemerkt, wären diese Restaurants erträglich gewesen, hätten die Kellner nicht in jüngster Zeit die Marotte entwickelt, die Zusammensetzung noch des kleinsten Amuse-Bouche in einem geschwollenen, mit halb gastronomischem, halb literarischem Pathos aufgeladenen Tonfall vorzutragen, während sie bei den Gästen nach Anzeichen von Komplizenschaft oder zumindest Interesse suchten, vermutlich mit dem Ziel, die Mahlzeit zu einem geselligen Gemeinschaftserlebnis zu machen, wobei der immer gleiche Ausruf »Lassen Sie es sich schmecken!« im Anschluss an ihre schlemmerische Ansprache meist genügte, um mir den Appetit zu verderben.

Eine weitere, noch beklagenswertere Neuerung bestand darin, dass seit meinem Aufenthalt mit Camille in den Zimmern Rauchmelder angebracht worden waren. Ich hatte es schon beim Betreten des Zimmers bemerkt, und im selben Moment war mir klar geworden, dass ich sie aufgrund der Deckenhöhe – mindestens drei, wohl eher vier Meter – nicht würde deaktivieren können. Nachdem ich eine oder zwei Stunden lang gezaudert hatte, entdeckte ich in einem Wandschrank ein paar zusätzliche Bettdecken und legte mich zum Schlafen auf den Balkon – zum Glück war es eine laue Nacht, auf einem Kongress zur Schweineindustrie in Stockholm hatte ich einmal weit Schlimmeres erlebt. Eines der Porzellanschälchen, in denen das Feingebäck gereicht worden war, diente mir als Aschenbecher; es würde genügen, es am Morgen auszuleeren und die Zigarettenstummel in einem der Blumenkästen mit Hortensien zu verscharren.

Der dritte Tag der Reise zog sich endlos dahin, fast die gesamte A 10 schien sich im Umbau zu befinden, und an der Ausfahrt nach Bordeaux standen wir zwei Stunden lang im Stau. In einem Zustand fortgeschrittener Erschöpfung erreichte ich Niort, eine der hässlichsten Städte, derer ich je ansichtig werden durfte. Yuzu konnte ihre Verblüffung nicht verbergen, als sie erkannte, dass uns unsere Tagesetappe zum Mercure-Hotel Marais Poitevin geführt hatte. Warum fügte ich ihr eine solche Demütigung zu? Eine noch dazu sinnlose Demütigung, da das Hotel, wie mir die Rezeptionistin mit einem merklichen Anflug hämischer Befriedigung mitteilte, kürzlich »auf Wunsch der Gäste« zu hundert Prozent auf Nichtraucher umgestellt hatte – ja, die Internetseite sei tatsächlich noch nicht aktualisiert worden, das sei ihr bewusst.

Am Nachmittag des folgenden Tages sah ich zum ersten Mal in meinem Leben voller Erleichterung die ersten Ausläufer der Pariser Banlieue auftauchen. Wenn ich als junger Mann jeden Sonntagabend Senlis verlassen hatte, wo ich eine sehr behütete Kindheit verlebt hatte, um in der Pariser Innenstadt mein Studium weiterzuverfolgen, wenn ich durch Villiers-le-Bel, dann durch Sarcelles, dann durch Pierrefitte-sur-Seine, dann durch Saint-Denis gefahren war, wenn ich gesehen und gehört hatte, wie um mich herum die Bevölkerungsdichte und die Plattenbauten Stück für Stück anstiegen, wie die Gespräche im Bus aggressiver wurden und das Maß der Gefährlichkeit zunahm, hatte ich jedes Mal das starke Gefühl gehabt, in die Hölle zurückzukehren, und zwar in eine von den Menschen nach ihren Wünschen gebaute Hölle. Jetzt war es anders, ein nicht besonders bravouröser, aber annehmbarer sozialer Aufstieg hatte mir erlaubt, dem physischen und sogar visuellen Kontakt mit den gefährlichen Schichten hoffentlich endgültig zu entkommen, ich war jetzt in meiner eigenen Hölle, die ich mir nach meinen eigenen Wünschen gebaut hatte.

WIR WOHNTEN IN EINER geräumigen Dreizimmerwohnung im 29. Stock des Totem-Hochhauses, einer Art Wabenstruktur aus Beton und Glas, die auf vier riesigen Rohbetonsäulen ruhte und an diese widerlich aussehenden, aber offenbar köstlichen Pilze erinnerten, die man wohl »Morcheln« nennt. Das Totem-Hochhaus stand im Herzen des Stadtviertels Beaugrenelle, direkt gegenüber der Île aux Cygnes. Ich hasste dieses Hochhaus, und ich hasste Beaugrenelle, doch Yuzu vergötterte diese riesige Betonmorchel, sie hatte sich »auf Anhieb verliebt«, das erklärte sie unseren sämtlichen Gästen, zumindest am Anfang, und vielleicht tat sie es immer noch, aber ich hatte schon lange aufgehört, Yuzus Gäste zu treffen, unmittelbar nach ihrer Ankunft schloss ich mich in meinem Zimmer ein und kam den ganzen Abend über nicht mehr heraus.

Wir hatten seit einigen Monaten getrennte Zimmer, ich hatte ihr die »Master-Suite« überlassen (eine Master-Suite ist wie ein Zimmer, aber mit einem begehbaren Kleiderschrank und einem Bad, dies als Erklärung für meine Unterschichtsleser) und war ins Gästezimmer eingezogen, und ich benutzte die angeschlossene Nasszelle, die mir vollauf genügte: Zähne putzen, rasch duschen, und ich war fertig.

Unsere Beziehung befand sich in der Schlussphase, sie war durch nichts mehr zu retten, was im Übrigen auch gar nicht wünschenswert gewesen wäre, obwohl wir zugegebenermaßen über das verfügten, was man im Allgemeinen eine »herrliche Aussicht« nennt. Sowohl vom Wohnzimmer als auch von der Master-Suite aus ging der Blick auf die Seine und jenseits des 16. Arrondissements auf den Bois de Boulogne, den Schlosspark von Saint-Cloud und so weiter; bei schönem Wetter konnte man das Schloss Versailles sehen. Von meinem Zimmer aus hatte man direkten Blick auf das keinen Steinwurf entfernt liegende Novotel und jenseits davon auf den Hauptteil von Paris, aber die Aussicht interessierte mich nicht, ich ließ die Übergardinen ständig geschlossen, ich hasste nicht nur Beaugrenelle, ich hasste ganz Paris, diese von umweltbewussten Kleinbürgern verseuchte Stadt widerte mich an, ich mochte selbst ein Kleinbürger sein, aber umweltbewusst war ich nicht, ich fuhr einen Diesel-Geländewagen – ich hatte vielleicht nicht viel Gutes getan im Leben, aber zumindest würde ich meinen Teil zur Zerstörung des Planeten beigetragen haben –, und ich sabotierte systematisch das von der Gebäudeverwaltung eingeführte Mülltrennungssystem, indem ich die leeren Weinflaschen in die Tonnen für Papier und für Verpackungsmüll warf und verderbliche Abfälle in den Glascontainer. Ich war ein wenig stolz auf mein fehlendes staatsbürgerliches Pflichtgefühl, aber ich führte auch einen kleinlichen Rachefeldzug gegen die schamlose Erhöhung der Miete und der Nebenkosten – hatte ich Miete und Nebenkosten gezahlt und Yuzu die monatliche Beihilfe überwiesen, die sie als »Haushaltszuschuss« von mir einforderte (im Wesentlichen, um Sushi bestellen zu können), waren genau neunzig Prozent meines Monatseinkommens verbraucht, insgesamt beschränkte sich mein Erwachsenenleben darauf, allmählich das Erbe meines Vaters aufzuzehren, das hatte mein Vater nicht verdient, es war eindeutig an der Zeit, diesem Unfug ein Ende zu bereiten.

Seit ich Yuzu kannte, arbeitete sie im Haus für Japanische Kultur am Quai Branly, es war fünfhundert Meter von der Wohnung entfernt, aber sie fuhr trotzdem mit dem Fahrrad, mit ihrem dämlichen Hollandrad, das sie hinterher in den Aufzug befördern und dann im Wohnzimmer abstellen musste. Es waren wohl ihre Eltern gewesen, die ihr diesen ruhigen Posten über Beziehungen verschafft hatten. Ich wusste nicht genau, was ihre Eltern machten, aber sie waren zweifellos reich (als einzige Tochter reicher Eltern wurde man so wie Yuzu, ganz egal, in welchem Land, ganz egal, in welcher Kultur), wahrscheinlich nicht extrem reich, ich stellte mir ihren Vater nicht als Vorsitzenden von Sony oder Toyota vor, eher als Beamten, als leitenden Beamten.

Sie sei, erklärte sie mir, zwecks »Erneuerung und Modernisierung« des Kulturveranstaltungsprogramms eingestellt worden. Es war keine feudale Angelegenheit: Das Faltblatt, das ich bei meinem ersten Besuch an ihrem Arbeitsplatz einsteckte, verströmte eine tödliche Langeweile: Workshops für Origami, Ikebana und Tenkoku, Kamishibai-Vorstellungen und Auftritte von Jōmon-Trommlern, Konferenzen zum Go-Spiel und zur Teezeremonie (die Urasenke-Schule, die Omotesenke-Schule), die wenigen japanischen Gastredner waren lebende Nationalschätze, die allerdings nur noch knapp am Leben waren, denn die meisten von ihnen waren über neunzig, »sterbende Nationalschätze« wäre eine treffendere Bezeichnung gewesen. Kurz gesagt, sie brauchte nur ein, zwei Manga-Ausstellungen und ein, zwei Festivals zu den aktuellen Tendenzen im japanischen Pornofilm zu organisieren, um ihren Vertrag zu erfüllen; *it was quite an easy job.*

Ich hatte sechs Monate zuvor aufgehört, von Yuzu organisierte Ausstellungen zu besuchen, nach der Ausstellung, die Daikichi Amano gewidmet war. Das war ein Fotograf und Videokünstler, der Bilder von nackten Mädchen präsentierte, die mit verschiedenen widerlichen Tieren wie Aalen, Tintenfischen, Kakerlaken, Ringelwürmern usw. bedeckt waren. In einem Video hielt eine Japanerin aus einer Klosettschüssel ragende Tintenfischtentakel zwischen den Zähnen. Ich glaube, ich hatte noch nie etwas so Ekelhaftes gesehen. Leider hatte ich wie üblich mit dem Buffet begonnen, bevor ich mich den ausgestellten Werken zuwandte; zwei Minuten später stürzte ich in die Toilettenräume des Kulturzentrums, um Reis und rohen Fisch zu erbrechen.

Die Wochenenden waren jedes Mal eine Qual, aber unter der Woche konnte ich es schaffen, Yuzu so gut wie gar nicht zu begegnen. Wenn ich zum Landwirtschaftsministerium aufbrach, war sie noch längst nicht wach – sie stand selten vor Mittag auf. Und wenn ich gegen sieben Uhr abends nach Hause kam, war sie fast nie da. Es war vermutlich nicht ihre Arbeit, die sie dazu anregte, so lange fortzubleiben, das war schließlich ganz normal, sie war erst sechsundzwanzig und ich knapp zwanzig Jahre älter, das Verlangen nach einem Sozialleben lässt mit zunehmender Reife nach, irgendwann sagt man sich, dass man sich ausreichend mit der Sache beschäftigt hat, und außerdem hatte ich in meinem Zimmer einen SFR-Decoder installiert, ich hatte Zugang zu mehreren Sportkanälen und verfolgte die französischen, deutschen, spanischen und italienischen Fußballmeisterschaften, das waren einige Stunden erklecklicher Unterhaltung, hätte Blaise Pascal einen SFR-Decoder gehabt, dann hätte er vielleicht ein anderes Liedchen angestimmt, und all das zum selben Preis wie bei anderen Anbietern, es war mir schleierhaft, dass SFR in der Werbung den Akzent nicht stärker auf sein fantastisches Sportangebot setzte, Schuster, bleib bei deinen Leisten, hieß es schließlich.

Nach landläufigen Moralvorstellungen sicherlich kritikwürdiger war, dass Yuzu sich, da war ich mir sicher, häufiger an »abendlichen Ausschweifungen« beteiligte. Ganz am Anfang unserer Beziehung hatte ich sie zu einer davon begleitet. Sie hatte in einem Stadtpalais am Quai Béthune auf der Île Saint-Louis stattgefunden. Ich wusste nicht einmal, welchen Marktwert ein solches Wohnhaus haben mochte, vielleicht zwanzig Millionen Euro, jedenfalls hatte ich dergleichen noch nie gesehen. Es gab um die hundert Teilnehmer, wobei etwa zwei Männer auf eine Frau kamen, die Männer waren insgesamt jünger und eindeutig von niedrigerem sozialen Status als die Frauen, größtenteils sahen sie sogar deutlich »vorstädtisch« aus, ich dachte sofort, sie würden dafür bezahlt, wobei, wahrscheinlich doch nicht, ein Gratisfick ist für die meisten Männer schon ein Geschenk des Himmels, außerdem gab es Champagner und Petits Fours, serviert in den drei aneinandergereihten Empfangssalons, in denen ich den Abend verbrachte.

In diesen Empfangssalons spielte sich nichts Sexuelles ab, doch die extreme erotische Bekleidung der Frauen und die Tatsache, dass regelmäßig Paare oder Gruppen die zu den Zimmern oder hinunter in den Keller führenden Treppen ansteuerten, ließen keinerlei Zweifel an der Natur der Zusammenkunft bestehen.

Als nach ungefähr einer Stunde deutlich geworden war, dass ich wirklich nicht die geringste Absicht hatte zu erkunden, was jenseits des Buffets ausgeheckt oder ausgetauscht wurde, bestellte Yuzu uns ein Uber. Auf dem Rückweg machte sie mir keine Vorwürfe, zeigte aber auch keinerlei Anzeichen von Bedauern oder Scham; tatsächlich erwähnte sie die Veranstaltung mit keiner Silbe und sprach auch im Nachhinein niemals wieder davon.

Ich wertete dieses Schweigen als Bestätigung meiner Hypothese, dass sie dieser Art der Zerstreuung nicht abgeschworen hatte, und eines Abends wollte ich Gewissheit haben, es war absurd, sie konnte jeden Augenblick nach Hause kommen, und überhaupt ist es nicht besonders ehrenhaft, im Computer seiner Lebensgefährtin herumzustöbern, der Wissensdrang ist eine sonderbare Sache, wobei Drang vielleicht etwas stark formuliert ist, sagen wir mal, es liefen an dem Abend keine interessanten Spiele.

Durch das Sortieren ihrer E-Mails nach Größe konnte ich leicht diejenigen mit Videos im Anhang aussondern. Das erste zeigte meine Lebensgefährtin inmitten eines Gangbangs klassischer Art: Sie wichste, blies und vögelte etwa fünfzehn Männer, die geduldig warteten, bis sie an der Reihe waren, und für die vaginale und anale Penetration Kondome benutzten; niemand sprach ein Wort. Einmal versuchte sie, zwei Schwänze gleichzeitig in den Mund zu nehmen, was ihr aber nicht ganz gelang. Bei einer anderen Gelegenheit ejakulierten die Teilnehmer auf ihr Gesicht, das nach und nach mit Sperma bedeckt wurde, bis sie irgendwann die Augen schloss.

Das war alles schön und gut, wenn ich das so sagen darf, zumindest war ich nicht allzu überrascht, aber es gab da etwas anderes, was mich mehr beschäftigte: Ich hatte die Einrichtung auf Anhieb wiedererkannt, dieses Video war in meiner Wohnung gedreht worden, genauer gesagt, in der Master-Suite, und das wiederum gefiel mich nicht besonders. Sie musste eine meiner Geschäftsreisen nach Brüssel ausgenutzt haben, und es war über ein Jahr her, dass ich diese Reisen eingestellt hatte, das Ganze hatte also am Anfang unserer Beziehung stattgefunden und damit zu einer Zeit, als wir noch miteinander gevögelt hatten, als wir sogar noch richtig viel gevögelt hatten, ich glaube, so viel wie damals hatte ich noch nie im Leben gevögelt, sie war so gut wie immer zum Vögeln bereit gewesen, was mich glauben ließ, sie sei in mich verliebt, was vielleicht ein Fehlschluss war, aber ein Fehlschluss, der vielen Männern gemein ist, oder vielleicht ist es auch gar kein Fehlschluss, die Mehrzahl der Frauen *funktioniert* so (wie es in den küchenpsychologischen Büchern heißt), sie sind darauf *programmiert* (wie es in den politischen Debatten auf dem Sender Public Sénat heißt), gut möglich also, dass Yuzu ein Sonderfall war.

Ein Sonderfall war sie in der Tat, das belegte das zweite Video noch deutlicher. Diesmal fand die Sache nicht bei mir zu Hause statt und auch nicht mehr in dem Stadtpalais auf der Île Saint-Louis. In der Weise, wie die Einrichtung auf der Île Saint-Louis luxuriös, minimalistisch, in Schwarz und Weiß gehalten war, war dieser neue Ort prunkvoll, bürgerlich und im Chippendale-Stil möbliert, man dachte an die Avenue Foch, an einen reichen Gynäkologen oder vielleicht einen erfolgreichen Fernsehmoderator, wie dem auch sei, jedenfalls masturbierte Yuzu auf einer Ottomane, bevor sie sich auf den mit einem irgendwie persisch gemusterten Teppich bedeckten Boden gleiten ließ, wo sie ein Dobermann mittleren Alters mit der seiner Rasse eigenen Energie penetrierte. Dann änderte sich der Kamerawinkel, und während der Dobermann es ihr weiter besorgte (Hunde ejakulieren von Natur aus sehr schnell, aber die Möse einer Frau muss erhebliche Unterschiede zu der einer Hündin aufweisen, er kam damit nicht so gut zurecht), streichelte Yuzu die Eichel eines Bullterriers, bevor sie sie in den Mund nahm. Der offensichtlich jüngere Bullterrier ejakulierte nach weniger als einer Minute, woraufhin er durch einen Boxer ausgewechselt wurde.

Nach diesem hündischen Mini-Gangbang unterbrach ich die Vorführung, ich war angewidert, aber vor allem wegen der Hunde, zugleich konnte ich mich nicht darüber hinwegtäuschen, dass es für eine Japanerin (nach allem, was ich über die Mentalität dieses Volks erfahren hatte) keinen großen Unterschied machte, ob sie mit einem Abendländer schlief oder mit einem Hund. Bevor ich die Master-Suite verließ, speicherte ich sämtliche Videos auf einem USB-Stick. Yuzu hatte ein sehr markantes Gesicht, und ein neuer Befreiungsplan begann sich vor mir abzuzeichnen, der ganz einfach darin bestand (die guten Ideen sind immer einfach), sie aus dem Fenster zu schmeißen.

Die praktische Umsetzung war nicht allzu schwierig. Zunächst einmal musste ich sie zum Trinken bringen, unter dem Vorwand, dass das Getränk von einer ganz erstaunlichen Qualität sei, ein Präsent eines kleinen Mirabellenzüchters in den

Vogesen oder irgendetwas in der Art, für solche Argumente war sie äußerst anfällig, in diesem Sinne war sie wirklich eine Touristin geblieben. Infolge einer eingeschränkten Funktion der Aldehyd-Dehydrogenase 2, die die Umwandlung von Ethanol in Essigsäure gewährleistet, vertragen die Japaner, ja Asiaten im Allgemeinen, Alkohol sehr schlecht. In weniger als fünf Minuten würde sie im Ethyldusel versinken, ich hatte das schon erlebt; dann bräuchte ich nur das Fenster zu öffnen und ihren Körper hinüberzuschleppen, sie wog keine fünfzig Kilo (ungefähr so viel wie ihre Gepäckstücke), ich könnte sie problemlos tragen, und neunundzwanzig Stockwerke sind genug, um einem den Garaus zu machen.

Natürlich könnte ich versuchen, einen der Trunkenheit zuzuschreibenden Unfall vorzutäuschen, das erschien eigentlich recht glaubwürdig, aber ich hatte ein ungeheures, vielleicht übertriebenes Vertrauen in die Polizei meines Landes, und ich plante eher ein Geständnis: In Anbetracht dieser Videos, dachte ich, würde ich wohl mildernde Umstände bekommen. Artikel 324 des Strafgesetzbuchs von 1810 besagt ausdrücklich: »Der Mord des Ehegatten an seiner Ehegattin oder selbiger an ihrem Ehegatten ist unentschuldbar, (...) jedoch ist im Falle des Ehebruches gemäß Artikel 336 der Mord des Ehegatten an seiner Ehegattin wie auch an ihrem Mittäter im Augenblicke, da er beide im Hause der Eheleute *in flagranti* ertappt, entschuldbar.« Mit anderen Worten: Wäre ich am Abend der Orgie mit einer Kalaschnikow aufgekreuzt und hätten wir uns im Zeitalter Napoleons befunden, dann wäre ich ohne Schwierigkeiten freigesprochen worden. Aber wir befanden uns nicht mehr im napoleonischen Zeitalter, nicht mal mehr im Zeitalter von *Scheidung auf Italienisch*, und eine rasche Internetrecherche ergab, dass auf Tötung im Affekt im ehelichen Rahmen mindestens siebzehn Jahre Haft standen; gewisse Feministinnen setzten sich dafür ein, noch weiter zu gehen und schwerere Strafen zu verhängen, indem sie sich für die Aufnahme des Begriffs »Feminizid« ins Strafgesetzbuch aussprachen, was ich eher amüsant fand, das erinnerte an Insektizid oder Fungizid. Jedenfalls erschienen mir siebzehn Jahre ziemlich viel.

Wobei man es im Gefängnis vielleicht gar nicht so schlecht hat, sagte ich mir, die Behördenprobleme verschwinden, und auch um die medizinische Versorgung wird sich gekümmert, das Hauptproblem ist, dass man von den anderen Insassen ständig verprügelt und sodomisiert wird, aber wenn man es genau bedachte, waren es vielleicht hauptsächlich die Pädophilen, die von den anderen Gefangenen gedemütigt und in den Arsch gefickt wurden, oder aber junge und sehr hübsche Typen mit einem knackigen kleinen Hintern, zarte und mondäne Straftäter, die über eine Line Koks gestolpert waren, ich selbst war breitschultrig und gedrungen, mit einem leichten Hang zum Alkoholismus, eigentlich hatte ich wirklich das Zeug zu einem begabten Delinquenten. »Gedemütigt und in den Arsch gefickt«, das war ein guter Titel, Dostojewski für Arme, und hatte Dostojewski nicht auch über die Gefängniswelt geschrieben, vielleicht ließ sich das übertragen, nun ja, ich hatte nicht die Zeit, das zu überprüfen, ich musste eine schnelle Entscheidung treffen, und ich war der Ansicht, einem Typen, der seine Frau umgebracht hatte, um »seine Ehre wiederherzustellen«, müssten die Mithäftlinge doch einen gewissen Respekt zollen, jedenfalls flüsterte mir das meine geringe Kenntnis der Psychologie des Gefängnismilieus ein.

Andererseits gab es draußen doch einige Dinge, die ich mochte, eine kleine Spritztour zum G20-Supermarkt beispielsweise, dort gab es vierzehn verschiedene Hummus-Sorten, oder auch einen Waldspaziergang, als Kind hatte ich Waldspaziergänge geliebt, ich hätte öfters mal einen machen sollen, ich hatte zu sehr den Bezug zu meiner Kindheit verloren, vielleicht war eine längere Haftstrafe doch nicht die beste Lösung, aber ich glaube, letztlich war es der Hummus, der den Ausschlag gab. Abgesehen von den moralischen Fragen im Zusammenhang mit einem Mord natürlich.

Merkwürdigerweise kam ich schließlich beim Schauen von Public Sénat – einem Sender, von dem ich nicht viel erwartete, erst recht nichts in dieser Größenordnung – auf die Lösung. Die Dokumentation mit dem Titel »Vorsätzlich verschwunden« zeichnete den Weg verschiedener Personen nach, die eines Tages auf völlig unvorhersehbare Weise beschlossen hatten, sich von ihrer Familie, ihren Freunden, ihrem Beruf loszusagen: Ein Typ hatte eines Montagmorgens auf dem Weg zur Arbeit sein Auto auf einem Bahnhofsparkplatz abgestellt, den nächsten Zug genommen und den Zufall darüber entscheiden lassen, wohin es ihn verschlug; ein anderer hatte sich, statt am Feierabend nach Hause zu gehen, ein Zimmer im erstbesten Hotel genommen und dann über Monate hinweg in verschiedenen Pariser Hotels gewohnt, jede Woche in einem anderen.

Die Zahlen waren beeindruckend: In Frankreich entscheiden sich jährlich mehr als zwölftausend Menschen zu verschwinden, ihre Familie zurückzulassen und ein neues Leben zu beginnen, mal am anderen Ende der Welt, mal, ohne ihre Stadt zu verlassen. Ich war fasziniert, und den Rest der Nacht verbrachte ich im Internet, um mehr darüber zu erfahren, während ich immer stärker davon überzeugt war, meinem eigenen Schicksal zu begegnen: Auch ich würde vorsätzlich verschwinden, und in meinem Fall würde es besonders einfach sein, ich musste keiner Frau entkommen, keiner Familie, keiner geduldig aufgebauten sozialen Gemeinschaft, sondern nur einer fremdländischen Konkubine, die nicht das geringste Recht hatte, mir nachzustellen. Wobei sämtliche Artikel, die ich online fand, auf einem Punkt beharrten, den schon die Dokumentation betont hatte: In Frankreich konnten alle mündigen Personen aus freien Stücken »kommen und gehen«, das Verlassen der Familie stellte keine Straftat dar. Man hätte diesen Satz in riesigen Lettern in alle öffentlichen Gebäude eingravieren müssen: *Das Verlassen der Familie stellt in Frankreich keine Straftat dar.* Das war wirklich nachdrücklich betont worden, und es wurde eine beeindruckende Reihe von Belegen aufgeführt: Im Fall, dass eine im Verschwinden begriffene Person von der Polizei oder Gendarmerie kontrolliert wurde, war es den Polizisten oder Gendarmen *untersagt,* deren neue Anschrift ohne ihr Einverständnis weiterzugeben, und im Jahr 2013 war das Verfahren der Suche im familiären Interesse abgeschafft worden. Es war verblüffend, dass in einem Land, in dem die individuellen Freiheiten von Jahr zu Jahr stärker beschnitten wurden, diese eine wesentliche Freiheit, in meinen Augen sogar noch wesentlichere und in philosophischer Hinsicht verstörendere als die des Selbstmords, bewahrt worden war.

In dieser Nacht schlief ich nicht, und in aller Frühe machte ich mich daran, die notwendigen Schritte zu unternehmen. Ohne irgendein bestimmtes Ziel vor Augen hatte ich doch das Gefühl, mein Weg würde mich in die eher ländlichen Gebiete führen, und daher entschied ich mich für die Crédit Agricole. Die Kontoeröffnung war mit sofortiger Wirkung möglich, aber auf Onlinebanking und Scheckheft würde ich eine Woche lang warten müssen. Die Auflösung meines Kontos bei der BNP dauerte fünfzehn Minuten, und das Guthaben wurde augenblicklich auf mein neues Konto übertragen. Für die Einzugsermächtigungen, die ich aufrechterhalten wollte (Kfz- und Krankenversicherung), genügten ein paar E-Mails. Bei der Wohnung dauerte es etwas länger, ich hielt es für richtig, die Mär von einer neuen Arbeit zu erfinden, die in Argentinien auf mich warte, auf einem riesigen Weingut in der Provinz Mendoza, in der Bankfiliale fanden das alle großartig, sobald man davon redet, Frankreich zu verlassen, finden die Franzosen das immer großartig, es ist in ihrem Charakter verankert, selbst wenn man nach Grönland geht, finden sie es großartig, von Argentinien ganz zu schweigen, ich glaube, wäre es Brasilien gewesen, hätte sich die Kundenbetreuerin vor Freude glatt auf dem Boden gewälzt. Ich hatte eine Kündigungsfrist von zwei Monaten, die Miete für diesen Zeitraum würde ich per Überweisung erledigen; zur Wohnungsübergabe würde ich sicherlich nicht anwesend sein können, aber das war keine absolute Notwendigkeit.

Damit blieb noch meine Arbeitsstelle. Ich arbeitete beim Landwirtschaftsministerium auf Vertragsbasis, und mein Vertrag erneuerte sich jährlich, immer Anfang August. Mein Abteilungsleiter schien überrascht zu sein, dass ich ihn aus dem Urlaub anrief, gab mir aber einen Termin noch am selben Tag. Für diesen Mann, der in landwirtschaftlichen Dingen ziemlich auf dem Laufenden war, erschien mir eine zwar aus der ersten abgeleitete, aber ausgefeiltere Lüge notwendig. Ich ersann daher eine Anstellung als Berater für »landwirtschaftlichen Export« bei der argentinischen Botschaft. »Ach, Argentinien ...«, sagte er finster. Tatsächlich explodierte die Ausfuhr landwirtschaftlicher Erzeugnisse aller Art aus Argentinien seit einigen Jahren buchstäblich, und das würde so weitergehen, die Experten rechneten damit, dass Argentinien mit seinen vierundvierzig Millionen Einwohnern langfristig in der Lage sein würde, sechshundert Millionen Menschen zu ernähren, und die neu eingesetzte Regierung mit ihrer Politik der Entwertung des Peso hatte das bestens verstanden, diese Schweine würden Europa förmlich mit ihren Erzeugnissen überschwemmen, zudem gab es dort keinerlei gesetzliche GVO-Restriktionen, das heißt, wir waren ziemlich angeschmiert. »Das Fleisch ist köstlich«, wandte ich in versöhnlichem Ton ein. »Wenn es nur ums Fleisch ginge«, antwortete er in zunehmend düsterer Stimmung. Getreide, Soja, Sonnenblumen, Zucker, Erdnüsse, sämtliche Obstsorten, Fleisch natürlich und selbst Milch: In all diesen Bereichen könne Argentinien Europa schwer schaden, und das innerhalb kürzester Frist. »Mit anderen Worten: Sie laufen zum Feind über«, schloss er in hörbar scherzhaftem, aber doch von echter Verbitterung grundiertem Tonfall; ich zog es vor, bedächtig zu schweigen. »Sie sind einer unserer besten Experten; ich nehme an, das Angebot ist finanziell interessant«, bohrte er weiter, und seine Stimme ließ einen bevorstehenden Ausbruch befürchten; auch darauf erwiderte ich lieber nichts, aber ich versuchte, das Gesicht zu einer zugleich bestätigenden, bedauernden, verständnisinnigen und bescheidenen Grimasse zu verziehen – was eine ziemlich anspruchsvolle Grimasse war.

»Na schön«, sagte er und trommelte mit den Fingern auf dem Tisch. Es treffe sich, dass ich gerade im Urlaub sei und dass dieser am Ende meiner vertraglichen Laufzeit liege; theoretisch müsse ich also gar nicht mehr wiederkommen. Er war offensichtlich etwas vor den Kopf gestoßen, ein wenig überrumpelt, aber das konnte nicht das erste Mal sein. Das Landwirtschaftsministerium bezahlt seine vertraglichen Mitarbeiter gut, sofern sie sich auf die notwendige Sachkompetenz berufen können, es bezahlt sie weit besser als seine Beamten, aber es kann sich natürlich nicht mit der Privatwirtschaft und nicht einmal mit einer ausländischen Botschaft messen, wenn diese beschlossen hat, einen regelrechten Eroberungsplan zu entwickeln, denn deren Budget ist nahezu unbegrenzt. Ich erinnere mich an einen Studienfreund, dem die amerikanische Botschaft, wie man so sagt, eine goldene Brücke gebaut hatte, er war an der Aufgabe übrigens komplett gescheitert, kalifornischer Wein war in Frankreich nach wie vor kaum verbreitet, und das Rind aus dem Mittleren Westen konnte nur schwer überzeugen, wohingegen das argentinische Rind dabei war, hier Fuß zu fassen, wer weiß, wieso, der Konsument ist ein unberechenbares kleines Ding, viel unberechenbarer als das Rind, gewisse Kommunikationsberater hatten dennoch ein plausibles Szenario entworfen, demzufolge war das Cowboy-Image weitestgehend ausgeschöpft, jedermann wusste heute, dass der Mittlere Westen ein weiter, anonymer Landstrich war, in dem eine Fleischfabrik auf die andere folgte, zu viele Burger mussten Tag für Tag auf den Tisch, das war anders gar nicht möglich, da musste man realistisch sein, die Viecher mit dem Lasso einzufangen, war nicht mehr vorstellbar. Wohingegen das Image des Gauchos (war hier etwa ein gewisser Latino-

Zauber am Werk?) den europäischen Konsumenten weiter träumen ließ, er stellte sich weites Grasland vor, so weit das Auge reicht, stolze und freie Tiere, die durch die Pampa galoppierten (soweit Rinder überhaupt galoppieren, das wäre noch zu überprüfen), wie dem auch sei, das argentinische Rind war jedenfalls auf dem Durchmarsch.

Mein altgedienter Abteilungsleiter reichte mir trotzdem die Hand, aber nur um mich aus seinem Büro hinauszukomplimentieren, wobei er sich noch einmal ein Herz fasste und mir viel Glück in meinem neuen Berufsleben wünschte.

Mein Büro zu räumen, dauerte etwas weniger als zehn Minuten. Es war fast sechzehn Uhr; für die Umgestaltung meines Lebens hatte ich nicht einmal einen Tag gebraucht.

Ich hatte die Spuren meines sozialen Vorlebens ohne größere Schwierigkeiten ausgelöscht, ehrlich gesagt, waren die Dinge durch das Internet einfacher geworden, alle Rechnungen, Steuererklärungen und sonstigen Formalitäten konnten heute auf elektronischem Weg erledigt werden, eine physische Adresse war überflüssig geworden, eine E-Mail-Adresse genügte für alles. Trotzdem hatte ich noch einen Körper, dieser Körper hatte gewisse Bedürfnisse, und der schwierigste Teil meiner Flucht würde sein, in Paris ein Hotel zu finden, in dem Raucher willkommen waren. Ich brauchte gut hundert Anrufe, in deren Verlauf ich jedes Mal die triumphale Verachtung des Telefonisten erdulden musste, der ein spürbares Vergnügen daraus zog, voll hämischer Befriedigung zu wiederholen: »Nein, Monsieur, das ist unmöglich, wie sind ein reines Nichtraucherhaus, danke für Ihre Anfrage«, jedenfalls widmete ich dieser Suche zwei ganze Tage, und erst bei Anbruch des dritten Tages, als ich schon ernsthaft erwog, Obdachloser zu werden (ein Obdachloser mit siebenhunderttausend Euro auf dem Konto, das war doch originell und durchaus amüsant), fiel mir das Mercure-Hotel in Niort wieder ein – das Marais Poitevin, das vor noch nicht allzu langer Zeit ein Raucherhotel gewesen war, vielleicht war das ja eine Möglichkeit.

Tatsächlich fand ich im Zuge einer mehrstündigen Internetrecherche heraus, dass zwar so gut wie alle Mercure-Hotels in Paris eine gemeinschaftliche Nichtraucherpolitik verfolgten, es jedoch Ausnahmen gab. Also würde die Befreiung nicht einmal von unabhängiger Seite erfolgen, sondern durch den Widerwillen eines Untergebenen, die Anweisungen seiner Vorgesetzten zu befolgen, durch eine Art Nichtunterwerfung, den schon unmittelbar nach dem Zweiten Weltkrieg in verschiedenen existenzialistischen Theaterstücken beschriebenen Aufstand des individuellen moralischen Gewissens.

Das Hotel lag an der Avenue de la Sœur Rosalie im 13. Arrondissement, nahe der Place d'Italie, ich kannte weder diese Avenue noch diese Schwester Rosalie, aber die Place d'Italie, die kam mir gelegen, die war weit genug von Beaugrenelle entfernt, so bestand keine Gefahr, Yuzu versehentlich über den Weg zu laufen, sie war fast ausschließlich im Marais und in Saint-Germain unterwegs, man brauchte nur gewisse frivole Abendveranstaltungen im 16. oder im guten Teil des 17. Arrondissements einzubeziehen, dann hatte man ihren Weg nachgezeichnet, an der Place d'Italie wäre ich nicht weniger ungestört als in Vesoul oder Romorantin.

Ich hatte meine Abreise auf Montag, den 1. August, festgesetzt. Am Abend des 31. Juli setzte ich mich ins Wohnzimmer, um dort auf Yuzu zu warten. Ich fragte mich, wie lange sie brauchen würde, um sich bewusst zu werden, was passiert war, um sich klarzumachen, dass ich fort war und niemals zurückkommen würde. In jedem Fall war ihr Aufenthalt in Frankreich unmittelbar an die zweimonatige Kündigungsfrist der Wohnungsmiete geknüpft. Ich wusste nicht genau, wie viel sie im Haus der Japanischen Kultur verdiente, aber es würde sicherlich nicht reichen, um die Miete abzudecken, und ich konnte mir schwer vorstellen, dass sie sich mit einer ärmlichen Einzimmerwohnung abfinden würde, dazu hätte sie sich erst einmal von drei Vierteln ihrer Kleider und Schönheitsprodukte trennen müssen, obwohl die Umkleide und das Badezimmer der Master-Suite riesig waren, hatte sie es geschafft, alle Schränke und Regale bis obenhin vollzustellen, es war schlichtweg verblüffend, wie viele Dinge sie brauchte, um ihren weiblichen Status aufrechtzuerhalten, den Frauen ist das meist nicht bewusst, aber Männern missfällt das, es widert sie sogar an, es gibt ihnen letztlich das Gefühl, ein gefälschtes Produkt erworben zu haben, dessen Schönheit sich nur durch eine Unzahl von Kunstgriffen bewahren lässt, listigen Tricks, die einem (so nachsichtig ein Macho dem Register weiblicher Schwächen anfangs auch gegenüberstehen mag) bald unmoralisch erscheinen, und sie verbrachte wirklich unglaublich viel Zeit im Bad, während unserer gemeinsamen Urlaube hatte ich mich davon überzeugen können: Ich hatte ausgerechnet, dass sie der Morgentoilette (gegen Mittag), der etwas flüchtigeren Instandsetzung mitten am Nachmittag und der endlosen und enervierenden abendlichen Badezeremonie (sie hatte mir einmal anvertraut, dass sie achtzehn verschiedene Cremes und Lotionen verwende) täglich insgesamt sechs Stunden widmete, was ich umso unangenehmer fand, als nicht alle Frauen so waren, es gab Gegenbeispiele, und es zerriss mir fast das Herz, wenn ich an die Brünette von El Alquián dachte, an ihr winziges Täschchen, einige Frauen machten den Eindruck, einfach natürlicher zu sein, in natürlicherem Einklang mit der Welt zu stehen, manchen gelang es sogar, eine Gleichgültigkeit ihrer eigenen Schönheit gegenüber vorzutäuschen, was natürlich eine weitere List war, aber das Ergebnis sprach für sich, Camille zum Beispiel hatte höchstens eine halbe Stunde am Tag in unserem Badezimmer verbracht, und ich war mir sicher, bei der Brünetten von El Alquián wäre es genauso gewesen.

Ihr Unvermögen, die Miete zu zahlen, hätte Yuzu also zur Rückkehr nach Japan gezwungen, es sei denn, sie hätte sich vielleicht für die Prostitution entschieden, sie besaß einige der notwendigen Fertigkeiten, ihre sexuellen Leistungen waren auf einem sehr hohen Niveau, besonders was den entscheidenden Bereich des Blowjobs anging, sie leckte die Eichel hingebungsvoll, ohne dabei je die Eier aus den Augen zu verlieren, ihre einzige Schwachstelle war der Deepthroat, was am geringen Umfang ihrer Kehle lag, aber der Deepthroat war in meinen Augen nichts weiter als die Obsession einer fanatischen Minderheit, wenn man will, dass der Schwanz komplett von Fleisch umschlossen ist, gibt es ja immer noch die Möse, die ist dafür gemacht, die Überlegenheit des Halses, die in der Zunge besteht, wird in der geschlossenen Umgebung des Deepthroats, in welcher die Zunge *ipso facto* jeder Handlungsmöglichkeit beraubt ist, ohnehin aufgehoben, gut, wir wollen nicht polemisieren, aber in jedem Fall konnte Yuzu gut wichsen, und sie tat es aus freien Stücken, unter jeglichen Umständen (wie viele Flugreisen waren mir durch diese überraschenden Handjobs verschönert worden!), und vor allem war sie auf dem Gebiet des Analverkehrs außergewöhnlich begabt, ihr Arsch war aufnahmebereit und leicht zugänglich, sie bot ihn ganz und gar bereitwillig dar, und da auf Analsex im Escort-Bereich immer ein tariflicher Zuschlag angewandt wird und sie für anal sogar deutlich mehr verlangen könnte als irgendeine normale Nutte, siedelte ich ihren Tarif in der Größenordnung von siebenhundert Euro pro Stunde und fünftausend Euro pro Nacht an: Ihre wesenhafte Eleganz und ihr begrenztes, aber ausreichendes kulturelles Niveau hätten sie zu einem stilechten Escortgirl machen können, einer Frau, die man problemlos zum Essen ausführen und sogar zu einem wichtigen Geschäftsessen mitnehmen konnte, ganz zu schweigen von ihrer kulturellen Tätigkeit, die zu allgemein geschätzten Gesprächen führen würde, die Geschäftswelt lechzt bekanntlich nach kunstbeflissener Unterhaltung, und außerdem wusste ich, dass mich einige meiner Arbeitskollegen im Verdacht hatten, aus ebendiesen Gründen mit Yuzu zusammen zu sein, eine Japanerin, das hatte ohnehin immer eine gewisse Klasse, sozusagen von

Haus aus, aber sie war, das kann ich ohne falsche Bescheidenheit sagen, eine Japanerin mit besonders viel Klasse, ich wusste, dass man mich dafür bewundert hatte, aber trotzdem sage ich hiermit, und glauben Sie mir, ich bin dem Ende nah, meine Lust zu lügen hat mich endgültig verlassen, dass es nicht ihre Eigenschaften des *»High Class«*-Escortgirls waren, die mich für Yuzu eingenommen hatten, sondern tatsächlich ihre Fähigkeiten einer gewöhnlichen Nutte.

Aber im Grunde konnte ich mir Yuzu doch nicht gut als Nutte vorstellen. Ich war bei vielen Nutten gewesen, mal allein, mal mit den Frauen, mit denen ich zusammengelebt hatte, und Yuzu fehlte die entscheidende Eigenschaft, die dieses wunderbare Gewerbe auszeichnet: die Großzügigkeit. Eine Nutte sucht sich ihre Kunden nicht aus, das ist das Prinzip, das ist das Axiom, sie bereitet jedem Lust, ohne zu unterscheiden, und das verleiht ihr Größe.

Sicher konnte Yuzu durchaus im Mittelpunkt eines Gangbangs stehen, doch dabei handelte es sich um eine besondere Situation, in welcher die Vielzahl der ihr zur Verfügung stehenden Schwänze die Frau in einen narzisstischen Taumel versetzte, das Erregendste war wohl, von Männern umgeben zu sein, die sich wichsten, während sie darauf warteten, an der Reihe zu sein, ich verweise hierbei auf die maßgeblichen Bücher von Catherine Millet, jedenfalls suchte sich Yuzu, von den Gangbangs einmal abgesehen, ihre Liebhaber aus, sie wählte sie sehr sorgfältig aus, ich hatte einige von ihnen getroffen, meist waren es Künstler (aber keine verfemten Künstler, eher im Gegenteil), teils kulturelle Entscheider, in jedem Fall handelte es sich um eher junge, eher gut aussehende, eher elegante und eher reiche Leute, was in einer Stadt wie Paris einem nicht geringen Teil der Bevölkerung entspricht, es gibt hier zu jedem gegebenen Zeitpunkt einige Tausend Männer, die diesem Phantombild entsprechen, ich würde sagen, fünfzehntausend, um eine Zahl festzulegen, aber sie hatte weniger gehabt, sicherlich einige Hundert und mehrere Dutzend allein während unserer Beziehung, kurz, man konnte doch sagen, dass sie es in Frankreich ordentlich hatte krachen lassen, aber das war jetzt vorbei, die Party war zu Ende.

Während unserer Beziehung war sie nicht ein einziges Mal nach Japan zurückgekehrt oder hatte auch nur mit dem Gedanken gespielt, und ich war bei mehreren Telefonaten mit ihren Eltern anwesend gewesen, die Gespräche waren mir förmlich und kühl erschienen, in jedem Fall waren sie kurz gewesen, das war immerhin mal eine Ausgabe, die man ihr nicht anlasten konnte. Ich vermutete (nicht, dass sie offen mit mir darüber geredet hätte, aber die Wahrheit war im Laufe der Abendessen durchgesickert, die wir am Anfang unserer Beziehung organisierten, zu der Zeit, als wir noch planten, Freunde zu haben, uns in ein erlesenes, herzliches und anspruchsvolles soziales Netz einzugliedern, die Wahrheit war durchgesickert, weil andere Frauen, die sie als ihrem Milieu zugehörig betrachtete, Modeschöpferinnen beispielsweise oder Talentscouts, anwesend waren, und die Anwesenheit dieser Frauen war offenbar die Voraussetzung für ihre Bekenntnisanwandlungen), ich vermutete also, dass ihre Eltern aus den Tiefen ihres unbekannten Japans heraus Heiratspläne für sie schmiedeten, sehr präzise Heiratspläne sogar (es schien nicht mehr als zwei mögliche Anwärter zu geben, vielleicht war es sogar nur einer), und dass es für Yuzu, wenn sie erst einmal wieder unter ihrer Fuchtel stand, extrem schwierig, ja im Grunde unmöglich sein würde, sich dem zu entziehen, ohne ein *kanjei* zu verursachen und in ein *hiroku* zu geraten (gut, die Wörter habe ich mir ausgedacht, wobei – nicht ganz, ich erinnere mich an Klangkombinationen aus den Telefongesprächen), kurz gesagt, ihr Schicksal wäre in dem Moment besiegelt, in dem sie den internationalen Flughafen Tokio-Narita betreten würde.

So ist das Leben.

An dieser Stelle sind vielleicht einige Erläuterungen über die Liebe notwendig, die ich vor allem an die Frauen richten möchte, denn die Frauen missverstehen die Liebe der Männer, sie lassen sich ständig von ihrem Auftreten und ihrem Verhalten aus dem Konzept bringen und gelangen so manchmal zu der irrigen Vorstellung, die Männer seien unfähig zu lieben, wobei sie selten erkennen, dass das Wort »Liebe« für Männer und Frauen zwei grundverschiedene Dinge bedeutet.

Für die Frau ist die Liebe eine Macht, eine zeugende, tektonische Kraft, wo die Liebe bei der Frau in Erscheinung tritt, tut sie es als eines der gewaltigsten Naturereignisse, die uns die Natur zu bieten hat, man muss ihr ängstlich begegnen, sie ist eine schöpferische Kraft vom Rang eines Erdbebens oder einer Klimaumwälzung, sie bringt ein anderes Ökosystem, eine andere Umwelt, ein anderes Universum hervor, durch ihre Liebe erschafft die Frau eine neue Welt, vereinzelte kleine Wesen waten in eine ungewisse Existenz hinein, und da kommt die Frau und schafft die Lebensbedingungen für ein Paar, für eine neue soziale, gefühlsmäßige und genetische Einheit, deren Berufung es tatsächlich ist, alle Spuren der zuvor existierenden Individuen auszulöschen, diese neue Einheit ist, wie von Platon bemerkt, in ihrem Kern bereits perfekt, sie kann sich mitunter zu einer Familie verkomplizieren, aber das ist beinahe nebensächlich, im Gegensatz zu Schopenhauers Vorstellung widmet sich die Frau in jedem Fall ganz dieser Aufgabe, sie geht darüber zugrunde, sie widmet sich ihr, wie man sagt, mit Leib und Seele, im Übrigen gibt es da für sie keinen großen Unterschied, diese Unterscheidung zwischen Leib und Seele ist für sie nichts als männliche Spitzfindigkeit ohne Auswirkungen. Für diese Aufgabe, die gar keine ist, denn sie ist nichts weiter als die bloße Manifestation eines lebenserhaltenden Instinkts, würde sie ohne Zögern ihr Leben opfern.

Der Mann ist anfangs zurückhaltender, er bewundert und achtet diese emotionale Entfesselung, ohne sie ganz zu verstehen, es kommt ihm etwas seltsam vor, so ein Gewese zu machen. Aber nach und nach verändert er sich, er wird Stück für Stück in den von der Frau erzeugten Strudel der Leidenschaft und der Lust hineingezogen, um genauer zu sein, erkennt er den Willen der Frau an, ihren unbedingten und reinen Willen, und er begreift, dass, selbst wenn die Huldigung der regelmäßigen und im besten Fall täglichen vaginalen Penetration von der Frau eingefordert wird, denn sie ist die übliche Voraussetzung für ihre Manifestation, dass es also ein in sich durch und durch gutartiger Wille ist, durch den der Phallus, Kern seines Seins, seinen Status ändert, denn er wird ebenso zur Voraussetzung für die Möglichkeit der Manifestation der Liebe, dem Mann stehen kaum andere Mittel zur Verfügung, und über diesen seltsamen Umweg wird das Glück des Phallus zum eigentlichen Ziel der Frau, einem Ziel, das kaum eine Einschränkung der zu seiner Verwirklichung eingesetzten Mittel duldet. Nach und nach verändert sich der Mann durch die ungeheure Lust, die ihm die Frau bereitet, er fasst sie als Anerkennung und Bewunderung auf, sein Weltbild durchläuft eine Veränderung, auf eine für ihn unerwartete Weise gelangt er in die kantsche Dimension der *Achtung,* und nach und nach betrachtet er die Welt auf eine neue Weise, das Leben ohne Frau (ja, um genauer zu sein, ohne diese Frau, die ihm so viel Lust bereitet) wird regelrecht unmöglich, wird zu einer Art Zerrbild eines Lebens; in diesem Augenblick beginnt der Mann wirklich zu lieben. Die Liebe des Mannes ist daher ein Ziel, ein Ende, eine Errungenschaft und nicht wie jene der Frau ein Anfang, eine Entstehung; das also gilt es zu bedenken.

Dennoch kommt es vor, wenn auch selten, dass sich bei den empfindsamsten und fantasievollsten Männern die Liebe vom ersten Augenblick an einstellt, die »Liebe auf den ersten Blick« ist also nicht unbedingt ein Mythos; aber da hat sich der Mann durch eine ungeheure vorausschauende geistige Regung bereits sämtliche Freuden ausgemalt, mit denen ihn die Frau im Laufe der Jahre (und bis dass der Tod sie scheidet, wie es heißt) überhäufen könnte, da hat er schon (immer schon, wie Heidegger an einem seiner gut gelaunten Tage gesagt hätte) das glorreiche Ende gedanklich vorweggenommen, und es war bereits diese Endlosigkeit, diese Endlosigkeit der geteilten Freuden, die ich in Camilles Blick erahnt hatte (aber auf Camille komme ich noch zurück) und in einer kühneren Art und Weise (und auch etwas weniger stark, aber da war ich auch zehn Jahre älter gewesen, und zum Zeitpunkt unseres Zusammentreffens war der Sex völlig aus meinem Leben verschwunden gewesen, er hatte keine Rolle mehr gespielt, ich hatte mich bereits in mein Schicksal gefügt, ich war kein ganzer Mann mehr) auch in dem zu kurzen Blickwechsel mit der Brünetten von El Alquián, der auf immer schmerzenden Brünetten von El Alquián, der jüngsten und wahrscheinlich allerletzten Möglichkeit des Glücks, die das Leben für mich bereitgehalten hatte.

Bei Yuzu hatte ich nichts dergleichen gespürt, sie hatte mich erst nach und nach erobert, außerdem hatte sie es mit nachrangigen Mitteln getan, die in den Bereich dessen fielen, was man gewöhnlich als »Pervertierung« bezeichnet, vor allem mit ihrer Schamlosigkeit, der Art und Weise, wie sie mich (und sich selbst) in allen Lebenslagen wichste, darüber hinaus wusste ich es auch nicht, ich hatte schönere Muschis gesehen, ihre war ein bisschen zu verwickelt, zu viele Hautfalten (von bestimmten Blickwinkeln aus konnte man sie, ihrem jugendlichen Alter zum Trotz, sogar als »hängend« bezeichnen), wenn ich es überdachte, war das Beste ihr Arsch, die ständige Verfügbarkeit ihres scheinbar engen, in Wirklichkeit aber so leicht zugänglichen Arsches, man hatte ständig die freie Wahl zwischen ihren drei Löchern, wie viele Frauen können das von sich sagen? Und wie soll man sie zugleich überhaupt als Frauen betrachten, jene Frauen, die das nicht von sich sagen können?

Man wird mir vielleicht vorwerfen, ich würde dem Sex zu viel Bedeutung beimessen; das glaube ich nicht. Auch wenn mir durchaus bewusst ist, dass im normalen Verlauf eines Lebens nach und nach andere Freuden an seine Stelle treten, bleibt der Geschlechtsverkehr doch der einzige Moment, in dem man seine Organe auf eine persönliche und direkte Weise einsetzt, daher bleibt der Weg über den Sex, und zwar über heftigen Sex, für die amouröse Verschmelzung unabdinglich, ohne ihn kann nichts zustande kommen, und alles Weitere ergibt sich für gewöhnlich wie von selbst daraus. Es gibt da noch etwas, der Sex nämlich bleibt ein gefährlicher Moment, der Moment schlechthin, bei dem man etwas aufs Spiel setzt. Ich rede nicht von AIDS, obwohl die Todesgefahr eine echte Würze darstellen kann, sondern eher von der Zeugung, einer an sich viel größeren Gefahr, ich für meinen Teil hatte in jeder meiner Beziehungen so früh wie möglich aufgehört, Kondome zu benutzen, ehrlicherweise war der Verzicht auf ein Kondom zu einer Voraussetzung für mein Verlangen geworden, an dem die Zeugungsangst einen beträchtlichen Anteil hatte, und ich wusste nur allzu gut, dass, sollte sich die abendländische Menschheit unglücklicherweise daranmachen, den Zeugungsakt vom Geschlechtsakt zu trennen (mitunter verfiel sie auf den Gedanken), sie auf einen Schlag nicht nur die Zeugung, sondern zugleich auch den Sex verdammen würde, ja sie würde im gleichen Zug sich selbst verdammen, das hatten die identitären Katholiken durchaus gewittert, auch wenn ihre Positionen ansonsten seltsame ethische Verirrungen beinhalteten wie ihre Vorbehalte so unschuldigen Praktiken wie der Liebe zu dritt oder dem Analverkehr gegenüber. Aber ich schweifte immer weiter ab, weil ich ein Glas Cognac nach dem anderen trank, während ich auf Yuzu wartete, die ohnehin kein bisschen katholisch war und erst recht keine identitäre Katholikin, es war schon zweiundzwanzig Uhr, ich wollte dort nicht die Nacht verbringen, aber zu gehen, ohne sie vorher noch einmal gesehen zu haben, hätte mich doch etwas geärgert, ich machte mir ein Thunfisch-Sandwich, um die Zeit totzuschlagen, den Cognac hatte ich ausgetrunken, aber es war noch eine Flasche Calvados da.

Ich versank immer tiefer in Gedanken, der Calvados ist ein starker, tiefgründiger und zu Unrecht gering geschätzter Alkohol. Gewiss hatten mich Yuzus Seitensprünge (der Begriff ist eine Untertreibung) geschmerzt, meine männliche Eitelkeit hatte darunter gelitten, und vor allem hatte mich ein Zweifel befallen: Mochte sie alle anderen Schwänze genauso gern wie meinen, das ist die Frage, die sich die Männer klassischerweise in solchen Augenblicken stellen, und auch ich hatte sie mir gestellt, bevor ich sie leider bejahen musste, jedenfalls war unsere Liebe dadurch beschmutzt worden, und was die Komplimente bezüglich meines Schwanzes anging, die mich am Anfang unserer Beziehung so stolz gemacht hatten (ordentliche Größe, ohne übergroß zu sein, außergewöhnliche Standfestigkeit), so betrachtete ich sie inzwischen mit anderen Augen, ich sah darin eher ein Urteil von kalter Objektivität, das aus einem fortgesetzten Umgang mit mannigfaltigen Schwänzen resultierte, als die lyrische Täuschung, die vom erhitzten Gemüt einer verliebten Frau ausging, was ich, wie ich in aller Bescheidenheit gestehen muss, vorgezogen hätte, ich hatte in Bezug auf meinen Schwanz gar keine besonderen Ambitionen, es genügte, dass man ihn mochte, ich selbst mochte ihn auch, das war mein Standpunkt hinsichtlich meines Schwanzes.

Doch nicht in diesem Augenblick erlosch meine Liebe zu ihr endgültig, sondern in einem scheinbar harmloseren und jedenfalls kürzeren Moment, unser verbaler Austausch hatte nicht länger als eine Minute gedauert, und er war direkt auf eine der zweiwöchentlichen Telefonkonferenzen gefolgt, die Yuzu mit ihren Eltern abhielt. Sie hatte dabei, ich konnte mich nicht verhört haben, von einer Rückkehr nach Japan gesprochen, und natürlich fragte ich sie danach, aber sie gab sich beschwichtigend, diese Rückkehr werde erst zu einem viel späteren Zeitpunkt stattfinden, und überhaupt müsse ich mir keine Gedanken darüber machen, und da begriff ich es, im Bruchteil einer Sekunde begriff ich es, eine Art unermessliches weißes Leuchten löschte alles Bewusstsein in mir aus, bevor ich mich wieder fing und sie einem kurzen Verhör unterzog, das meinen grundlegenden Verdacht augenblicklich bestätigte: Ihre Rückkehr nach Japan war bereits Teil eines idealen Lebensentwurfs, doch sie würde erst in zwanzig oder vielleicht dreißig Jahren stattfinden, um genau zu sein, unmittelbar nach meinem Tod, sie hatte meinen Tod also in ihr zukünftiges Leben eingeplant, sie kalkulierte damit.

Meine Reaktion war zweifellos irrational, Yuzu war zwanzig Jahre jünger als ich, alles deutete darauf hin, dass sie mich überleben würde, sogar bei Weitem, aber die bedingungslose Liebe zielt gerade darauf ab, derlei zu ignorieren, ja rundheraus abzustreiten, die bedingungslose Liebe baut auf dieser Unmöglichkeit, dieser Negierung auf, und ob die Bestätigung dafür aus dem Vertrauen in Christus oder den Glauben an Googles Unsterblichkeitsprogramm erwächst, wirkt sich in diesem Stadium kaum aus, in der bedingungslosen Liebe kann das geliebte Wesen nicht sterben, es ist *per se* unsterblich, der Realismus von Yuzu war ein anderes Wort für einen Mangel an Liebe, und diese Schwäche, dieser Mangel hatte etwas Endgültiges an sich, er verließ innerhalb eines Sekundenbruchteils den Rahmen der romantischen, bedingungslosen Liebe und trat in den des Arrangements ein, und von diesem Augenblick an wusste ich, dass es vorbei war, unsere Beziehung war am Ende, und es wäre jetzt sogar besser, wenn sie schnellstmöglich endete, denn ich würde fortan nicht mehr das Gefühl haben, eine Frau an meiner Seite zu haben, sondern eher eine Spinne, eine Spinne, die sich von meinem Lebenssaft ernährte und dabei nach außen hin eine Frau blieb, sie hatte Brüste, sie hatte einen Arsch (den zu rühmen ich schon Gelegenheit hatte) und sogar eine Möse (der gegenüber ich gewisse Vorbehalte geäußert habe), doch all das zählte nicht mehr, in meinen Augen war sie zu einer Spinne geworden, einer stechenden Giftspinne, die mir Tag für Tag eine lähmende und todbringende Flüssigkeit einspritzte, sie musste schnellstmöglich aus meinem Leben verschwinden.

Auch die Calvados-Flasche war am Ende, es war nach dreiundzwanzig Uhr, vielleicht war es schließlich und endlich doch am besten zu gehen, ohne sie noch einmal gesehen zu haben. Ich trat an die Glasfront: Ein kleines Touristenschiff, sicherlich das letzte des Tages, vollzog sein Wendemanöver an der Spitze der Île aux Cygnes; in diesem Moment wurde mir klar, dass ich sie sehr schnell vergessen würde.

ICH HATTE EINE SCHLIMME NACHT, durchzogen von unschönen Träumen, in denen ich einen Flug zu verpassen drohte, was mich verschiedene gefährliche Dinge unternehmen ließ, wie zum Beispiel aus dem obersten Stockwerk des Totem-Hochhauses zu springen, um zu versuchen, auf dem Luftweg nach Roissy zurückzugelangen – mal musste ich mit den Armen rudern, mal einfach nur dahingleiten, ich schaffte es, aber nur knapp, und das geringste Nachlassen meiner Konzentration hätte zum Absturz geführt, über dem Jardin du Plantes bekam ich Probleme, meine Höhe war um einige Meter gesunken, mit Mühe gelang es mir, die Raubtiergehege zu überfliegen. Die Deutung dieses schwachsinnigen, aber spektakulären Traums lag wohl auf der Hand: Ich hatte Angst, nicht entkommen zu können.

Ich wachte genau um fünf Uhr auf, ich hatte Lust auf einen Kaffee, aber ich durfte nicht riskieren, in der Küche Lärm zu machen. Yuzu war höchstwahrscheinlich zu Hause. Wie auch immer ihr Abend verlaufen war, sie übernachtete nie auswärts: Dass sie einschlief, ohne sich mit ihren achtzehn Schönheitscremes eingeschmiert zu haben, war undenkbar. Sicherlich schlief sie schon, aber fünf Uhr war noch etwas zu früh, gegen sieben oder acht war ihr Schlaf am tiefsten, ich musste mich noch gedulden. Ich hatte mich für die Option eines *Early Check-in* im Mercure entschieden, mein Zimmer würde mir von neun Uhr an zur Verfügung stehen, gewiss würde ich in dem Viertel ein geöffnetes Café finden.

Meinen Koffer hatte ich schon am Vortag vorbereitet, es gab vor meinem Aufbruch nichts mehr zu tun. Es war eine etwas betrübliche Feststellung, dass ich nicht ein einziges persönliches Erinnerungsstück mitzunehmen hatte: keinen Brief, kein Foto, nicht mal ein Buch, all das war in meinem MacBook Air enthalten, einem flachen Quader aus gebürstetem Aluminium, meine Vergangenheit wog eintausendeinhundert Gramm. Mir wurde auch bewusst, dass mir Yuzu während unserer zweijährigen Beziehung nie ein Geschenk gemacht hatte – absolut nie, nicht ein einziges.

Dann wurde mir noch etwas weit Überraschenderes bewusst, und zwar dass ich am Vorabend, während meine Gedanken von Yuzus stillschweigender Akzeptanz meines Todes beherrscht worden waren, die Umstände des Todes meiner Eltern vergessen hatte. Zusätzlich zu der hypothetischen Unsterblichkeit der Transhumanisten und dem ebenso hypothetischen Neuen Jerusalem gab es tatsächlich eine dritte Lösung für die romantisch Liebenden, eine augenblicklich umsetzbare Lösung, für die es weder anspruchsvoller Genforschung noch an den Ewigen gerichteter Gebete bedurfte; die gleiche Lösung, die meine Eltern vor etwa zwanzig Jahren gewählt hatten.

Ein Notar aus Senlis, der sämtliche bedeutende Bürger der Stadt zu seinen Klienten zählte, eine Absolventin der École du Louvre, die sich im Anschluss mit ihrer Rolle als Hausfrau zufriedengegeben hatte: Auf den ersten Blick hatten meine Eltern nichts an sich, was auf eine leidenschaftliche Liebesgeschichte hätte schließen lassen. Der Schein, ich habe es bereits festgestellt, trügt selten; doch in diesem Fall tat er es.

Am Tag vor seinem vierundsechzigsten Geburtstag hatte mein Vater, der seit mehreren Wochen unter anhaltenden Kopfschmerzen litt, unseren Hausarzt aufgesucht, der eine Computertomografie anordnete. Drei Tage später teilte er ihm den Befund mit: Die Bilder zeigten einen Tumor von großem Ausmaß, aber es war in diesem Stadium nicht zu erkennen, ob er er bösartig war oder nicht, dazu war eine Biopsie notwendig.

Eine Woche später brachten die Ergebnisse der Biopsie absolute Klarheit: Der Tumor war tatsächlich bösartig, und es war ein aggressiver Tumor, der sich rasch ausbreitete, ein Gemisch aus Glioblastomen und anaplastischen Astrozytomen. Gehirntumore sind vergleichsweise selten, aber sehr oft tödlich, die Überlebensrate nach einem Jahr liegt bei unter zehn Prozent ; die Ursachen für ihr Auftreten sind unbekannt.

Aufgrund der Lage des Tumors war ein chirurgischer Eingriff nicht vorstellbar; Chemotherapie und Strahlentherapie hatten mitunter zu gewissen Resultaten geführt.

Ich muss dazusagen, dass es weder mein Vater noch meine Mutter für angemessen hielt, mich darüber zu informieren; ich fand es zufällig heraus, als ich bei einem Besuch in Senlis meine Mutter auf einen Umschlag vom Labor ansprach, den sie beim Aufräumen übersehen hatte.

Noch etwas gab mir anschließend ziemlich zu denken, und zwar dass ihr Entschluss am Tag meines Besuchs wahrscheinlich schon feststand, vielleicht hatten sie sogar schon das Präparat im Internet bestellt.

Eine Woche später fand man sie, Seite an Seite auf dem Ehebett ausgestreckt. Stets darauf bedacht, anderen keine Unannehmlichkeiten zu bereiten, hatte mein Vater die Gendarmerie brieflich benachrichtigt und sogar Zweitschlüssel beigelegt.

Sie hatten das Mittel zu Beginn des Abends eingenommen, es war ihr vierzigster Hochzeitstag. Der Tod sei rasch eingetreten, versicherte mir der Gendarm freundlich; rasch, aber nicht unmittelbar, anhand ihrer Positionen auf dem Bett ließ sich leicht erahnen, dass sie sich bis zum Schluss an der Hand hatten halten wollen, doch im Todeskampf hatten Krämpfe eingesetzt, und ihre Hände hatten sich voneinander gelöst.

Man fand nie heraus, wie sie an das Mittel herangekommen waren, meine Mutter hatte den Browserverlauf des einzigen Computers im Haus gelöscht (sicherlich war sie es gewesen, die die Sache in die Hand genommen hatte, mein Vater hasste Computer und überhaupt alles, was nach technischem Fortschritt aussehen mochte, er hatte sich gesträubt, so gut es ging, bevor er sich damit abfand, sein Büro entsprechend auszustatten, und es war seine Sekretärin gewesen, die alles im Griff gehabt hatte, er selbst hatte vielleicht sein ganzes Leben lang keine Computertastatur angefasst). Natürlich, sagte mir der Gendarm, ließe sich ihre Bestellung mit etwas Mühe wohl rekonstruieren, in der Cloud werde nie irgendetwas komplett gelöscht; es sei möglich, aber sei es wirklich notwendig?

Ich hatte nicht gewusst, dass man sich zu zweit in einem Sarg beerdigen lassen konnte, es gibt so viele gesundheitspolizeiliche Bestimmungen für alles Mögliche, dass man immer glaubt, es sei so gut wie alles verboten, aber nein, das ging offenbar, es sei denn, mein Vater hatte *post mortem* seine Beziehungen spielen lassen und ein paar Briefe geschrieben, wie schon gesagt, kannte er nahezu alle bedeutenden Persönlichkeiten der Stadt und selbst die meisten im Departement, nun, wie dem auch sei, jedenfalls geschah es so, und sie wurden im selben Sarg beigesetzt, im nördlichen Teil des Friedhofs von Senlis. Meine Mutter war zum Zeitpunkt ihres Todes neunundfünfzig Jahre alt und bei bester Gesundheit gewesen. Der Priester war mir während seiner Predigt ein bisschen auf die Nerven gegangen mit seinem effekthascherischen Gerede von der Pracht der menschlichen Liebe, die den Auftakt zur noch größeren Pracht der göttlichen Liebe bilde, ich fand es etwas unanständig, dass die katholische Kirche sie zu *vereinnahmen* versuchte, wenn ein Priester sich mit einem Fall von wahrer Liebe konfrontiert sieht, *dann hält er die Schnauze*, das hätte ich am liebsten zu ihm gesagt, was konnte dieser Clown denn schon über die Liebe meiner Eltern wissen? Ich war mir ja nicht mal sicher, ob ich selbst sie verstand, ich hatte in ihren Gesten, ihrem Lächeln immer etwas gespürt, was ausschließlich ihnen beiden gehörte, etwas, an das ich nie ganz herankam. Ich will damit nicht sagen, dass sie mich nicht liebten, sie liebten mich ohne jeden Zweifel, und sie waren in jeder Hinsicht ausgezeichnete Eltern, sie waren aufmerksam, waren für mich da, ohne es zu übertreiben, waren großzügig, wenn es darauf ankam; aber das war nicht dieselbe Art von Liebe, und ich blieb immer außerhalb des magischen, übernatürlichen

Kreises, den sie gemeinsam bildeten (es war wirklich erstaunlich, auf was für einer Ebene sie miteinander kommunizierten, ich bin mir sicher, mindestens zwei klar erwiesene Fälle von Telepathie zwischen ihnen miterlebt zu haben). Sie hatten kein anderes Kind, und ich weiß noch, wie ich ihnen in dem Jahr, als ich nach dem Abitur die Vorbereitungsklasse Agrikultur auf dem Lycée Henri V besuchte, erklärte, in Anbetracht der schlechten Anbindung von Senlis an den öffentlichen Nahverkehr wäre es für mich viel praktischer, mir ein Zimmer in Paris zu nehmen, ich weiß noch genau, wie ich da einen flüchtigen, aber eindeutigen Ausdruck der Erleichterung über das Gesicht meiner Mutter huschen sah; ihr erster Gedanke war, dass sie endlich wieder zu zweit sein würden. Mein Vater wiederum dachte kaum daran, seine Freude zu verhehlen, er nahm die Sache gleich in die Hand, und eine Woche später bezog ich eine unnötig luxuriöse Einzimmerwohnung, viel größer, wie ich gleich erkannte, als die Dachkammern, mit denen sich meine Studienkollegen begnügten, in der Rue des Écoles, zu Fuß fünf Minuten vom Lycée entfernt.

GENAU UM SIEBEN UHR stand ich auf und durchquerte das Wohnzimmer, ohne das geringste Geräusch zu machen. Die verschalte und massive Wohnungstür öffnete und schloss sich so lautlos wie die eines Tresors.

An diesem ersten Augusttag floss der Verkehr in Paris ungehindert dahin, und ich konnte sogar in der Avenue de la Sœur Rosalie parken, wenige Meter vom Hotel entfernt. Im Gegensatz zu den Hauptverkehrsachsen (Avenue d'Italie, Avenue des Gobelins, Boulevard Auguste Blanqui, Boulevard Vincent Auriol usw.), die jenseits der Place d'Italie den größten Teil des Verkehrsstroms aus den südöstlichen Pariser Arrondissements abführten, mündete die Avenue de la Sœur Rosalie nach fünfzig Metern in die Rue Abel Hovelacque, die selbst von mittlerer Bedeutung war. Ihr Status der Avenue hätte unverdient erscheinen können, wären da nicht die überraschende, unnötige Straßenbreite und der mit Bäumen bepflanzte Mittelstreifen gewesen, der die beiden momentan leeren Fahrspuren voneinander trennte, in gewissem Sinne glich die Avenue de la Sœur Rosalie eher einer Privatstraße, sie erinnerte an diese Pseudo-Avenuen (Avenue Vélasquez, Avenue Van Dyck, Avenue Ruysdaël), auf die man in unmittelbarer Nähe des Parc Monceau stieß, alles in allem hatte sie etwas Luxuriöses an sich, und dieser Eindruck verstärkte sich beim Betreten der Lobby des Mercure-Hotels, die sonderbarerweise aus einer großen Vorhalle bestand, welche sich zu einem mit Statuen geschmückten Innenhof öffnete, eine Kulisse, die man eher in einem Palast mittleren Rangs erwartet hätte. Es war halb acht, und auf der Place d'Italie waren schon drei Cafés geöffnet: das Café de France, das Café Margeride (wo es Käsespezialitäten gab, aber für Käsespezialitäten war es etwas früh) und das Café O'Jules an der Ecke Rue Bobillot. Seinem dämlichen Namen zum Trotz entschied ich mich für Letzteres, weil die Besitzer den originellen Einfall gehabt hatten, die Happy Hour zu übersetzen, die hier zur »glücklichen Stunde« wurde; ich war mir sicher, Alain Finkielkraut hätte meine Wahl gutgeheißen.

Die Karte des Lokals versetzte mich augenblicklich in Begeisterung und ließ mich sogar das negative Urteil überdenken, das ich mir in Bezug auf seinen Namen gebildet hatte: Die Verwendung des Namens Jules hatte nämlich die Entwicklung eines zutiefst innovativen Kartensystems erlaubt, bei dem die Kreativität der Namensgebung mit einer sinnvollen Kontextualisierung einherging, wovon bereits der Abschnitt mit den Salaten zeugte, die »Jules im Süden« (Salat, Tomaten, Ei, Reis, Oliven, Anchovis, Paprika) neben »Jules in Norwegen« (Salat, Tomate, Räucherlachs, Garnelen, pochiertes Ei, Toast) stellte. Ich für meinen Teil würde wohl in nicht allzu ferner Zukunft (vielleicht sogar schon an diesem Mittag) den Reizen von »Jules auf dem Bauernhof« (Salat, Katenschinken, Cantal-Käse, Bratkartoffeln, Walnusskerne) oder womöglich »Jules als Schäfer« (Salat, Tomate, warmer Ziegenkäse, Honig, Speckwürfel) erliegen.

Ansonsten warfen die vorgeschlagenen Speisen eine überholte Diskussion über den Haufen, indem sie die Umrisse eines friedlichen Zusammenlebens zwischen traditioneller Küche (mit Käse überbackene Zwiebelsuppe, Heringsfilets mit lauwarmen Kartoffeln) und gastronomischer Innovation (Garnelen in Panko-Panade mit grüner Salsa, Bagle nach Aveyron-Art) entwarfen. Der gleiche Wille zur Synthese sprach aus der Cocktail-Karte, die neben sämtlichen Klassikern auch veritable Neuschöpfungen wie die »Grüne Hölle« (Malibu, Wodka, Milch, Ananassaft, Pfefferminzlikör), den »Zombie« (brauner Rum, Aprikosenlikör, Zitronensaft, Ananassaft, Grenadine) und den überraschenden, aber schnörkellosen »Bobillot Beach« (Wodka, Ananassaft, Erdbeersirup) enthielt. Kurz, mich beschlich das Gefühl, dass ich in diesem Lokal nicht nur glückliche Stunden, sondern glückliche Tage, Wochen, ja sogar Jahre verleben würde.

Nachdem ich mein regionales Frühstück beendet und ein ausreichendes Trinkgeld hinterlassen hatte, um mir das Wohlwollen der Bedienung zu sichern, steuerte ich gegen neun Uhr die Rezeption an, wo ich auf eine Art und Weise empfangen wurde, die meinen positiven Ersteindruck bestätigte. Meine Erwartungen vorwegnehmend, bestätigte die Rezeptionistin, noch bevor sie nach meiner Visa-Karte fragte, man habe mir wunschgemäß ein Raucherzimmer reserviert. »Sie sind eine Woche unser Gast?«, setzte sie mit einem Hauch erlesener Strenge in der Stimme hinzu; ich bejahte.

Ich hatte »eine Woche« gesagt, hätte aber genauso gut irgendetwas anderes sagen können, mir war es nur darum gegangen, mich aus einer toxischen Beziehung zu befreien, die mich zu töten im Begriff war, mein Projekt des vorsätzlichen Verschwindens war vollauf geglückt, und da war ich nun, ein abendländischer Mann in mittleren Jahren, der finanziell für einige Jahre vorgesorgt hatte, ohne Angehörige oder Freunde, ohne persönliche Projekte oder echte Interessen, tief enttäuscht von seinem bisherigen Berufsleben, der auf der Gefühlsebene verschiedene Erfahrungen gemacht hatte, denen aber durchweg gemein gewesen war, dass sie irgendwann abgebrochen waren, letztlich ohne einen Grund zu leben oder einen Grund zu sterben. Ich könnte daraus Nutzen ziehen und noch einmal von vorn anfangen, »neu durchstarten«, wie es in Fernsehsendungen und in den humanpsychologischen Artikeln der Fachzeitschriften humorvoll hieß; ich könnte mich auch in lethargische Untätigkeit abgleiten lassen. Mein Hotelzimmer, das war mir gleich klar geworden, würde mich eher in diese Richtung lenken: Es war wirklich winzig, alles in allem zehn Quadratmeter, schätzte ich, das Doppelbett nahm beinahe den gesamten Raum ein, man konnte es gerade eben umrunden; auf einem schmalen Pult ihm gegenüber standen der unverzichtbare Fernseher und ein Begrüßungstablett (also ein Wasserkocher, Pappbecher und Kaffeekapseln). Außerdem hatten sie es geschafft, in diesem engen Raum eine Minibar und einen Stuhl unterzubringen, der einem Spiegel mit einer Seitenlänge von dreißig Zentimetern gegenüberstand; und das war auch schon alles. Das war mein neues Zuhause.

KONNTE ICH IN DER Einsamkeit glücklich sein? Ich bezweifelte es. Konnte ich überhaupt glücklich sein? Ich glaube, das ist die Art von Frage, die man sich besser nicht stellen sollte.

Die einzige Schwierigkeit, die das Leben in einem Hotel mit sich bringt, ist, dass man täglich sein Zimmer – und also sein Bett – verlassen muss, damit die Putzfrau ihre Arbeit machen kann. Die Zeit, zu der man das Zimmer verlassen muss, ist dabei grundsätzlich unbestimmt, der Terminplan der Zimmermädchen wird den Gästen nicht mitgeteilt. Da die Sache bekanntermaßen nie lange dauerte, hätte ich für meinen Teil es vorgezogen, das Zimmer zu einer vorgeschriebenen Zeit verlassen zu müssen, doch das war nicht vorgesehen, und in gewisser Weise konnte ich es verstehen, das wäre nicht mit den Werten des Hotelwesens vereinbar gewesen, es hätte eher an die Funktionsweise eines Gefängnisses erinnert. Ich musste daher auf die Eigeninitiative und Reaktionsbereitschaft des Zimmermädchens – beziehungsweise der Zimmermädchen – vertrauen.

Trotzdem konnte ich ihnen Hilfestellung, konnte ich ihnen einen Wink geben, indem ich das kleine am Türgriff hängende Hinweisschild von der Seite »Pssst, ich schlafe – Please do not disturb« (der Zustand wurde durch eine auf einem Teppich dösende englische Bulldogge verbildlicht) auf die Seite »Ich bin wach – Please make up the room« (diesmal waren es zwei vor dem Hintergrund eines Theatervorhangs fotografierte Hühner, die hellwach und beinahe aggressiv erschienen) zu drehen.

Nach einigen tastenden Versuchen in den ersten Tagen war ich zu dem Schluss gekommen, dass eine Abwesenheit von zwei Stunden ausreichen würde. Ich brauchte nicht lange, um einen kleinen Rundgang auszuarbeiten, der am O'Jules begann, das zwischen zehn und zwölf Uhr wenig frequentiert wurde. Danach ging ich die Avenue de la Sœur Rosalie wieder hinauf, die in einer Art kleinem baumbestandenen Verkehrskreisel endete, bei schönem Wetter rastete ich auf einer der zwischen den Bäumen verstreuten Bänke, meist war ich allein, aber hin und wieder saß ein Rentner dort, manchmal in Begleitung eines kleinen Hundes. Dann bog ich rechts in die Rue Abel Hovelacque ein; an der Ecke zur Avenue des Gobelins versäumte ich es nie, im Carrefour City haltzumachen. Dieses Geschäft, das hatte ich schon bei meinem ersten Besuch gespürt, würde in meinem neuen Leben eine Rolle spielen. Die orientalische Abteilung war zwar weniger luxuriös als die des G20 am Totem-Hochhaus, wo ich bis vor wenigen Tagen Stammkunde gewesen war, hatte aber trotzdem acht verschiedene Hummus-Varianten im Sortiment, darunter Abu Gosh Premium, Misadot, Zatar und den äußerst selten zu findenden Msabbaha; was die Sandwich-Theke anging, fragte ich mich, ob sie nicht sogar besser war. Bis dahin hatte ich geglaubt, das Segment der Minimärkte in Paris und den angrenzenden Departements werde völlig von den Daily Monop's dominiert; ich hätte mir denken können, dass eine Kette wie Carrefour, wenn sie in einen neuen Markt drängte, »nicht antrat«, wie deren Generaldirektor kürzlich mahnend gesagt hatte, »um eine Nebenrolle zu spielen«.

Die außergewöhnlich langen Öffnungszeiten zeugten von dem gleichen Eroberungswillen: wochentags von 7 bis 23 Uhr, sonntags von 8 bis 13 Uhr, das hatten nicht mal die Araber je hingekriegt. Zudem waren die verkürzten sonntäglichen Öffnungszeiten das Ergebnis eines erbitterten Streits, ausgelöst durch ein von der Arbeitsaufsichtsbehörde des 13. Arrondissements eingeleitetes Verfahren, wie ich einem kleinen Plakat im Laden entnahm, auf dem in einer atemberaubenden begrifflichen Leidenschaftlichkeit die »abwegige Entscheidung« des Obersten Gerichtshofs angeprangert wurde, welcher den Markt unter Androhung einer Strafe, »deren übertriebenes Maß das Fortbestehen ihres kleinen Ladens an der Ecke gefährdet hätte«, schließlich zum Einlenken bewegt habe. Die Gewerbefreiheit und damit die Freiheit des Kunden hatten also eine Schlacht verloren; doch der Krieg, das merkte man dem martialischen Tonfall des Plakats an, war noch lange nicht zu Ende.

Selten machte ich auch am Café La Manufacture halt, das dem Carrefour City direkt gegenüberlag; einige der Craft-Biere, die es dort gab, wirkten verlockend, aber ich hielt nicht viel von diesem mühsam nachgeahmten Ambiente des »Arbeiterkaffees« in einem Viertel, aus dem die letzten Arbeiter wahrscheinlich um 1920 herum verschwunden waren. Schon bald sollte ich weit Schlimmeres kennenlernen, wenn mich mein Weg in die trostlose Gegend des Butte-aux-Cailles führen würde, doch davon wusste ich noch nichts.

Danach ging ich die Avenue des Gobelins wieder hinunter,

bis ich nach fünfzig Metern wieder auf die Avenue de la Sœur Rosalie stieß, und das war der einzige wirklich städtische Teil meines Rundgangs, der Teil, der mich durch den zunehmenden Andrang von Passanten und Fahrzeugen spüren lassen würde, dass wir die Schwelle des 15. August, der ersten Etappe der Wiederaufnahme des Soziallebens, und dann die entscheidendere des 1. September überschritten hatten.

War ich denn im Grunde wirklich so unglücklich? Hätte mich wider Erwarten einer der Menschen, mit denen ich in Kontakt kam (die Rezeptionistin im Mercure-Hotel, die Bedienungen im Café O'Jules, die Kassiererin im Carrefour City) nach meiner Stimmung gefragt, dann hätte ich sie eher als »traurig« beschrieben, aber es war eine friedvolle, gefestigte Traurigkeit, die weder zu- noch abnahm, alles in allem eine Traurigkeit, die man leicht als endgültig hätte betrachten können. Doch ich tappte nicht in diese Falle: Ich wusste, dass das Leben noch einige Überraschungen für mich bereithalten mochte, grässliche oder herrliche, je nachdem.

Im Moment allerdings verspürte ich keinerlei Bedürfnisse, was zahlreiche Philosophen, so jedenfalls mein Eindruck, als einen beneidenswerten Zustand betrachtet hätten; die Buddhisten waren im Großen und Ganzen auf derselben Wellenlänge. Andere Philosophen jedoch sowie die Gesamtheit der Psychologen betrachteten diese Abwesenheit jeglichen Verlangens im Gegenteil als pathologisch und anomal. Nach einem einmonatigen Aufenthalt im Mercure-Hotel fühlte ich mich noch immer nicht in der Lage, diese klassische Debatte zu entscheiden. Ich verlängerte meinen Aufenthalt von Woche zu Woche, um einen Zustand der Freiheit aufrechtzuerhalten (einen Zustand, der von sämtlichen existierenden Philosophien wohlwollend betrachtet wird). Meiner Meinung nach ging es mir gar nicht so schlecht. Tatsächlich gab es nur einen Punkt, in dem mir mein Geisteszustand große Sorgen bereitete, und das war die Körperpflege und selbst das bloße Waschen. Ich schaffte es mit Biegen und Brechen, mir die Zähne zu putzen, das war gerade noch möglich, aber die Vorstellung zu duschen oder zu baden verursachte mir offenen Abscheu, in Wahrheit hätte ich am liebsten gar keinen Körper mehr gehabt, ihm Aufmerksamkeit und Pflege widmen zu müssen, wurde mir immer unerträglicher, und selbst wenn der beeindruckende Anstieg der Obdachlosenzahl die abendländische Gesellschaft nach und nach dazu gebracht hatte, ihre Maßstäbe in diesem Bereich zu lockern, wusste ich, dass ein zu aufdringlicher Gestank zwangsläufig dazu führen würde, mich in unzweckmäßiger Weise auszusondern.

Ich hatte niemals zuvor einen Psychiater aufgesucht, und im Grunde glaubte ich kaum an die Befähigungen dieser Zunft, daher suchte ich bei Doctolib einen Praktiker mit einer Sprechstunde im 13. heraus, um wenigstens den Fahrtweg kurz zu halten.

Von der Rue Bobillot in die Rue de la Butte aux Cailles abzubiegen (die beiden Straßen liefen auf Höhe der Place Verlaine zusammen), hieß, das Universum des gewöhnlichen Konsums zu verlassen und in eine Welt aktivistischer Creperien und alternativer Bars (die »Zeit der Kirschen« und die »Spottdrossel« lagen einander quasi gegenüber) einzutreten, durchsetzt mit fairen Bioläden und Ständen, die Piercings und Afro-Frisuren feilboten; ich hatte immer schon das Gefühl gehabt, dass die 1970er-Jahre nicht untergegangen waren, dass sie bloß den

Rückzug angetreten hatten. Ein paar der Graffiti waren nicht schlecht, und ich folgte der Straße bis zum Ende und verpasste die Abzweigung zur Rue des Cinq Diamants, wo Doktor Lelièvre seine Sprechstunde hatte.

Der Doktor, fand ich, sah auf den ersten Blick selbst ein bisschen wie ein militanter Umweltschützer aus mit seinen halblangen gelockten Haaren, die allmählich von weißem Draht überwuchert wurden; aber die Fliege, die er trug, widersprach diesem ersten Eindruck ein wenig, ebenso die luxuriöse Möblierung seiner Praxis, ich überdachte meine Sichtweise, er war allenfalls ein Sympathisant.

Als ich für ihn zusammengefasst hatte, wie mein Leben derzeit aussah, stimmte er zu, dass ich Unterstützung brauchte, und fragte mich, ob ich Selbstmordgedanken hätte. Nein, antwortete ich, der Tod interessiere mich nicht. Er unterdrückte einen missvergnügten Gesichtsausdruck und fuhr in scharfem Ton fort, ich war ihm ganz offensichtlich unsympathisch: Es gebe da ein Antidepressivum der neuen Generation (es war das erste Mal, dass ich den Namen Captorix hörte, der in meinem Leben noch eine so wichtige Rolle spielen sollte), das sich in meinem Fall als wirksam erweisen könnte, man müsse mit ein bis zwei Wochen rechnen, bis die Wirkung spürbar werde, aber es sei ein Medikament, das eine strenge medizinische Überwachung notwendig mache, ich müsse unbedingt in einem Monat wiederkommen.

Eilfertig willigte ich ein, darum bemüht, das Rezept nicht übertrieben gierig an mich zu reißen; ich war fest entschlossen, diesen Vollidioten nie wiederzusehen.

Wieder zu Hause, das heißt in meinem Hotelzimmer, studierte ich eifrig den Beipackzettel, der mich darüber informierte, dass ich wahrscheinlich impotent werden und meine Libido einbüßen würde. Das Captorix wirkte über erhöhte Serotoninausschüttung, aber die Informationen, die ich im Internet über die Auswirkungen der Hormone auf die Funktion der Psyche finden konnte, machten einen konfusen und inkohärenten Eindruck. Es gab einige vernünftige Anmerkungen im Sinne von: »Ein Säugetier entscheidet nicht jeden Morgen nach dem Aufwachen, ob es bei der Gruppe bleibt oder sich entfernt und sein Leben allein bestreitet«, oder auch: »Ein Reptil empfindet keinerlei Bindung zu anderen Reptilien; Echsen vertrauen anderen Echsen nicht.« Genauer betrachtet, war das Serotonin ein Hormon, das mit dem Selbstwertgefühl verknüpft war, mit der Anerkennung seitens der Gruppe. Aber davon abgesehen, wurde es prinzipiell im Magen-Darm-Trakt erzeugt, und es ließ sich bei sehr vielen Lebewesen nachweisen, einschließlich der Amöben. Auf was für ein Selbstwertgefühl konnten sich Amöben denn schon berufen? Auf was für eine Anerkennung seitens der Gruppe? Die sich nach und nach abzeichnende Schlussfolgerung lautete, dass die Kunst der Medizin auf diesem Gebiet verworren und vage blieb und dass die Antidepressiva zu den zahlreichen Medikamenten gehörten, die wirkten (oder auch nicht), ohne dass man genau gewusst hätte, warum.

In meinem Fall schien es zu wirken, wobei mir die Dusche immer noch zu brutal war, aber mit der Zeit gelang es mir, ein lauwarmes Bad zu nehmen und mich sogar flüchtig einzuseifen. Und hinsichtlich der Libido änderte sich nicht sehr viel, seit der Brünetten von El Alquián, der kaum zu vergessenden Brünetten von El Alquián, hatte ich ohnehin nichts verspürt, was sexuellem Verlangen geähnelt hätte.

Es war daher sicherlich kein Gefühl der Begierde, das mich ein paar Tage später dazu brachte, mitten am Nachmittag bei Claire anzurufen. Was trieb mich dann dazu? Ich hatte nicht die geringste Ahnung. Es war über zehn Jahre her, dass wir uns das letzte Mal gesprochen hatten; ehrlich gesagt, rechnete ich damit, dass sie ihre Telefonnummer geändert hatte, was jedoch nicht der Fall war. Auch den Wohnort hatte sie nicht gewechselt – aber das war normal. Sie wirkte ein wenig überrascht, von mir zu hören, aber mehr eigentlich nicht, und sie schlug vor, am selben Abend gemeinsam in einem Restaurant in ihrem Viertel zu essen.

Ich war siebenundzwanzig gewesen, als ich Claire kennenlernte, meine Studienjahre lagen hinter mir, es hatte schon einige Mädchen in meinem Leben gegeben – im Wesentlichen Ausländerinnen. Man muss bedenken, dass die Erasmus-Stipendien, die später den sexuellen Austausch zwischen europäischen Studenten so sehr vereinfachen sollten, zu dieser Zeit noch nicht existierten und dass einer der wenigen Orte zum Angraben von Auslandsstudentinnen die Cité International Universitaire am Boulevard Jourdan war, wo die Landwirtschaftliche Hochschule wunderbarerweise über einen Pavillon verfügte, in dem tagtäglich Konzerte und Feste stattfanden. Ich hatte daher körperlichen Kontakt mit jungen Mädchen aus verschiedenen Ländern, und ich kam zu der Überzeugung, dass sich die Liebe nur auf der Basis eines gewissen Unterschieds entwickeln kann, dass sich gleich und gleich nie verliebt, ja dass in der Praxis zahlreiche Unterschiede sogar verbindend wirken können: Ein extremer Altersunterschied, das weiß man, kann unglaubliche Leidenschaft hervorrufen; der Rassenunterschied hat sich seine Wirksamkeit bewahrt; und selbst der schlichte nationale und sprachliche Unterschied ist nicht zu unterschätzen. Es ist schlecht, wenn Liebende dieselbe Sprache sprechen, es ist schlecht, wenn sie sich tatsächlich verstehen, sich mit Worten austauschen können, denn die Sprache ist nicht dazu bestimmt, Liebe zu stiften, sondern Zwietracht und Hass zu säen, die Sprache spaltet in jenem Maß, in dem sie entsteht, während ein plumpes, halbsprachliches, verliebtes Geplapper, das Reden mit der eigenen Frau oder dem eigenen Mann wie mit einem Hund die Voraussetzungen für eine bedingungslose und dauerhafte Liebe schafft. Könnte man sich auf die unmittelbarsten und konkretesten Themen beschränken – Wo ist der Garagenschlüssel? Um wie viel Uhr kommt der Elektriker? –, dann ginge es vielleicht noch, doch jenseits davon beginnt das Reich der Uneinigkeit, der Abwendung und der Scheidung.

Es hatte also verschiedene Frauen gegeben, im Wesentlichen Spanierinnen und Deutsche, ein paar Südamerikanerinnen, auch eine Holländerin, rund und appetitlich, die tatsächlich wie eine Gouda-Werbung aussah. Und schließlich war da Kate gewesen, die letzte meiner Jugendlieben, die letzte und heftigste, man kann sagen, dass nach ihr meine Jugend zu Ende war, ich geriet nicht mehr in die Geisteszustände, die man üblicherweise mit dem Begriff »Jugend« verbindet, diese charmante Unbekümmertheit (oder, wenn man möchte, diese widerliche Verantwortungslosigkeit), dieses Gefühl einer endlosen, offenstehenden Welt, nach ihr hatte sich die Wirklichkeit wieder um mich geschlossen, diesmal endgültig.

Kate war Dänin, und sie war vermutlich die intelligenteste Person, der ich je begegnet bin, wobei ich das nicht sage, weil es wirklich wichtig wäre, intellektuelle Fähigkeiten haben in einer Liebesbeziehung keine große Bedeutung, gegenüber der Herzensgüte fallen sie kaum ins Gewicht; ich erwähne es vor allem, weil ihre unglaubliche geistige Regheit, ihre außergewöhnliche Auffassungsgabe wirklich eine Besonderheit, ein Phänomen darstellten. Bei unserem ersten Zusammentreffen war sie zweiunddreißig gewesen – also fünf Jahre älter als ich – und hatte über weit mehr Lebenserfahrung verfügt, ich fühlte mich neben ihr wie ein kleiner Junge. Nach einem in Rekordzeit absolvierten Jurastudium war sie Anwältin für Unternehmensrecht in einer Londoner Kanzlei geworden. Ich weiß noch, wie ich am Morgen nach unserer ersten Liebesnacht zu ihr sagte: *»So, you should have met some kind of yuppies.«* *»Florent, I* was *a yuppie«*, antwortete sie sanft, ich erinnere mich an diese Antwort, und ich erinnere mich an ihre festen, kleinen Brüste im Morgenlicht, immer wenn ich daran denke, überkommt mich ein großes Verlangen zu sterben, aber sei's drum. Nach zwei Jahren hatte sie sich den Tatsachen gebeugt: Das Yuppietum entsprach nicht im Mindesten ihren Ambitionen, ihrem Geschmack, ihrer allgemeinen Sicht auf das Leben. Außerdem hatte sie sich dazu entschieden, noch einmal zu studieren, diesmal Medizin. Ich weiß nicht mehr genau, was sie in Paris machte, ich glaube, ein Pariser Krankenhaus, das in der Erforschung irgendeiner Tropenkrankheit internationales Ansehen genoss, war der Grund für ihre Anwesenheit. Um die Fähigkeiten dieses Mädchens besser einordnen zu können: Am Abend unseres Kennenlernens war sie in gewisser Weise über mich gestolpert, genauer gesagt, hatte ich angeboten, ihr beim Hinauftragen ihres Gepäcks in ihr Zimmer im dritten Stock des dänischen Pavillons zu helfen. Danach hatten wir ein Bier getrunken, dann zwei und so weiter, sie war am selben Morgen in Paris angekommen und sprach kein Wort Französisch; zwei Wochen später beherrschte sie die Sprache nahezu perfekt.

Das einzige Foto, das ich noch von Kate habe, muss sich irgendwo auf meinem Computer befinden, aber ich muss ihn nicht hochfahren, um mich daran zu erinnern, es genügt, die Augen zu schließen. Wir hatten die Weihnachtsfeiertage bei ihr verbracht, das heißt bei ihren Eltern, es war nicht in Kopenhagen, der Name der Stadt ist mir entfallen, jedenfalls hatte ich Lust, auf langsame Weise nach Frankreich zurückzukehren, mit dem Zug, die Reise hatte sonderbar begonnen, der Zug raste an der Ostsee entlang, nur zwei Meter trennten uns von der grauen Wasseroberfläche, hin und wieder schlug eine stärkere Welle gegen die Seitenfenster unserer Fahrgastzelle, wir waren allein im Zug zwischen zwei abstrakten unendlichen Weiten, dem Himmel und dem Meer, ich war noch nie so froh gewesen, am Leben zu sein, und wahrscheinlich hätte mein Leben in diesem Moment enden sollen, eine gewaltige Flutwelle, die Ostsee, unsere Körper für immer miteinander vereint, doch dazu kam es nicht, der Zug erreichte seinen Zielbahnhof (war es Rostock oder Stralsund?), Kate hatte beschlossen, mich für ein paar Tage zu begleiten, das Semester begann am darauffolgenden Tag, aber das würde sie schon irgendwie hinbiegen.

Das einzige Foto, das ich noch von Kate habe, wurde im Schlosspark der kleinen deutschen Stadt Schwerin, Hauptstadt des Bundeslands Mecklenburg-Vorpommern, aufgenommen, die Alleen des Parks sind mit einer dicken Schneeschicht bedeckt, in der Ferne erkennt man die Türmchen des Schlosses. Kate dreht sich zu mir um und lächelt mich an, ich hatte ihr wahrscheinlich zugerufen, sie solle sich umdrehen, damit ich sie fotografieren könne, sie sieht mich an, und ihr Blick ist voller Liebe, aber es liegen auch Nachsicht und Traurigkeit darin, weil sie wahrscheinlich schon erkannt hat, dass ich sie betrügen werde und die Geschichte zu Ende gehen wird.

Am selben Abend hatten wir in einer Schweriner Gastwirtschaft gegessen, ich erinnere mich noch an den Kellner, einen dünnen Mittvierziger, nervös und unglücklich, wahrscheinlich bewegt von unserer Jugendlichkeit und der Liebe, die von uns als Paar und, um ehrlich zu sein, vor allem von ihr ausging, den Kellner, der, nachdem er uns die Teller hingestellt hatte, ohne Umschweife seinen Dienst unterbrach, um sich an mich zu wenden (beziehungsweise an uns beide, vor allem aber an mich, er musste gespürt haben, dass ich die Schwachstelle war) und mir auf Französisch zu sagen (er musste selbst Franzose gewesen sein, was hatte einen Franzosen bloß als Kellner in eine Schweriner Gastwirtschaft verschlagen, das Leben der Menschen ist voller Rätsel): »Bleibt so, ihr zwei. Ich bitte euch, bleibt so.«

Wir hätten die Welt retten können, und wir hätten sie *in einem Augenblick* retten können, wie der Deutsche sagt, aber wir haben es nicht getan, das heißt, ich habe es nicht getan, und die Liebe hat nicht obsiegt, ich habe die Liebe betrogen, und oft höre ich, wenn ich nicht mehr schlafen kann, also fast jede Nacht, in meinem armen Kopf wieder die Ansage auf ihrem Anrufbeantworter: *»Hello, this is Kate. Please leave a message«*, und ihre Stimme klang so frisch, es war, als tauchte man am Ende eines staubigen Sommernachmittags in einen Wasserfall ein, man fühlte sich sofort von jeglicher Beschmutzung reingewaschen, von aller Verlassenheit und allem Übel.

Die letzten Sekunden hatten sich in Frankfurt abgespielt, auf dem Hauptbahnhof, diesmal musste sie wirklich nach Kopenhagen zurück, sie hatte ihre universitären Verpflichtungen ein wenig hochgespielt, aber nach Paris konnte sie mich auf gar keinen Fall begleiten, ich sehe noch vor mir, wie ich in der Zugtür stehe und sie auf dem Bahnsteig, wir hatten die ganze Nacht lang gevögelt, bis elf Uhr morgens, bis wir wirklich zum Bahnhof mussten, sie hatte mich gevögelt und geblasen, bis sie am Ende ihrer Kräfte war, und sie verfügte über große Kräfte, und auch ich wurde damals problemlos wieder steif, aber darauf kommt es nicht an, das ist nicht das *Wesentliche*; worauf es ankommt, ist vor allem, dass Kate, als sie dort auf dem Bahnsteig stand, irgendwann anfing zu weinen, nicht richtig zu weinen, ein paar Tränen rannen ihr über das Gesicht, sie sah mich an, sie hat mich über eine Minute lang angesehen, bis der Zug abgefahren ist, ihr Blick hat sich nicht eine Sekunde lang von meinem gelöst, und irgendwann sind ihr unwillkürlich die Tränen über das Gesicht gelaufen, und ich habe mich nicht gerührt, ich bin nicht auf den Bahnsteig gesprungen, ich habe darauf gewartet, dass sich die Türen wieder schlossen.

Dafür verdiene ich den Tod und sogar weit schlimmere Strafen, ich kann es nicht verhehlen: Ich werde mein Leben unglücklich, griesgrämig und einsam beschließen, und ich werde es verdient haben. Wie konnte sich ein Mann sehenden Auges von Kate abwenden? Es ist unbegreiflich. Schließlich rief ich sie an, nachdem ich wer weiß wie viele ihrer Nachrichten unbeantwortet gelassen hatte, und all das für eine dreckige Brasilianerin, die mich am Tag nach ihrer Rückkehr nach São Paulo vergessen sollte, ich rief Kate an, und ich rief sie genau einen Augenblick *zu spät* an, am Tag darauf reiste sie nach Uganda ab, sie hatte sich für eine humanitäre Mission gemeldet, die Abendländer hatten sie schwer enttäuscht, aber ich ganz besonders.

Am Ende geht es einem doch immer um die laufenden Kosten. Claire hatte ihren Teil an Melodramen gehabt, sie hatte eine bewegte Zeit durchgemacht, ohne dem Glück wirklich näher zu kommen – aber wer schaffe das schon, meinte sie. Niemand sei mehr glücklich im Abendland, meinte sie weiter, niemals mehr, wir müssten das Glück als einen vergangenen Traum betrachten, die historischen Bedingungen seien schlicht nicht mehr gegeben.

Unzufrieden, ja hoffnungslos, was ihr eigenes Leben anging, hatte Claire im Immobiliengeschäft hingegen große Freuden erlebt. Als ihre Mutter ihre hässliche kleine Seele Gott – oder, wahrscheinlicher, dem Nichts – überantwortet hatte, war das dritte Jahrtausend angebrochen, und für das bislang als jüdisch-christlich bezeichnete Abendland war es vielleicht das entscheidende Jahrtausend zu viel, so wie man bei Boxern von einem Kampf zu viel spricht, jedenfalls war dieser Gedanke im als jüdisch-christlich bezeichneten Abendland weit verbreitet, wobei ich das nur zur Verortung auf der historischen Ebene erwähne, Claire aber kümmerte das nicht, sie hatte reichlich andere Dinge im Kopf, vor allem ihre Schauspielkarriere – und dann hatten nach und nach die laufenden Kosten eine vorherrschende Stellung in ihrem Leben eingenommen, aber greifen wir nicht vor.

Ich war ihr am Silvesterabend 1999 begegnet, den ich bei einem Krisenkommunikationsexperten verbrachte, welchen ich bei der Arbeit kennengelernt hatte – ich arbeitete damals bei Monsanto, und Monsanto befand sich fast permanent in einer Situation der Krisenkommunikation. Ich weiß nicht, woher er Claire kannte, tatsächlich glaube ich, er kannte sie gar nicht, schlief aber mit einer ihrer Freundinnen – wobei »Freundin« nicht das richtige Wort ist, sagen wir, einer anderen Schauspielerin, die im selben Stück mitspielte.

Claire stand also am Anfang ihres ersten großen Theatererfolgs – der im Übrigen auch ihr letzter sein sollte. Bis dahin hatte sie sich mit Nebenrollen in französischen Filmen mit geringem bis mittlerem Budget und einer Handvoll Hörstücken auf France Culture begnügen müssen. Diesmal hatte sie die weibliche Hauptrolle in einem Theaterstück von Georges Bataille erhalten – wobei es sich nicht direkt und eigentlich sogar überhaupt nicht um ein Theaterstück von Georges Bataille handelte, der Regisseur hatte sich einer *Bearbeitung* auf Grundlage verschiedener sowohl fiktionaler als auch theoretischer Texte Batailles gewidmet. Wie er in mehreren Interviews verkündete, hatte er sich eine Neulektüre Batailles im Licht der neuen virtuellen Spielarten der Sexualität zur Aufgabe gemacht. Besonders die Masturbation erfordere das. Den Unterschied zwischen den Positionen Batailles und Genets, ja ihre Gegensätzlichkeit wolle er nicht kaschieren. Das Ganze fand in einem subventionierten Theater im Osten von Paris statt. Kurz: Diesmal war mit einer breiten medialen Wirkung zu rechnen.

Ich ging zur Premiere. Ich schlief erst seit etwas mehr als zwei Monaten mit Claire, aber sie war schon bei mir eingezogen, wobei man sagen muss, dass das Zimmer, in dem sie gewohnt hatte, wirklich schäbig war, die Etagendusche, die sie sich mit ungefähr zwanzig anderen Mietern teilte, war so dreckig, dass sie sich im Club-Med-Fitnessstudio anmeldete, nur um sich dort zu waschen. Ich war nicht besonders beeindruckt von dem Spektakel – aber von Claire schon, sie verströmte während des gesamten Stücks eine eisige Erotik, die Kostümbildnerin und der Beleuchter hatten gute Arbeit geleistet, wobei man weniger Lust hatte, sie zu ficken, als sich vielmehr von ihr ficken zu lassen, man spürte, dass dies eine Frau war, die von einem Moment auf den anderen den unbezähmbaren Drang verspüren konnte, einen zu ficken, und so lief es übrigens auch in unserem Alltag, ihrem Gesicht war nichts anzusehen, und plötzlich legte sie mir eine Hand auf den Schwanz, öffnete innerhalb von ein paar Sekunden meinen Hosenstall und kniete sich hin, um mir einen zu blasen, oder aber sie zog den Slip aus, um sich zu wichsen, und das, wie ich mich entsinne, an fast jedem erdenklichen Ort, einschließlich eines Wartesaals des Finanzamts, eine Schwarze mit zwei Kindern, die dort wartete, wirkte leicht schockiert, kurz, sie hielt in sexueller Hinsicht eine ständige Spannung aufrecht. In der Kritik wurde das Stück einhellig gelobt, der Kulturteil von *Le Monde* widmete ihm eine ganze Seite, der von *Libération* sogar zwei. Claire wurde bei diesem Konzert der Loblieder mehr als nur gewürdigt, insbesondere *Libération* verglich sie mit den blonden und kühlen, innerlich aber in Wahrheit feurigen Heldinnen Hitchcocks, diese Eisbomben-Vergleiche also, wie ich sie schon zigmal gelesen hatte, so oft, dass ich sofort verstand, worum es ging, ohne auch nur einen einzigen Hitchcock-Film gesehen zu haben, ich war eher die Generation *Mad Max,* aber wie dem auch sei, auf Claire traf es einigermaßen zu.

In der vorletzten Szene des Stücks, die der Regisseur ganz offensichtlich als Schlüsselszene betrachtete, hob Claire ihren Rock, spreizte die Beine vor dem Publikum und masturbierte, während eine andere Schauspielerin einen langen Text von Georges Bataille las, in dem es vor allem um den Anus zu gehen schien. Dem Kritiker von *Le Monde* hatte diese Szene besonders zugesagt, und er rühmte vor allem die »Feierlichkeit«, die Claire in ihrer Darstellung an den Tag legte. Das Wort »Feierlichkeit« erschien mir etwas stark, aber sagen wir, sie war ruhig und gelassen und wirkte überhaupt nicht erregt – was sie übrigens auch tatsächlich nicht war, wie sie mir abends nach der Premiere verriet.

Ihre Karriere war letztendlich in Gang gekommen, und zu dieser ersten Freude gesellte sich eine zweite, als eines Sonntags im März der Flug AF232 mit Bestimmungsort Rio de Janeiro mitten über dem Südatlantik abstürzte. Es gab keine Überlebenden, und Claires Mutter war an Bord gewesen. Den Angehörigen der Opfer wurde sofort psychologische Hilfe angeboten. »Da habe ich mich wirklich als gute Schauspielerin erwiesen«, sagte Claire am Abend ihres ersten Treffens mit den psychologischen Sachverständigen. »Ich habe die am Boden zerstörte Tochter gegeben, und ich glaube, man hat mir meine Freude tatsächlich nicht angemerkt.«

Wie Claire es vorausgeahnt hatte, war ihre Mutter trotz des Hasses, den sie füreinander empfanden, viel zu egozentrisch gewesen, um sich die Mühe zu machen, ein Testament aufzusetzen, sich auch nur eine Minute lang den Kopf darüber zu zerbrechen, was nach ihrem Tod geschehen könnte, und es ist ohnehin ziemlich schwer, seine Kinder zu enterben, als einzige Tochter hatte Claire von Rechts wegen den unabdingbaren Anspruch auf einen Pflichtteil von fünfzig Prozent, kurzum, sie hatte nicht viel zu befürchten, und einen Monat nach diesem rätselhaften Flugzeugabsturz war sie tatsächlich im Besitz des Vermögens ihrer Mutter, das hauptsächlich in einer luxuriösen Wohnung in der Passage du Ruisseau de Ménilmontant im 20. Arrondissement bestand. Zwei Wochen später zogen wir ein, so lange hatten wir gebraucht, um uns die Angelegenheiten der Alten vom Hals zu schaffen – die im Übrigen gar nicht so alt gewesen war, sie war neunundvierzig, und der Flugzeugabsturz, der sie das Leben kostete, hatte sich während einer Urlaubsreise nach Brasilien mit einem Typen von siebenundzwanzig Jahren ereignet – genauso alt wie ich.

Die Wohnung befand sich in einer alten Ziegelei, die Anfang der 1970er-Jahre den Betrieb eingestellt und einige Jahre lang leer gestanden hatte, bevor Claires Vater, ein Architekt mit einem Gespür für einträgliche Geschäfte, sie gekauft und mehrere Lofts darin eingerichtet hatte. Der Eingang erfolgte über eine große Vorhalle, die durch ein Gitter mit mächtigen Stäben abgesichert war, das elektronische Türschloss war durch ein biometrisches System mit Iriserkennung ausgetauscht worden, für Besucher gab es eine Gegensprechanlage mit angeschlossener Videokamera.

War diese Sperre überwunden, betrat man einen weitläufigen gepflasterten Hof, der von den alten Industriebauten umgeben war – es gab um die zwanzig Miteigentümer. Das Loft, das Claires Mutter zugefallen war, eines der weiträumigsten, bestand aus einem einzigen offenen Raum von hundert Quadratmetern Größe – bei einer Deckenhöhe von sechs Metern –, an den sich neben einer offenen Küche mit einer zentralen Kochinsel und einem großen Bad mit bodengleicher Dusche und Whirlpool noch zwei Zimmer anschlossen, eines im Halbgeschoss, das andere mit angegliederter Ankleide, sowie ein Büro, das auf eine kleine Ecke des Gartens hinausging. Zusammen waren es etwas über zweihundert Quadratmeter.

Auch wenn die Bezeichnung seinerzeit noch nicht sehr verbreitet war, waren die übrigen Miteigentümer genau das, was man später als »Bobos« bezeichnen würde, und sie konnten nicht anders, als sich darüber zu freuen, eine Theaterschauspielerin zur Nachbarin zu haben, was wäre das Theater ohne die Bobos, fragt man sich, die Zeitung *Libération* wurde damals noch nicht ausschließlich von freischaffenden Künstlern gelesen, sondern zudem von einem (wenn auch schwindenden) Teil ihres Publikums, und die Verkaufszahlen sowie das Prestige von *Le Monde* waren noch beinahe intakt, kurz gesagt, Claire wurde mit Begeisterung in das Haus aufgenommen. Mein Fall, das war mir bewusst, konnte etwas heikler sein, Monsanto musste ihnen als ein Unternehmen erscheinen, das ungefähr so ehrenwert war wie die CIA. Eine gute Lüge macht immer gewisse Anleihen bei der Wahrheit, ich gab sofort bekannt, ich sei in der Genforschung tätig und beschäftigte mich mit seltenen Krankheiten, gegen seltene Krankheiten kann keiner was sagen, man hat sofort einen Autisten vor Augen oder eines dieser armen kleinen Kinder, die an Progerie leiden und mit zwölf schon wie Greise aussehen, niemals hätte ich in diesem Bereich arbeiten können, aber ich wusste genug über Genetik, um jedem Bobo die Stirn bieten zu können, und sei es ein wohlinformierter Bobo.

Ehrlich gesagt, fühlte ich mich mit meiner Arbeit selbst zunehmend unwohl. Es gab keine eindeutigen Beweise für die Gefährlichkeit von GVO, und die radikalen Umweltschützer waren meist ahnungslose Blödmänner, aber auch die Unschädlichkeit war nicht bewiesen, und meine Vorgesetzten innerhalb des Unternehmens waren schlicht pathologische Lügner. In Wahrheit wusste man nichts oder nahezu nichts über die langfristigen Auswirkungen der genetischen Manipulation von Pflanzen, aber darin lag in meinen Augen nicht einmal das Problem, das Problem lag darin, dass die Saatguthersteller, die Produzenten von Dünger und Pflanzenschutzmitteln durch ihre bloße Existenz auf landwirtschaftlicher Ebene eine zerstörerische und tödliche Position einnahmen, es lag darin, dass diese auf riesigen Betrieben und der Maximierung des Ertrags pro Hektar basierende intensive Landwirtschaft, diese ganz auf dem Export, auf der Trennung zwischen Landwirtschaft und Viehzucht basierende landwirtschaftliche Industrie in meinen Augen das genaue Gegenteil dessen war, was man hätte unternehmen müssen, um ein annehmbares Wachstum zu erreichen, man hätte vielmehr die Qualität in den Vordergrund stellen müssen, lokal konsumieren und lokal produzieren, durch den Rückgriff auf ein komplexes Fruchtfolgesystem und tierische Düngemittel die Böden und das Grundwasser schonen. Ich musste bei den vielen *nachbarschaftlichen Umtrunken* in den ersten Monaten nach unserem Einzug einige mit der Vehemenz und der extrem wohlinformierten Natur meiner Einlassungen zu diesem Thema überrascht haben, sicher dachten sie das Gleiche wie ich, aber ohne sich im Geringsten auszukennen, in Wirklichkeit aus reinem linken Konformismus heraus, ich hatte schon immer Ideen gehabt, ich hatte vielleicht sogar ein Ideal gehabt, es war kein Zufall, dass ich auf der Landwirtschaftlichen Hochschule gewesen war statt auf einer fachübergreifenden Hochschule wie der École polytechnique oder der HEC, kurz: Ich hatte ein Ideal gehabt, und ich war im Begriff, es zu verraten.

Eine Kündigung kam trotzdem nicht infrage, mein Gehalt war für uns lebensnotwendig, denn Claires Karriere dümpelte ungeachtet des Kritikererfolgs der Bataille-Bearbeitung hartnäckig weiter vor sich hin. Aufgrund ihrer Vergangenheit blieb sie auf den anspruchsvollen Sektor beschränkt, was ein Missverständnis war, denn sie träumte davon, im Unterhaltungskino zu arbeiten, sie selbst sah sich nur Filme an, die für jedermann sofort zugänglich waren, *Im Rausch der Tiefe* hatte sie geliebt und *Die Besucher* noch mehr, wohingegen sie den Text von Bataille »komplett bescheuert« gefunden hatte, und genauso ging es ihr mit einem Theatertext von Leiris, mit dem sie sich etwas später auseinandersetzen musste, aber das Schlimmste war wohl eine einstündige Blanchot-Lesung für France Culture, nie hätte sie geglaubt, sagte sie zu mir, dass es einen derartigen Scheißdreck gebe, es sei verblüffend, sagte sie, dass sich jemand traue, dem Publikum einen solchen Schwachsinn zu verkaufen. Ich für meinen Teil hatte überhaupt keine Meinung zu Blanchot, ich erinnerte mich nur an einen amüsanten Absatz bei Cioran, in dem dieser erklärte, Blanchot sei der ideale Schriftsteller, um sich das Schreibmaschineschreiben beizubringen, da man »nicht vom Inhalt abgelenkt« werde.

Zu Claires Unglück wies ihr Äußeres in dieselbe Richtung wie ihr Lebenslauf: Ihre blonde, elegante und kühle Schönheit schien sie auf Texte festzulegen, die mit tonloser Stimme in einem subventionierten Theater gelesen wurden, die Unterhaltungsschwerindustrie war seinerzeit versessen auf Latina-Sexbomben oder leicht säuische Mulattinnen, kurz, sie war nicht im Geringsten *on the move,* und im darauffolgenden Jahr konnte sie nicht eine einzige Rolle außerhalb des erwähnten Kulturzirkus ergattern, obwohl sie regelmäßig *Le Film français* las, obwohl sie mit unablässiger Hartnäckigkeit zu beinahe jedem Casting ging. Selbst in der Deo-Werbung gab es offensichtlich keinen Platz für Eisbomben. Paradoxerweise hätte sie in der Pornoindustrie vielleicht die besten Chancen gehabt: Ohne natürlich die lateinamerikanischen und schwarzen Sexbomben unterschätzen zu wollen, war dieser Sektor darum bemüht, unter seinen Schauspielerinnen eine große Vielfalt an körperlichen Gestalten und Ethnien zu wahren. Wäre ich nicht gewesen, hätte sie den Schritt vielleicht getan, auch wenn sie sehr wohl wusste, dass eine Pornokarriere noch nie in einer Schauspielkarriere im normalen Kino gemündet hatte, aber ich glaube, bei annähernd gleicher Bezahlung hätte sie das dem Lesen von Blanchot auf France Culture vorgezogen. Es wäre ohnehin nicht von langer Dauer gewesen, die Pornoindustrie durchlebte ihre letzten Monate, bevor sie von den Amateurpornos im Internet zerstört werden würde, YouPorn würde die Pornoindustrie noch schneller dem Erdboden gleichmachen als YouTube die Musikindustrie, der Porno war stets die Speerspitze der technologischen Innovation gewesen, wie schon zahlreiche Essayisten angemerkt haben, ohne dass irgendeinem von ihnen aufgefallen wäre, dass diese Feststellung etwas Paradoxes hat, denn schließlich ist die Pornografie noch immer der Bereich menschlicher Aktivität, in dem die wenigsten Innovationen stattfinden, es passiert darin sogar überhaupt nichts Neues, alles, was man sich in Sachen Pornografie vorstellen kann, hat es größtenteils schon zur Zeit der griechischen oder römischen Antike gegeben.

Was mich betraf, ging mir Monsanto allmählich richtig auf die Nerven, und ich fing an, ernsthaft nach Angeboten Ausschau zu halten, auf so gut wie allen Wegen, die einem Absolventen der Landwirtschaftlichen Hochschule zur Verfügung standen, insbesondere durch Vermittlung der Ehemaligenvereinigung, aber erst Anfang November stieß ich auf ein wirklich interessantes Angebot, das von der Land- und Forstwirtschaftsdirektion der Region Basse-Normandie kam. Es ging darum, eine neue Struktur für den Export von französischem Käse zu schaffen. Ich schickte meinen Lebenslauf und wurde zügig eingeladen, ich fuhr nach Caen und am selben Tag zurück. Der Direktor der DRAF war auch ein Ehemaliger der Landwirtschaftlichen Hochschule, ein noch junger Ehemaliger, ich kannte ihn vom Sehen, er war im zweiten Studienjahr gewesen, als ich im ersten war. Ich weiß nicht, wo er sein abschließendes Volontariat absolviert hatte, aber er hatte sich die (im französischen Beamtenwesen nicht sehr verbreitete) Marotte bewahrt, überflüssigerweise englische Begriffe zu verwenden. Sein Ausgangsbefund war, dass der französische Käse weiterhin nahezu ausschließlich innerhalb Europas exportiert werde, dass seine Marktstellung in den USA bedeutungslos sei und dass es dem Käse-Sektor im Vergleich zum Wein (an dieser Stelle würdigte er so ausgiebig wie eindringlich die Leistungen des Fachverbands der Bordeaux-Weine) vor allem nicht gelungen sei, den Auftritt der Schwellenländer vorauszusehen, hauptsächlich Russlands, aber in Kürze auch Chinas und bald darauf sicherlich auch Indiens. Das gelte für die

Gesamtheit des französischen Käses, doch wir befänden uns in der Normandie, unterstrich er zutreffend, und der *task force,* die er einzusetzen beabsichtige, solle es vor allem darum gehen, die »drei Fürsten der Normandie« zu *promoten*: den Camembert, den Pont-l'Évêque und den Livarot. Im Moment erfreue sich der Camembert als Einziger wirklich internationaler Bekanntheit; aus übrigens spannenden geschichtlichen Gründen, für deren Erörterung jedoch die Zeit fehle, seien der Livarot und selbst der Pont-l'Évêque in Russland und China völlig unbekannt geblieben, er verfüge nicht über unbegrenzte Mittel, doch sei es ihm immerhin gelungen, das notwendige Budget für die Einstellung von fünf Leuten aufzutun, und als Erstes suche er den Chef dieser *task force,* sei ich an dem *job* interessiert?

Das war ich, und ich bekräftigte es mit einer angemessenen Mischung aus Professionalismus und Begeisterung. Mir war eine erste Idee gekommen, und ich hielt es für richtig, ihn daran teilhaben zu lassen: Es gebe viele Amerikaner, wobei ich nicht genau wisse, wie viele es wirklich seien, sagen wir einfach, es gebe Amerikaner, die jedes Jahr die Landungsstrände in der Normandie besuchten, an denen Mitglieder ihrer Familie und zum Teil ihre eigenen Eltern ihr Leben geopfert hatten. Natürlich müsse man ihnen Zeit zur Andacht lassen, an den Ausgängen der Friedhöfe Käseverkostungen zu organisieren, käme nicht infrage; aber am Ende werde doch immer irgendetwas gegessen, und sei er sich denn wirklich sicher, dass der normannische Käse ausreichend von diesem Gedenktourismus profitiere? Er zeigte sich begeistert: Tatsächlich seien es genau solche Dinge, deren Umsetzung man ins Auge gefasst habe, und überhaupt müsse man immer sein Vorstellungsvermögen nutzen; die Synergien, die der Weinbau in der Champagne mit der französischen Luxusindustrie habe schaffen können, würden sich kaum unmittelbar wiederholen lassen: Könnte man sich vorstellen, wie Gisele Bündchen ein Stück Livarot probiere (ein Glas Moët & Chandon dagegen schon, oder)? Kurz, ich hätte mehr oder weniger freie Hand, er würde es sich verübeln, meine Kreativität in irgendeiner Weise einzuschränken, im Übrigen sei meine Arbeit bei Monsanto gewiss auch nicht einfach gewesen (in Wirklichkeit hatte ich mich dort nicht übermäßig anstrengen müssen, die Argumentation des Saatgutherstellers war von einer brutalen Schlichtheit: Ohne die GVO würden uns die Mittel fehlen, eine im steten Wachstum begriffene Weltbevölkerung zu ernähren; im Wesentlichen heiße es Monsanto oder Hungersnot). Kurz: In dem Moment, in dem ich sein Büro verließ, wusste ich, vor allem aufgrund der Vergangenheitsform, in der er über meine Arbeit bei Monsanto gesprochen hatte, dass meine Bewerbung erfolgreich gewesen war.

Mein Vertrag trat am 1. Januar 2001 in Kraft. Nach ein paar Wochen im Hotel fand ich ein schönes Haus zum Mieten, das abgeschieden in einer hügeligen Landschaft inmitten von Wäldern und Weiden lag, zwei Kilometer von Clécy entfernt, welches sich mit dem etwas übertriebenen Titel »Hauptstadt der normannischen Schweiz« schmückte. Es war ein wirklich hinreißendes Fachwerkhaus, das über ein großes Wohnzimmer mit Terrakotta-Boden, drei Zimmer mit Parkett und ein Arbeitszimmer verfügte. Der Anbau, eine umgebaute alte Weinpresse, würde als Gästehaus dienen können; eine Zentralheizung war installiert worden.

Es war ein bezauberndes Haus, und ich spürte während der Besichtigung, dass es von seinem Besitzer geliebt worden war, der es mit akribischer Sorgfalt instand gehalten hatte. Er war ein kleiner, vom Alter gebeugter Mann zwischen fünfundsiebzig und achtzig, er habe hier gut gelebt, sagte er mir gleich, doch das gehe nun nicht mehr, er brauche regelmäßige medizinische Betreuung, eine Pflegerin müsse mindestens dreimal die Woche vorbeikommen, wenn es ihm schlecht gehe, sogar täglich, eine Wohnung in Caen sei daher vernünftiger, wobei er sich glücklich schätzen könne, dass sich seine Kinder gut um ihn kümmerten, seine Tochter habe die Pflegerin persönlich ausgesucht, heutzutage könne man sich da glücklich schätzen, und tatsächlich war ich seiner Meinung, er konnte sich glücklich schätzen, doch seit seine Frau gestorben sei, sei es nicht mehr wie früher, und es werde auch nie mehr wie früher sein, er sei offenkundig gläubig, und Selbstmord wäre ihm nie in den Sinn gekommen, doch manchmal finde er, Gott brauche ein wenig lange, um ihn zu sich zu rufen, was habe das in seinem Alter schon noch für einen Zweck, ich hatte während fast des gesamten Besuchs Tränen in den Augen.

Es war ein bezauberndes Haus, aber ich würde allein darin wohnen. Dem Einfall, in ein Dorf in der Basse-Normandie zu ziehen, hatte Claire eine klare und deutliche Absage erteilt. Einen Augenblick lang hatte ich überlegt, ihr vorzuschlagen, sie könne »für die Castings nach Paris zurückfahren«, bevor mir klar wurde, wie absurd das war, sie ging zu ungefähr zehn Castings in der Woche, das hatte überhaupt keinen Sinn, aufs Land zu ziehen, es wäre für sie ein Karrieremord gewesen, wobei – war ein Mord an etwas, was längst tot war, wirklich so schlimm? Das dachte ich insgeheim, aber natürlich konnte ich ihr das nicht sagen, nicht so direkt, und wie hätte ich es indirekt sagen sollen? Ich sah keinen Ausweg.

Wir einigten uns also auf die scheinbar vernünftige Lösung, dass ich es sein würde, der am Wochenende nach Paris zurückkehrte, wahrscheinlich waren wir der gemeinsamen Trugvorstellung erlegen, dass diese Trennung und das allwöchentliche Wiedersehen uns als Paar etwas durchschnaufen und Kraft sammeln lassen würden, jedes Wochenende ein Fest der Liebe usw.

Es gab keinen Bruch zwischen uns, keinen abrupten und endgültigen Bruch. Es ist nicht kompliziert, mit dem Zug von Caen nach Paris zu fahren, man muss nicht umsteigen, und die Fahrt dauert nur etwas über zwei Stunden, es war bloß so, dass ich sie immer seltener unternahm, anfangs unter dem Vorwand zusätzlicher Arbeit, später unter gar keinem Vorwand mehr, und nach ein paar Monaten war alles gesagt. In meinem tiefsten Inneren hatte ich nie ganz von dem Gedanken abgelassen, dass Claire zu mir in das Haus ziehen würde, dass sie ihre unwahrscheinliche Schauspielkarriere an den Nagel hängen und sich damit einverstanden erklären würde, einfach nur meine Frau zu sein. Ich hatte ihr sogar mehrfach Bilder des Hauses geschickt, die ich bei schönem Wetter aufgenommen hatte, die großen Fenster zu den Wäldern und Weiden hin geöffnet, beim Gedanken daran schämte ich mich ein bisschen.

Am bemerkenswertesten ist im Nachhinein, dass meine irdischen Güter so wie bei Yuzu siebzehn Jahre später in einen einzigen Koffer passten. Ich hatte eindeutig wenig Verlangen nach irdischen Gütern, was einige griechische Philosophen (die Epikureer? Die Stoiker? Die Kyniker? Alle drei ein bisschen?) als eine sehr vorteilhafte geistige Einstellung betrachteten, die entgegengesetzte Position, so schien mir, war nur selten vertreten worden, es herrschte also in diesem einen Punkt *Einigkeit* unter den Philosophen – das ist fast nie genug, um es zu betonen.

Es war kurz nach siebzehn Uhr, als ich nach dem Gespräch mit Claire den Hörer auflegte, bis zum Abendessen hatte ich noch drei Stunden totzuschlagen. Schon nach wenigen Minuten begann ich mich zu fragen, ob die Verabredung wirklich eine gute Idee gewesen war. Es würde ganz offensichtlich nichts Positives dabei herauskommen, das Ganze würde nur dazu führen, die Enttäuschung und Bitterkeit wieder aufleben zu lassen, die wir nach etwa zwanzig Jahren mehr oder weniger erfolgreich vergraben hatten. Dass das Leben bitter und enttäuschend war, war uns beiden hinreichend klar, hatte es wirklich Sinn, ein Taxi und eine Restaurantrechnung zu bezahlen, um eine zusätzliche Bestätigung zu erhalten? Und wollte ich wirklich wissen, was aus Claire *geworden war?* Wahrscheinlich nichts besonders Glorreiches, in jedem Fall nichts, was ihren Hoffnungen gerecht geworden wäre, sonst hätte ich es schon allein durch das Betrachten der Filmplakate gemerkt. Meine eigenen beruflichen Erwartungen waren weit weniger festgelegt gewesen und mein Scheitern daher weniger augenfällig, nichtsdestoweniger hatte ich das deutliche Gefühl, bis zu diesem Zeitpunkt ein Versager gewesen zu sein. Das Treffen zweier Verlierer und verflossener Liebhaber in ihren Vierzigern, das hätte mit den passenden Schauspielern, sagen wir mal, zur

Einordnung, Benoît Poelvoorde und Isabelle Huppert, eine wunderbare Szene in einem französischen Film sein können; aber wollte ich das im echten Leben?

In gewissen kritischen Lebenssituationen habe ich mich einer Form der *Telemantie* bedient, welche meines Wissens eine Erfindung von mir ist. Die mittelalterlichen Ritter und später die Puritaner in Neuengland hatten, wenn sie eine schwierige Entscheidung treffen mussten, ihre Bibel auf irgendeiner beliebigen Seite aufgeschlagen, den Finger dort auf irgendeine beliebige Stelle gelegt und den so ausgewählten Vers zu deuten versucht, um ihre Entscheidung in der von Gott angegebenen Richtung zu treffen. In gleicher Weise kam mir die Idee, den Fernseher willkürlich einzuschalten (ohne einen Sender zu wählen, man musste einfach nur auf *On* drücken) und zu versuchen, die übertragenen Bilder zu deuten.

Um genau 18.30 Uhr schaltete ich den Fernseher meines Zimmers im Mercure-Hotel ein. Das Ergebnis erschien mir zunächst verwirrend, schwer zu entschlüsseln (aber so war es auch den mittelalterlichen Rittern und selbst den Puritanern in Neuengland ergangen): Ich landete in einer Sendung zu Ehren von Laurent Baffie, was an sich schon überraschend war (war er gestorben? Er war noch jung, aber manche Fernsehmoderatoren wurden auf dem Gipfel ihres Ruhms dahingerafft und der Liebe ihrer Fans entrissen, so ist nun mal das Leben). Der Ton war jedenfalls eindeutig der einer Hommage, und alle Teilnehmer betonten Laurents »tiefe Menschlichkeit«, für einige war er ein »Supertyp, ein König der Blödelei, ein total verrückter Kerl«, andere, die ihn entfernter gekannt hatten, setzten den Akzent auf seine »tadellose Professionalität«, diese durch den Schnitt gut in Szene gesetzte Polyphonie führte zu einer regelrechten Umdeutung der Arbeit von Laurent Baffie und endete in symphonischer Manier mit der geradezu chorartigen Wiederholung eines Ausdrucks, der die allgemeine Zustimmung aller Beteiligten fand: Laurent sei, von welcher Warte man es auch betrachte, ein »feiner Mensch«. Um 19.20 Uhr bestellte ich ein Taxi.

Ich kam um genau 20 Uhr am Bistrot du Parisien in der Rue Pelleport an, Claire hatte tatsächlich einen Tisch reserviert, das war schon mal ein Pluspunkt, aber ich spürte von den ersten Sekunden an, schon beim Durchqueren des Restaurants, das spärlich besucht war, aber es war schließlich auch Sonntagabend, dass es der einzige Pluspunkt des Abends bleiben würde.

Nach zehn Minuten wurde ich von einem Kellner gefragt, ob ich einen Aperitif wünschte, während ich wartete. Er schien von Natur aus entgegenkommend und ergeben zu sein, und vor allem spürte ich gleich, dass er auf ein Rendezvous mit Schwierigkeiten eingestellt war (wie konnte ein Kellner in einem Bistro im 20. Arrondissement auch nicht etwas von einem Schamanen, ja einem Psychopompos an sich haben?), und ich erfasste auch, dass er sich an diesem Abend eher auf meine Seite stellen würde (hatte er die in mir aufsteigende Angst schon bemerkt? Ich hatte in der Tat schon ziemlich viele Grissini gegessen), in meinem Zustand nahm ich einen Jack Daniels, einen dreifachen.

Claire kam gegen 20.30 Uhr, sie ging mit vorsichtigen Schritten, stützte sich auf zwei Tischen ab, bevor sie unseren erreichte, sie war eindeutig schon ziemlich angesoffen, war der Gedanke, mich wiederzusehen, so erschütternd, die schmerzhafte Erinnerung an die Glücksverheißungen, um die das Leben sie gebracht hatte? Ein paar Sekunden lang, zwei oder drei, nicht länger, hatte ich diese Hoffnung, dann kam mir ein realistischerer Gedanke, nämlich dass Claire wahrscheinlich im selben Zustand war wie jeden Tag um diese Zeit, in etwa genauso angesoffen.

Ich breitete schwungvoll die Arme aus, um auszurufen, sie wirke topfit und habe sich kein bisschen verändert, ich weiß nicht, warum ich so ein guter Lügner bin, von meinen Eltern habe ich es jedenfalls nicht, vielleicht waren es die ersten Jahre auf dem Gymnasium, in Wahrheit hatte sie fürchterlich gelitten, allerorten ragte Fett hervor, und ihr Gesicht war förmlich überwuchert von blauroten Adern, außerdem sah sie mich sofort etwas zweifelnd an, zuerst dachte sie wohl, ich wolle sie verarschen, aber das hielt nicht länger als zehn Sekunden an, sie senkte rasch den Kopf, um ihn gleich wieder zu heben, und ihre Miene hatte sich verändert, das junge Mädchen kam wieder zum Vorschein, und sie zwinkerte mir geradezu kokett zu.

Über dem Studieren der angenehm bistrohaften Karte konnte ich einige Zeit vergehen lassen. Letztlich entschied ich mich für Weinbergschnecken (6) mit Kräuterbutter im Pfännchen und anschließend in der Pfanne gebratene Jakobsmuscheln mit Olivenöl und hausgemachten Tagliatelle. Ich wollte das traditionelle Dilemma Erde/Meer (Rotwein vs. Weißwein) durch eine Wahl überwinden, die uns erlaubte, je eine Flasche zu bestellen. Claire schien einem ähnlichen Gedankengang zu folgen, denn sie entschied sich für geröstetes Brot mit Knochenmark und Sel de Guérande, gefolgt von Seeteufel nach provenzalischer Art mit Aioli.

Ich hatte Angst davor, mich zu persönlichen Dingen äußern zu müssen, doch dazu kam es nicht, sobald wir bestellt hatten, setzte Claire zu einer langen Erzählung an, die auf nicht weniger abzielte als eine Zusammenfassung der zwanzig Jahre, die seit unserer letzten Begegnung vergangen waren. Sie trank hastig, ruckartig, und es wurde rasch klar, dass wir zwei Flaschen Rotwein brauchen würden (und bald darauf auch zwei Flaschen Weißwein).

Nachdem ich fortgegangen war, hatte sich nichts gebessert, ihre Suche nach Rollen war vergebens geblieben, und schließlich war die ganze Situation ein wenig bizarr geworden, zwischen 2002 und 2007 hatten sich die Immobilienpreise in Paris verdoppelt, und in ihrem Wohnviertel hatte sich der Anstieg sogar noch schneller vollzogen, die Rue de Ménilmontant wurde immer angesagter, und es hielt sich hartnäckig das Gerücht, Vincent Cassel wolle dorthin ziehen, und dann werde es nicht lange dauern, bis Kad Merad und Béatrice Dalle folgten, seinen Kaffee im selben Lokal wie Vincent Cassel zu trinken, war ein beachtliches Privileg, und diese nie von irgendwem dementierte Information hatte zu einem neuerlichen Preissprung geführt, gegen 2003/2004 war ihr klar geworden, dass ihre Wohnung monatlich viel mehr einbrachte als sie selbst, sie musste sie auf jeden Fall behalten, jetzt zu verkaufen, wäre immobiliärer Selbstmord gewesen, sie verfiel auf verzweifelte Lösungen, wie im Auftrag von France Culture eine CD-Reihe mit Texten von Maurice Blanchot einzulesen, sie begann immer stärker zu zittern, während sie mir das erzählte, sie sah mich mit irrem Blick an und nagte buchstäblich an ihrem Knochenmark, ich winkte den Kellner herbei, um die Sache zu beschleunigen.

Der Seeteufel beschwichtigte sie ein wenig und fiel mit einem friedlicheren Teil ihrer Erzählung zusammen. Anfang 2008 hatte sie auf ein Angebot der Arbeitsagentur reagiert: Die Organisation plante die Einrichtung von Theaterateliers für Erwerbslose, der Gedanke dahinter war, ihnen wieder zu Selbstvertrauen zu verhelfen, das Gehalt war nicht sehr hoch, aber es wurde monatlich überwiesen, mittlerweile bestritt sie seit über zehn Jahren ihren Lebensunterhalt auf diese Weise, in der Arbeitsagentur gehörte sie schon zum Inventar, und die Idee, das konnte sie jetzt mit einigem Abstand sagen, war gar nicht so absurd, jedenfalls funktionierte es besser als Psychotherapien, es stimmte, dass sich der Langzeitarbeitslose unweigerlich in ein zusammengekauertes und wortkarges kleines Wesen verwandelte und dass das Theater und aus ungeklärten Gründen vor allem die eher komödiantischen Boulevardstücke diesen traurigen Kreaturen das Minimum an Ungezwungenheit im sozialen Umgang zurückgaben, das man für ein Vorstellungsgespräch benötigte, in jedem Fall hätte sie sich mithilfe dieses bescheidenen, aber regelmäßigen Gehalts fangen können, wäre da nicht das Problem der laufenden Kosten gewesen, denn ein Teil der Miteigentümer hatte, berauscht von der blitzartigen Gentrifizierung des Ménilmontant-Viertels, beschlossen, regelrecht wahnsinnige Investitionen zu tätigen, das Auswechseln des elektronischen Türschlosses gegen ein biometrisches Erkennungssystem mit Iris-Scanner war lediglich der Auftakt zu einer Reihe unsinniger Projekte gewesen, wie etwa den gepflasterten Hof durch einen Zen-Garten mit kleinen Wasserfällen und direkt von den Côtes-d'Armor importierten Granitblöcken zu ersetzen, alles unter der Aufsicht eines weltweit bekannten japanischen Meisters. Inzwischen war ihre Entscheidung gefallen, zumal sich der Pariser Immobilienmarkt nach einer zweiten und kürzeren Preisexplosion zwischen 2015 und 2017 dauerhaft beruhigt hatte, sie würde verkaufen und hatte tatsächlich schon eine erste Immobilienvermittlung kontaktiert.

Auf der Gefühlsebene gab es weniger zu berichten, es hatte ein paar Beziehungen und sogar zwei Versuche des Zusammenlebens gegeben, sie hatte ausreichende Gefühle entwickelt, um es ins Auge zu fassen, aber sie konnte sich trotzdem nichts vormachen: Die beiden Männer (zwei Schauspieler, ähnlich erfolgreich wie sie), die mit ihr zusammenleben wollten, waren weit weniger in sie verliebt gewesen als in ihre Wohnung. Im Grunde sei ich vielleicht der einzige Mann, der sie wirklich geliebt habe, schloss sie mit einer gewissen Überraschung. Ich ließ sie in dem Glauben.

Der ernüchterten, ja eindeutig traurigen Natur dieses Berichts zum Trotz hatte ich meine Jakobsmuscheln genossen und wandte mich interessiert der Dessertkarte zu. Die eisgekühlte Baisertorte mit passierten Himbeeren zog sofort meine Aufmerksamkeit auf sich; Claire entschied sich für die Profiteroles mit heißer Schokolade; ich bestellte eine dritte Flasche Weißwein. Ich begann mich wirklich zu fragen, ob sie irgendwann sagen würde: »Und bei dir?«, wie man es unter solchen Umständen normalerweise sagt, zumindest im Film und auch, so schien mir, im wahren Leben.

So wie der Abend verlaufen war, hätte ich eigentlich ablehnen müssen, noch »auf einen Absacker« mit zu ihr zu kommen, und ich frage mich noch immer, was mich dazu getrieben hat, die Einladung anzunehmen. Vielleicht war ich ein bisschen neugierig darauf, die Wohnung wiederzusehen, in der ich immerhin ein Jahr meines Lebens verbracht hatte; aber ich musste mich auch allmählich fragen, was ich wohl an dieser Braut gefunden haben mochte. Es musste doch schließlich noch etwas anderes als der Sex gewesen sein; wobei – nein, das war ein schauriger Gedanke, es war nur der Sex gewesen.

Ihre Absichten waren jedenfalls eindeutig, und nachdem sie mir ein Glas Cognac angeboten hatte, machte sie sich in der ihr eigenen direkten Art und Weise an mich heran. Bereitwillig zog ich Hose und Unterhose aus, damit sie ihn leichter in den Mund nehmen konnte, aber in Wirklichkeit hatte mich bereits eine beunruhigende Vorahnung beschlichen, und als sie zwei bis drei Minuten ohne Ergebnis auf meinem reglosen Organ herumgekaut hatte, spürte ich, dass die Situation zu kippen drohte, und ich gestand ihr, dass ich Antidepressiva einnähme (»extrem hochdosierte« Antidepressiva, fügte ich zur Sicherheit noch hinzu), die den Nachteil hätten, meine Libido vollständig auszulöschen.

Diese wenigen Sätze entfalteten eine magische Wirkung, ich spürte, wie sie sie beruhigten, natürlich gibt man lieber den Antidepressiva des anderen die Schuld als seinen eigenen Fettwülsten, aber es huschte auch ein mitfühlender Ausdruck über ihr Gesicht, und zum ersten Mal an diesem Abend wirkte sie an mir interessiert, als sie mich fragte, ob ich eine depressive Phase durchliefe, weshalb und seit wann.

Ich gab ihr also einen vereinfachten Abriss über meine jüngsten ehelichen Missgeschicke und erzählte fast alles wahrheitsgemäß (abgesehen von Yuzus hündischen Eskapaden, die ich für das Gesamtverständnis entbehrlich fand), der einzige nennenswerte Unterschied war, dass es in meinem Bericht Yuzu war, die sich letztlich entschlossen hatte, nach Japan zurückzukehren und damit schließlich den wiederholten Gesuchen ihrer Eltern nachzukommen, und auf diese Weise dargestellt, wurde die Sache ganz hübsch, ein klassischer Konflikt zwischen der Liebe und der familiären und/oder sozialen Aufgabe (wie eine rote Socke in den 1970er-Jahren geschrieben hätte), es sei ein bisschen wie in einem Roman von Theodor Fontane, erläuterte ich Claire, auch wenn sie diesen Autor höchstwahrscheinlich nicht kannte.

Die Japanerin verlieh dem Abenteuer eine exotische Note nach Art von Loti oder Segalen, ich kann die beiden nicht auseinanderhalten, aber jedenfalls gefiel ihr die Geschichte sichtlich. Als ich merkte, wie sie in ausgiebigen, von einem zweiten Cognac befeuerten weiblichen Schwelgereien versank, nutzte ich die Gelegenheit, um mich diskret wiederherzurichten, und im selben Moment, in dem ich meinen Hosenstall schloss, fiel mir ein, dass heute der 1. Oktober war, der Tag, an dem die Kündigungsfrist der Wohnung im Totem-Hochhaus endete. Yuzu hatte gewiss bis zum letzten Tag gewartet, und wahrscheinlich saß sie in diesem Augenblick in dem Flieger, der sie nach Tokio bringen würde, vielleicht steuerte die Maschine bereits den Flughafen Narita an, und ihre Eltern standen schon hinter den Absperrungen im Ankunftsbereich, der Verlobte wartete vermutlich auf dem Parkplatz beim Wagen, alles war vorbestimmt, und nun würde sich alles vollenden, und vielleicht hatte ich Claire aus genau diesem Grund angerufen, bis vor wenigen Minuten hatte ich nicht daran gedacht, dass heute der 1. Oktober war, aber etwas in mir, wohl mein Unterbewusstsein, hatte es nicht vergessen, wir lebten unter dem Einfluss ungewisser Gottheiten, »der Pfad, auf den uns diese jungen Mädchen geschickt hatten, war ganz und gar trügerisch, man muss hinzufügen, dass es regnete«, wie mutmaßlich Nerval irgendwo geschrieben hatte, ich dachte heutzutage nicht mehr sehr oft an Nerval, dabei hatte er sich mit sechsundvierzig aufgehängt, und Baudelaire war im selben Alter gestorben, es ist kein einfaches Alter.

Claires Kopf war inzwischen auf ihre Brust gesunken, und Schnarchgeräusche drangen aus ihrem Rachen, sie war eindeutig sturzbesoffen, und eigentlich hätte ich in diesem Moment gehen sollen, aber ich fühlte mich wohl auf dem riesigen Sofa in ihrem offenen Raum, bei dem Gedanken, noch einmal durch ganz Paris zu fahren, überkam mich eine extreme Müdigkeit, ich streckte mich aus und drehte mich auf die Seite, um sie nicht sehen zu müssen, eine Minute später war ich eingeschlafen.

Es gab in dieser Bude nur Instantkaffee, was an sich schon ein Skandal war, wenn es in einer Wohnung wie dieser keine Nespresso-Maschine gab, fragte man sich, wo es sonst eine geben sollte, doch schließlich machte ich mir einen Instantkaffee, durch die Fensterläden sickerte schon schwaches Tageslicht, und aller Vorsicht zum Trotz stieß ich gegen mehrere Möbel, Claire erschien beinahe augenblicklich im Küchenbereich, ihr kurzes, halb durchsichtiges Nachthemd verbarg ihre Reize kaum, glücklicherweise schien sie an etwas anderes zu denken und nahm das Glas Instantkaffee, das ich ihr hinhielt, verdammt, sie hatte nicht mal Tassen, ein Schluck reichte, und sie fing sofort an zu reden, es sei doch lustig, dass ich im Totem-Hochhaus wohne, sagte sie (meinen kürzlichen Umzug ins Mercure-Hotel hatte ich nicht erwähnt), denn ihr Vater habe die Anfänge des Projekts begleitet, er sei der Assistent eines der beiden Architekten gewesen, sie habe ihren Vater kaum gekannt, er sei gestorben, als sie sechs Jahre alt gewesen sei, aber sie erinnere sich, dass ihre Mutter einen Zeitungsausschnitt aufbewahrt habe, in dem er sich gegen Anfeindungen verteidigt habe, die der Bau des Hochhauses auf sich gezogen habe, es war mehrfach zu den hässlichsten Gebäuden in Paris gezählt worden, ohne dabei dem Montparnasse-Hochhaus den Rang abzulaufen, das in den Umfragen regelmäßig zum hässlichsten Bauwerk Frankreichs ernannt wurde und in einer jüngsten Umfrage von *Touristworld* zum zweithässlichsten der Welt gleich nach dem Rathaus von Boston.

Sie ging in den Wohnbereich und kehrte zu meiner leisen Bestürzung nach zwei Minuten mit einem Fotoalbum zurück, das zur Basis einer ausführlichen Lebenserzählung zu werden drohte. In den fernen 1960er-Jahren war ihr Vater offenbar eine Art *Schickimicki* gewesen – Bilder, die ihn in einem Renoma-Anzug vor dem Ausgang des Clubs Bus Palladium zeigten, ließen darüber keinen Zweifel aufkommen, alles in allem hatte er das leichte Leben eines vermögenden jungen Mannes in den 1960ern gelebt, zudem sah er ein wenig wie Jacques Dutronc aus, und später war er zu einem rührigen (und ganz bestimmt ziemlich geschäftstüchtigen) Architekten geworden und als solcher die Regierungsjahre von Pompidou und Giscard hindurch tätig gewesen, bis er am Tag der Wahl François Mitterrands zum Präsidenten der Republik auf der Rückfahrt von einem gemeinsam mit seiner Schweizer Geliebten verbrachten Wochenende am Steuer seines Ferrari 308 GTB den Tod fand. Seine bereits sehr anständige Karriere hätte noch einen weiteren Aufschwung nehmen sollen, seine Freunde in der Sozialistischen Partei waren zahlreich, und François Mitterrand war ein baufreudiger Präsident, seinem Aufstieg an die berufliche Spitze stand wenig im Wege, aber ein auf die Fahrbahnmitte geratener Fünfunddreißigtonner hatte ihm einen Strich durch die Rechnung gemacht.

Ihre Mutter hatte um diesen treulosen, aber freigebigen Ehemann getrauert, der ihr seinerseits zahlreiche Freiheiten gelassen hatte, vor allem aber hatte sie die Vorstellung nicht verkraftet, allein mit ihrer Tochter zurückzubleiben, ihr Mann war sicherlich schwanzgesteuert, aber auch ein recht liebevoller Vater gewesen, der sich viel um das Kind gekümmert hatte, und sie hatte nicht die geringste mütterliche Ader, wirklich nicht im Mindesten, und wenn man Kinder hat, läuft es für die Mutter doch immer aufs Gleiche hinaus, ganz egal, ob man sich ihnen nun vollkommen hingibt und sein eigenes Glück vernachlässigt, um sich für das ihre aufzuopfern, oder ob das Gegenteil eintritt und sie nur noch eine unmittelbar lästige und bald schon feindselige Existenz darstellen.

Mit sieben Jahren war Claire in einem von der Ordensgemeinschaft der Schwestern der göttlichen Vorsehung geführten Mädcheninternat in Ribeauville untergebracht worden, diesen Teil der Geschichte kannte ich schon, und es gab nicht mal Croissants, nicht mal ein *pain au chocolat*, Claire goss sich ein Glas Wodka ein, das war alles, um sieben Uhr morgens ging es bei ihr wie auf Knopfdruck los. »Mit elf bist du dann weggelaufen«, unterbrach ich sie, um ihre Erzählung abzukürzen. An ihre Flucht erinnerte ich mich, als heroische Geste, als Erringung der Unabhängigkeit war das ein Highlight, Claire war per Anhalter nach Paris zurückgekehrt, das war schließlich gefährlich, ihr hätte sonst was zustoßen können, zumal sie sich, in ihren eigenen Worten, ernsthaft »für Schwänze zu interessieren« begann, aber ihr war nicht das Geringste zugestoßen, was ihr zufolge ein Zeichen war, in diesem Moment spürte ich den Tunnel der Beziehung zu ihrer Mutter nahen, und ich hatte den Mut, darauf zu drängen, dass wir in ein Café hinuntergingen, um ein normales Frühstück zu uns zu nehmen, einen doppelten Espresso, Brot, vielleicht sogar ein Schinkenomelette, ich hätte Hunger, brachte ich in klagendem Tonfall vor, ich hätte richtigen Hunger.

Sie zog einen Mantel über ihr Nachthemd, in der Rue de Ménilmontant müsste es alles geben, was wir brauchten, vielleicht hätten wir sogar das Glück, Vincent Cassel über einem Espresso mit Milch sitzen zu sehen, auf jeden Fall waren wir schon mal aus der Wohnung heraus, das war ein Schritt nach vorn, draußen war schon ein herbstlicher Morgen angebrochen, windig und etwas frisch, sollte sich die Sache hinziehen, hatte ich vor, einen Arzttermin am frühen Vormittag als Vorwand zu nutzen.

Zu meiner großen Überraschung kam Claire, gleich nachdem wir uns gesetzt hatten, auf die Geschichte mit »meiner Japanerin« zurück, sie wollte mehr darüber wissen, der Zufall mit dem Totem-Hochhaus hatte sie nachhaltig beeindruckt. »Der Zufall ist ein Augenzwinkern Gottes«, war das von Vauvenargues oder von Chamfort, ich wusste es nicht mehr, vielleicht von La Rochefoucauld oder von gar niemandem, wie dem auch sei, im Thema Japan konnte ich mich lange ergehen, darin war ich erprobt, ich begann mit der feinsinnigen Äußerung: »Japan ist eine traditionalistischere Gesellschaft, als oft angenommen wird«, daran konnte ich zwei Stunden lang anknüpfen, ohne Widerspruch zu ernten, mit Japan und den Japanern kannte sich sowieso keiner aus.

Nach zwei Minuten wurde mir bewusst, dass mich Reden noch müder machte als Zuhören, menschliche Beziehungen waren im Allgemeinen problematisch und insbesondere, das musste man so feststellen, menschliche Beziehungen zu Claire, ich spielte den Ball an sie zurück, das Café war behaglich eingerichtet, aber die Bedienung war ein bisschen langsam, und wir wandten uns wieder der elfjährigen Claire zu, während das Café nach und nach von Gästen bevölkert wurde, die alle wie freischaffende Künstler aussahen.

Zwischen ihrer Mutter und ihr hatte sich sofort ein Kampf entsponnen, ein fast sieben Jahre dauernder, erbitterter Kampf, der vor allem auf einem ständigen sexuellen Wettstreit gründete. Ich hatte einige Höhepunkte miterlebt, wie zum Beispiel als Claire ihre Mutter, nachdem sie beim Herumkramen in deren Handtasche Kondome gefunden hatte, als »alte Hure« beschimpfte. Kaum bekannt war mir gewesen, was ich nun erfuhr, nämlich dass Claire ihren Worten gewissermaßen Taten folgen ließ und den Großteil der Liebhaber ihrer Mutter zu verführen versuchte, indem sie sich jener einfachen, aber effektiven Technik bediente, die sie auch bei mir angewandt hatte. Noch weniger bewusst war mir gewesen, dass sich Claires Mutter, die mit jenen raffinierteren Mitteln zurückschlug, welche sich die reife Frau durch das Studium weiblicher Bezugsgrößen nach und nach aneignet, ihrerseits darangemacht hatte, es mit Claires Freunden zu treiben.

In einem YouPorn-Film hätte es nun eine Sequenz vom Schlage *»Mom teaches daughter«* gegeben, aber die Wirklichkeit war wie so oft weniger erfreulich. Die Croissants kamen ziemlich rasch, aber mein Schinkenomelette brauchte länger, es kam in dem Moment, als Claire vierzehn wurde, und ich hatte aufgegessen, bevor sie ihren sechzehnten Geburtstag feierte, ich war satt und fühlte mich wieder ganz gut, mit einem Mal erschien es mir möglich, die Begegnung zu verkürzen, indem ich in einem lebhaften und fröhlichen Tonfall zusammenfasste: »Und an deinem achtzehnten Geburtstag bist du dann abgehauen, du hast eine Arbeit in einer Bar an der

Bastille und ein Zimmer gefunden, und dann sind wir uns begegnet, meine Liebste, ich habe ganz vergessen, es zu erwähnen, aber ich habe um zehn Uhr einen Termin beim Kardiologen, also dann, Küsschen, Küsschen, wir sprechen uns ganz bald wieder«, ich hatte schon einen Zwanzig-Euro-Schein auf den Tisch gelegt, ich ließ ihr keine Chance. Sie warf mir einen etwas sonderbaren, leicht niedergekämpften Blick zu, als ich winkend das Café verließ, ein, zwei Sekunden lang kämpfte ich gegen einen allerletzten Mitleidsreflex an, dann ging ich rasch die Rue de Ménilmontant hinunter. Ein bloßer Reflex ließ mich in die Rue des Pyrenées einbiegen, ich behielt einen gleichmäßigen Trab bei, und in weniger als fünf Minuten war ich an der Metrostation Gambetta, Claire war eindeutig am Ende, ihr Alkoholkonsum würde immer weiter ansteigen, und schon bald würde ihr das nicht mehr genügen, sie würde noch Tabletten drauflegen, schließlich würde ihr Herz versagen, und man würde sie an ihrem Erbrochenen erstickt mitten in ihrer kleinen Zweizimmerwohnung am Boulevard Vincent-Lindon finden. Nicht nur, dass ich nicht in der Lage war, Claire zu retten, niemand war mehr in der Lage, Claire zu retten, abgesehen vielleicht von gewissen Mitgliedern christlicher Sekten (dieselben, die auch Greise, Behinderte und Arme als Brüder im Geiste Christi liebevoll aufnehmen oder heucheln, sie liebevoll aufzunehmen), von denen Claire sowieso nichts wissen wollen würde, ihr brüderliches Mitgefühl würde ihr sofort zum Hals heraushängen, was sie brauchte, wäre normale eheliche Innigkeit und vor allem erst einmal ein Schwanz in ihrer Möse, aber genau das war nicht mehr möglich, normale eheliche Innigkeit würde sich nur in Begleitung einer befriedigenden Sexualität einstellen, es wäre notwendig gewesen, das Feld der Sexualität noch einmal zu betreten, was ihr unglücklicherweise auf ewig versagt war.

Das war zwar recht traurig, aber ein paar Jahre lang musste Claire, bevor sie endgültig im Alkoholismus versunken war, eine vergleichsweise strahlende Mittvierzigerin gewesen sein, vielleicht sogar mit einer Cougar oder MILF gleichzusetzen, einer allerdings kinderlosen MILF, jedenfalls war ich überzeugt davon, dass ihre Möse lange imstande gewesen war, feucht zu werden, sie hatte also kein ganz schlechtes Leben gehabt. Im Gegensatz dazu erinnerte ich mich, wie ich vor drei Jahren, unmittelbar nachdem ich Yuzu in die Klauen geraten war, auf die unglückselige Idee verfallen war, Marie-Hélène wiedertreffen zu wollen, ich hatte mich in einer meiner zahlreichen Phasen sexueller Apathie befunden, vermutlich wollte ich mich nur mit ihr ins Benehmen setzen, hatte wahrscheinlich nicht mal vor, eine schnelle Nummer zu schieben, es sei denn, die Umstände hätten es wirklich vorgegeben, was mir bei der armen Marie-Hélène wenig wahrscheinlich erschien, ich war aufs Schlimmste gefasst, als ich an ihrer Tür klingelte, aber in Wirklichkeit war alles noch viel unerträglicher, als ich es mir hätte vorstellen können, sie hatte kürzlich irgendeinen psychischen Anfall erlitten, einen bipolaren oder schizophrenen Schub, ich weiß es nicht mehr, der ihr fürchterlich zugesetzt hatte, sie lebte in einer Hochsicherheitswohnanlage in der Avenue René Coty, ihre Hände zitterten unablässig, und sie fürchtete sich vor buchstäblich allem: vor genmanipuliertem Soja, vor der Machtübernahme des Front National, vor Feinstaubverunreinigung ... Sie ernährte sich von grünem Tee und Leinsamen, während meines halbstündigen Besuchs hatte sie nur über ihre Behindertenbeihilfe geredet. Als ich gegangen war, hatte ich

Lust auf ein paar Bier und Rilletten-Sandwiches gehabt, während mir zugleich bewusst war, dass sie auf diese Weise sehr lange durchhalten würde, mindestens bis neunzig, ganz bestimmt würde sie mich bei Weitem überleben und dabei immer zittriger werden, immer abgestumpfter und furchtsamer, ständig würde es zu Problemen mit den anderen Bewohnern kommen, obwohl sie in Wirklichkeit längst tot war, ich war im Begriff gewesen, »meinen Schnabel in die Möse einer Toten zu stecken«, um den anschaulichen Ausdruck zu verwenden, den ich einmal irgendwo gelesen hatte, wahrscheinlich in einem Roman von Thomas Disch, Science-Fiction-Autor und Dichter, der seine Glanzzeit gehabt hatte und heute zu Unrecht verkannt war, er hatte sich an einem 4. Juli umgebracht, unter anderem sicherlich weil sein Partner an AIDS gestorben war, aber auch weil er von seinen Einkünften als Autor schlicht nicht mehr leben konnte und mit der Wahl dieses symbolischen Datums zum Ausdruck bringen wollte, welches Los Amerika für seine Schriftsteller bereithielt.

Im Vergleich dazu ging es Claire fast schon gut, schließlich konnte sie immer noch zu den Anonymen Alkoholikern gehen, die erzielten manchmal offenbar überraschende Ergebnisse, und außerdem, das wurde mir bewusst, als ich wieder im Mercure-Hotel war, würde Claire zwar allein sterben, würde sie unglücklich sterben, aber wenigstens würde sie nicht arm sterben. Nach dem Verkauf ihres Lofts würde sie angesichts der Marktpreise dreimal so viel Geld haben wie ich. Eine einzige Immobilie hatte ihrem Vater also gereicht, um weit mehr Geld zu machen, als der meine über vierzig Jahre hinweg durch das Aufsetzen notarieller Urkunden und Grundbucheinträge mühevoll hatte zusammentragen können, das Geld hatte niemals die Arbeit abgegolten, es stand streng genommen in gar keinem Bezug dazu, keine menschliche Gesellschaft war jemals auf Arbeitsausgleich aufgebaut worden, und selbst die künftige kommunistische Gesellschaft hatte nicht auf diesen Grundlagen ruhen sollen, das Prinzip der Vermögensverteilung war von Marx auf die völlig inhaltslose Formel »Jedem nach seinen Bedürfnissen« zusammengestrichen worden, die zu endlosen Streitereien und Wortklaubereien geführt hätte, hätte man sie durch unglückliche Umstände in die Praxis umzusetzen versucht, glücklicherweise war es nie dazu gekommen, in den kommunistischen Ländern ebenso wenig wie in den übrigen, Geld gesellte sich zu Geld und ging mit Macht einher, so lautete das letzte Wort zur Gesellschaftsstruktur.

Seit meiner Trennung von Claire hatte mir der Umgang mit den normannischen Kühen mein Schicksal spürbar versüßt, sie waren mir ein Trost und nahezu eine Offenbarung gewesen. Dabei waren mir Kühe nicht fremd: In meiner Kindheit hatten wir jedes Jahr im Sommer einen Monat in Méribel verbracht, wo mein Vater als Teil einer Eignergemeinschaft ein Chalet zur Nutzung im Wechsel mit anderen Miteignern erworben hatte. Während meine Eltern ihre Tage damit verbrachten, in inniger Zweisamkeit die Gebirgswege entlangzuwandern, sah ich fern, vor allem die Tour de France, von der ich bald dauerhaft abhängig sein sollte. Hin und wieder ging ich trotzdem nach draußen, die Interessen der Erwachsenen waren mir ein Rätsel, und irgendetwas Interessantes musste es doch an sich haben, durch diese hohen Berge zu ziehen, da so viele von ihnen, angefangen bei meinen eigenen Eltern, es taten.

Mir selbst gelang es nicht, angesichts der alpinen Landschaft eine wirkliche ästhetische Empfindung zu entwickeln; aber ich empfand Zuneigung für die Kühe, denen ich oft in von einer Weide zur anderen ziehenden Herden begegnete. Es waren Tarenteser, lebhafte kleine Kühe mit rehbraunem Fell, die extrem ausdauernde Läufer waren und über ein impulsives Temperament verfügten; oft bewegten sie sich hüpfend über die Bergpfade, und die um ihre Hälse hängenden Glocken erzeugten ein hübsches Geräusch, noch ehe man sie zu Gesicht bekam.

Demgegenüber hätte man nicht angenommen, dass eine normannische Kuh *hüpfte,* allein die Vorstellung hatte etwas Despektierliches, schon eine schlichte Beschleunigung ihrer Gangart hätte meiner Ansicht nach nur in einer Situation extremer Lebensgefahr stattfinden dürfen. Ausladend und majestätisch, *waren* die Normanne-Rinder einfach, und das schien ihnen weitgehend zu genügen; erst als ich die normannischen Kühe entdeckt hatte, verstand ich, warum die Inder dieses Tier für heilig halten. Während der einsamen Wochenenden, die ich in Clécy verbrachte, reichte es jedes Mal, zehn Minuten lang eine der Kuhherden zu betrachten, die in den umliegenden Hainen grasten, um mich die Rue de Ménilmontant vergessen zu lassen, die Castings, Vincent Cassel, Claires verzweifelte Versuche, sich in einem Milieu zu etablieren, das von ihr nichts wissen wollte, und schließlich, um Claire selbst zu vergessen.

Ich war noch keine dreißig Jahre alt, aber ich trat Stück für Stück in eine winterliche Zone ein, die nicht durch die geringste Erinnerung an die Geliebte aufgehellt wurde, nicht durch die geringste Hoffnung auf Erneuerung dieses Wunders, diese Kraftlosigkeit der Sinne ging mit einem fortschreitenden

Verlust des beruflichen Interesses einher, die *task force* zerfaserte Stück für Stück, hier und da gab es noch ein Aufflackern, eine Grundsatzerklärung, vor allem anlässlich der betrieblichen Umtrunke (in der DRAF gab es mindestens einen pro Woche), man musste wohl einräumen, dass die Leute aus der Normandie ihre Produkte nicht an den Mann zu bringen verstanden, der Calvados zum Beispiel besaß alle Eigenschaften eines großen alkoholischen Getränks, ein guter Calvados war mit einem Bas-Armagnac oder gar einem Cognac vergleichbar, aber trotzdem war er in den Duty-free-Shops der Flughäfen rund um die Welt hundertmal weniger präsent, und selbst in den französischen Supermärkten kam ihm im Allgemeinen nur ein symbolischer Platz zu. Vom Cidre gar nicht erst zu reden, der Cidre spielte in den Verbrauchermärkten so gut wie gar keine Rolle, in den Bars war er kaum vertreten. Noch kam es im Zuge dieser betrieblichen Umtrunke zu leidenschaftlichen Stellungnahmen, man schwor sich, unverzüglich zu handeln, und dann verrauchte das alles sanft im Laufe der identischen und nicht gänzlich unangenehm verlaufenden Wochen, allmählich setzte sich die Vorstellung durch, dass wir ohnehin so gut wie nichts ausrichten konnten, selbst der zur Zeit meiner Einstellung so offensive und schneidige Direktor stumpfte nach und nach ab, er hatte vor Kurzem geheiratet und redete hauptsächlich vom Umbau des Bauernhauses, das er soeben für die Unterbringung seiner künftigen Familie gekauft hatte. Ein paar Monate lang kam etwas mehr Bewegung in die Sache, während der kurzen Tätigkeit einer übermotivierten libanesischen Praktikantin, die nicht zuletzt ein Foto von George W. Bush aufgabelte, der sich über eine großzügige Käseplatte hermachte, ein Foto, das in gewissen amerikanischen Medien eine kleine Kontroverse auslöste, diesem Volltrottel von Bush war offenbar nicht einmal bewusst, dass die Einfuhr von Rohmilchkäse in seinem Land seit Kurzem verboten war, das Ganze hatte daher zumindest eine leichte mediale Wirkung erzielt, aber die Verkäufe zogen trotzdem nicht an, und die wiederholt an Wladimir Putin geschickten Pakete mit Livarot und Pont-l'Évêque hatten auch keinen größeren Effekt.

Ich war nicht sehr nützlich, aber ich schadete auch nicht, im Vergleich zu Monsanto gab es immerhin noch Fortschritte, und wenn ich morgens auf dem Weg zur Arbeit am Steuer meines G 350 durch die über dem Gehölz hängenden Nebelbänke fuhr, konnte ich mir immer noch sagen, dass mein Leben nicht endgültig verpfuscht war. Beim Durchqueren des Örtchens Thury-Harcourt fragte ich mich jedes Mal, ob es da einen Bezug zu Aymeric gab, und schließlich suchte ich im Internet nach der Antwort, was damals noch nicht so einfach war, das Netz war längst noch nicht so weit entwickelt, aber schließlich fand ich die Antwort auf der noch im Aufbau befindlichen Seite von *Patrimoine Normand,* dem »Magazin zur Geschichte und Lebenskunst der Normandie«. Ja, es gab einen Bezug, und sogar einen ganz direkten. Der Marktflecken hatte sich ursprünglich Thury genannt, dann Harcourt, nach der Familie; während der Revolution war er wieder zu Thury geworden, bevor er im Versuch, die »beiden Frankreiche« zu versöhnen, seinen derzeitigen Namen Thury-Harcourt angenommen hatte. Zu Zeiten Ludwigs XIII. hatte man dort ein gigantisches Schloss zu errichten begonnen, das gelegentlich als das »Versailles der Normandie« bezeichnet wird und den Herzögen von Harcourt, den damaligen Gouverneuren der Provinz, als Wohnsitz diente.

Das während der Revolution nahezu unversehrte Schloss war im August 1944 beim Rückzug der von der 59. Infanteriedivision Staffordshire in die Zange genommenen Division »Das Reich« in Brand geraten.

Während meines dreijährigen Studiums an der Landwirtschaftlichen Hochschule war Aymeric d'Harcourt-Olonde mein einziger echter Freund gewesen, und ich hatte die meisten Abende in seinem Zimmer – zuerst in Grignon, später dann im Pavillon der Landwirtschaftlichen Hochschule in der Cité Internationale – damit verbracht, Sechserpacks Bavaria 8,6 hinunterzukippen und Gras zu rauchen (wobei vor allem er rauchte, ich zog eigentlich das Bier vor, aber er musste an die dreißig Tüten am Tag geraucht haben, während seiner ersten beiden Studienjahre muss er nahezu ständig breit gewesen sein) und vor allem Musik zu hören. Mit seinen langen blonden Locken und seinen Holzfällerhemden repräsentierte Aymeric einen ziemlich typischen Grunge-Look, aber bei ihm war es weit über Nirvana und Pearl Jam hinausgegangen, er hatte das Ganze wirklich bis zu den Ursprüngen zurückverfolgt, und die Regale in seinem Zimmer waren mit Hunderten von Schallplatten aus den 1960ern und 1970ern gefüllt: Deep Purple, Led Zeppelin, Pink Floyd, The Who, selbst The Doors, Jimi Hendrix, Van der Graaf Generator ... YouTube gab es noch nicht, und fast niemand erinnerte sich seinerzeit an diese Bands, für mich war das jedenfalls eine absolute Entdeckung, ich war völlig verzaubert.

Oft verbrachten wir den Abend zu zweit, manchmal waren noch ein, zwei andere Typen aus unserem Jahrgang dabei – sie waren nicht sonderlich bemerkenswert, es fällt mir schwer, mich an ihre Gesichter zu erinnern, und ihre Namen habe ich vollständig vergessen –, Mädchen dagegen nie, das ist seltsam, wenn ich so zurückdenke, kann ich mich nicht erinnern, dass Aymeric jemals eine Beziehung gehabt hätte. Ich glaube nicht, dass er noch Jungfrau war, er machte nicht den Eindruck, als hätte er Angst vor Mädchen, eher als hätte er andere Dinge im Kopf, vielleicht sein Berufsleben, er hatte eine gewissenhafte Seite, die ich damals wahrscheinlich nicht wahrnahm, weil mich mein eigenes Berufsleben kein bisschen scherte, ich glaube, ich habe nicht mehr als eine halbe Minute darüber nachgedacht, ich fand es unwahrscheinlich, dass sich jemand ernsthaft für irgendetwas anderes als Mädchen interessieren könnte – und das Schlimmste ist, dass ich mit sechsundvierzig feststelle, dass ich damals recht hatte, Frauen sind Schlampen, wenn man so will, man kann es so betrachten, aber das Arbeitsleben ist eine noch viel gehörigere Schlampe, die einem dabei nicht mal Lust bereitet.

Am Ende des zweiten Jahres erwartete ich, dass sich Aymeric so wie ich für irgendeinen Pseudoschwerpunkt vom Schlag Agrarsoziologie oder Ökologie entscheiden würde, doch er schrieb sich im Gegenteil für Tierzuchtlehre ein, was als Streberfach galt. Zu Beginn des dritten Jahrs im September erschien er mit kurzen Haaren und rundum erneuerter Garderobe, und als er sein abschließendes Volontariat bei Danone antrat, war er ordentlich in Anzug und Krawatte gekleidet. Wir sahen uns seltener in diesem Jahr, das ich mehr oder weniger als Urlaubsjahr in Erinnerung habe, ich hatte mich letztlich auf Ökologie spezialisiert, und wir verbrachten unsere Zeit damit, quer durch Frankreich zu fahren, um diese oder jene Pflanzenformation an Ort und Stelle zu studieren. Am Ende des Jahres hatte ich gelernt, die verschiedenen in Frankreich vorkommenden Pflanzenformationen zu bestimmen, ich konnte ihr Auftreten mithilfe einer geologischen Karte voraussagen, und das war so ziemlich alles, wobei mir das später helfen sollte, militanten grünen Aktivisten das Maul zu stopfen, wenn das Gespräch auf die tatsächlichen Auswirkungen der Klimaerwärmung kam. Er wiederum hatte einen großen Teil seines Volontariats in der Marketing-Abteilung von Danone absolviert, weshalb man mit Recht erwarten konnte, dass er seine Karriere der Entwicklung neuer Trinkjoghurts oder Smoothies widmen würde. Am Abend der feierlichen Diplomübergabe sollte er mich ein weiteres Mal überraschen, diesmal mit der Erklärung, er wolle einen landwirtschaftlichen Betrieb am Ärmelkanal übernehmen. Agraringenieure sind in fast allen Bereichen der Nahrungsgüterindustrie vertreten, manchmal als Techniker, meist in leitender Funktion, aber so gut wie nie werden sie selbst Landwirte; als ich im Ehemaligenverzeichnis der Landwirtschaftlichen Hochschule nach seiner Adresse suchte, stellte ich fest, dass Aymeric der Einzige aus unserem Jahrgang war, der sich dafür entschieden hatte.

Er wohnte in Canville-la-Rocque und warnte mich am Telefon vor, es sei schwer zu finden, und ich solle vor Ort nach Schloss Olonde fragen. Ja, auch das gehörte seiner Familie, aber es war deutlich älter als das von Thury-Harcourt, 1204 war der Landsitz erstmals zerstört und dann Mitte des 13. Jahrhunderts wiederaufgebaut worden. Ansonsten habe er im vergangenen Jahr geheiratet, zu seinem Landwirtschaftsbetrieb gehöre eine Herde von dreihundert Milchkühen, er habe nicht wenig investiert, das könne er mir sagen. Nein, er habe seit seiner Niederlassung niemanden von der Landwirtschaftshochschule wiedergesehen.

Ich kam bei Anbruch des Abends vor Schloss Olonde an. Es war weniger ein Schloss als ein unzusammenhängender Verbund von Gebäuden in unterschiedlich gutem Erhaltungszustand, der ursprüngliche Grundriss der Anlage ließ sich nur mühsam nachvollziehen; ein klobiges rechteckiges Hauptwohngebäude im Zentrum schien sich noch halbwegs aufrecht zu halten, zwar hatten Kräuter und Moose an den Steinen zu nagen begonnen, doch es handelte sich um dicke Granitblöcke, wahrscheinlich Granit aus Flamanville, bis sie ernsthaften Schaden erlitten, würde es noch einige Jahrhunderte dauern. Ein hoher und schmaler zylindrischer Bergfried weiter hinten wirkte beinahe intakt, doch der näher am Eingang stehende Hauptturm, der einmal quadratisch und der militärische Kern der Festung gewesen sein musste, hatte Fenster und Dach eingebüßt, die verbliebenen Mauerstücke waren durch die Verwitterung rund und geschmeidig geworden, sie näherten sich langsam ihrem geologischen Schicksal. Etwa hundert Meter entfernt stach eine große Lagerhalle mit einem Silo in ihrem metallischen Glanz aus der Landschaft heraus, ich glaube, sie war das erste Gebäude jüngeren Ursprungs, das ich im Umkreis von fünfzig Kilometern gesehen hatte.

Aymeric hatte wieder lange Haare, und er trug wieder weite Karohemden, aber sie waren nun zu dem geworden, was sie ursprünglich einmal gewesen waren: Arbeitskleidung. »Barbey d'Aurevilly hat das Ende seines letzten Romans, *Eine Geschichte ohne Namen,* hier spielen lassen. Im Jahr 1882 hat Barbey es als ›altes, nahezu verfallenes Schloss‹ bezeichnet; wie du siehst, ist es seitdem nicht bergauf gegangen.«

»Bekommst du keine Unterstützung vom Denkmalamt?«

»Kaum ... Wir stehen immerhin auf der Bestandsliste, aber Beihilfe bekommen wir nur selten. Cécile, meine Frau, würde gern umfangreiche Renovierungsarbeiten vornehmen und es zu einem Hotel machen, einem Boutique-Hotel, so was in der Art. Tatsächlich haben wir ungefähr vierzehn leer stehende Zimmer, wir beheizen insgesamt nur fünf Räume. Was willst du trinken?«

Ich nahm ein Glas Chablis. Ich wusste nicht, ob dieses Hotelprojekt Sinn hatte, aber das Wohnzimmer war in jedem Fall gemütlich und ansprechend, es hatte einen großen Kamin und tiefe Sessel mit flaschengrünem Lederbezug, und diese Einrichtung war sicher nicht Aymeric zu verdanken, er stand jeder Art von Raumgestaltung vollkommen gleichgültig gegenüber, sein Wohnheimzimmer war eines der gesichtslosesten, die ich je gesehen hatte, es ähnelte einem provisorischen Heerlager – mit Ausnahme der Schallplatten.

Hier nahmen sie eine komplette Wand ein, es war eindrucksvoll. »Ich habe letzten Winter nachgezählt, es sind etwas mehr als fünftausend«, sagte Aymeric. Sein Plattenspieler war immer noch derselbe, ein Technics SL-1210 MK2, aber die Lautsprecher hatte ich noch nie gesehen – zwei riesige Quader aus unbearbeitetem Nussbaumholz, über einen Meter hoch. »Das sind Klipschorn-Boxen«, sagte Aymeric, »die ersten und vielleicht besten von Klipsch gebauten Lautsprecher. Mein Großvater hat sie 1949 gekauft, er war ein Opernnarr. Als er gestorben ist, hat mein Vater sie mir gegeben, er hat sich nie für Musik interessiert.«

Ich hatte den Eindruck, dass die Geräte nicht sehr oft benutzt wurden, eine leichte Staubschicht hatte sich auf den Deckel des 1210ers gelegt. »Ja, stimmt«, bestätigte Aymeric, er musste meinen Blick gesehen haben, »ich habe nicht mehr so den Kopf für Musik. Es ist schwierig, weißt du, ich habe nie ein finanzielles Gleichgewicht erreicht, also grüble ich abends herum, ich rechne hin und her, aber jetzt, wo du da bist, legen wir ein Stück auf, schenk dir beim Warten noch ein Glas ein.«

Nachdem er eine bis zwei Minuten in seinen Regalen gestöbert hatte, zog er *Ummagumma* hervor. »Die Scheibe mit der Kuh, das passt doch«, kommentierte er, bevor er die Nadel am Anfang von »Grantchester Meadows« aufsetzte. Es war außerordentlich; ich hatte noch nie einen solchen Klang gehört oder auch nur vermutet, dass es dergleichen gab; jede Vogelstimme, jedes Plätschern des Flusses war perfekt definiert, die Bässe waren straff und kräftig, die Höhen von einer unglaublichen Klarheit.

»Cécile ist bald zurück«, sprach er weiter. »Sie hatte einen Banktermin wegen ihres Hotelprojekts.«

»Du scheinst nicht wirklich daran zu glauben.«

»Ich weiß nicht, hast du denn viele Touristen in der Gegend gesehen?«

»So gut wie keinen.«

»Tja, da haben wir's … Wobei – in einem Punkt stimme ich mit ihr überein: Wir müssen etwas unternehmen. Wir können nicht Jahr für Jahr weiter Geld verlieren. Wenn wir finanziell auskommen, dann nur durch die Pacht und vor allem durch Verkauf von Grundbesitz.«

»Hast du viel Grundbesitz?«

»Tausende von Hektar; uns gehört fast die gesamte Region zwischen Carentan und Carteret. Na ja, ich sage ›uns‹, es gehört immer noch meinem Vater, aber seit ich den Bauernhof aufgezogen habe, hat er entschieden, mir die Erlöse aus den Verkäufen zu überlassen, und trotzdem muss ich oft eine Parzelle verkaufen. Das Schlimmste ist, dass ich nicht mal an die Landwirte aus der Gegend verkaufe, sondern an ausländische Investoren.«

»Aus welchen Ländern?«

»Es sind vor allem Belgier und Holländer und immer mehr Chinesen. Letztes Jahr habe ich fünfzig Hektar an ein chinesisches Konglomerat verkauft, sie waren bereit, noch zehnmal mehr zu kaufen und den doppelten Marktpreis zu bezahlen. Die hiesigen Landwirte können da nicht mithalten, sie haben schon Schwierigkeiten, ihre Darlehen zu tilgen und die Pacht zu zahlen, andauernd stecken welche auf und machen den Laden dicht, und wenn sie Probleme haben, fällt es mir schwer, sie zu sehr auszuquetschen, ich verstehe sie nur zu gut, ich bin jetzt in der gleichen Situation wie sie, für meinen Vater war es einfacher, er hat lange in Paris gelebt, bevor er sich nach Bayeux zurückgezogen hat, er war immer noch der Gutsherr ... Also ja, ich bin mir bei dem Hotelprojekt nicht sicher, aber vielleicht ist es ein Weg.«

Während der gesamten Fahrt hatte ich darüber nachgedacht, was ich Aymeric über meine genaue Funktion bei der DRAF sagen würde. Ich hatte nicht vor, ihm zu gestehen, dass ich direkt in dieses Projekt der Förderung der Ausfuhr von normannischem Käse involviert war, in dessen Rahmen man meine Förderung der Ausfuhr von Käse aus der Normandie als gescheitert bezeichnen musste. Ich betonte eher administrativere Tätigkeiten im Zusammenhang mit der Umwandlung französischer kontrollierter Herkunftsbezeichnungen in europäische geschützte Herkunftsbezeichnungen, das war im Übrigen nicht unwahr, diese enervierenden juristischen Formfragen nahmen einen immer größeren Teil meiner Arbeit in Anspruch, ständig musste man »den Vorschriften entsprechen«, welchen Vorschriften genau, das wusste ich nie so genau, es gibt sicherlich keinen Bereich menschlicher Aktivität, der so restlos langweilig ist wie das Recht. Dabei hatte ich in meiner neuen Arbeit unter dem Strich auch gewisse Erfolge erzielt; so hatte beispielsweise einer meiner im Rahmen eines zusammenfassenden Berichts unterbreiteten Vorschläge einige Jahre später im Zuge des Erlasses zur Festlegung der Kriterien der geschützten Herkunftsbezeichnung »Livarot« dazu geführt, dass dieser Käse aus Milch von normannischen Kühen hergestellt werden musste. Und augenblicklich war ich im Begriff, einen Verfahrensstreit zwischen der Lactalis-Gruppe und der Molkereigenossenschaft Isigny Sainte-Mère, die sich von der Verpflichtung zur Verwendung von Rohmilch bei der Camembert-Herstellung befreien wollte, für uns zu entscheiden.

Ich befand mich gerade mitten in meinen Ausführungen, als Cécile eintraf. Sie war eine hübsche Dunkelhaarige, schlank und elegant, aber ihr Gesicht war von Anspannung, ja beinahe Schmerz gezeichnet, sie hatte eindeutig einen harten Tag gehabt. Trotzdem war sie mir gegenüber zuvorkommend und tat ihr Möglichstes, um uns eine Mahlzeit zuzubereiten, aber ich spürte, dass sie eine große Last mit sich herumtrug, dass sie, wäre ich nicht da gewesen, gleich nach dem Heimkommen irgendein Schmerzmittel genommen und sich ins Bett gelegt hätte. Sie freue sich, sagte sie zu mir, dass Aymeric Besuch habe, sie arbeiteten viel, nie träfen sie sich mehr mit irgendwem, sie begrüben sich, obwohl sie noch keine dreißig Jahre alt seien. Eigentlich war ich in der gleichen Situation, nur mit dem Unterschied, dass meine Arbeitsbelastung nicht gerade übermäßig hoch war, und im Grunde waren doch alle in der gleichen Situation, das Studium ist die einzige glückliche Zeit, die einzige Zeit, in der die Zukunft offen erscheint, in der alles möglich erscheint, das Arbeitsleben ist nichts als ein langsames, fortschreitendes Versanden, wahrscheinlich ist das der Grund dafür, dass die Jugendfreundschaften, die sich während dieser Studienjahre anbahnen und die im Grunde die einzig wahren Freundschaften sind, nie den Eintritt ins Erwachsenenalter überleben, man vermeidet, seine Jugendfreunde wiederzusehen, um nicht zum Zeugen ihrer enttäuschten Hoffnungen, ihrer eigenen Vernichtung werden zu müssen.

Alles in allem war der Besuch bei Aymeric ein Fehler gewesen, aber kein allzu schlimmer Fehler, über die zwei Tage hinweg würden wir insgesamt ganz ordentlich abschneiden, nach dem Essen legte er das Live-Album von Jimi Hendrix auf der Isle of Wight auf, es war sicherlich nicht sein bestes Konzert, aber es war sein letztes, keine drei Wochen vor seinem Tod, ich spürte, dass diese Rückkehr in Aymerics Vergangenheit Cécile ein wenig ärgerte, sie war damals sicherlich kein Grunge-Fan gewesen, sie kam mir eher wie eine spießige Christin vor, aber gemäßigt, traditionell angehaucht, ohne dabei fundamentalistisch zu sein, Aymeric hatte innerhalb seines Milieus geheiratet, und grundsätzlich zeitigte das die besten Ergebnisse, das hatte ich jedenfalls gehört, in meinem Fall war das Problem, dass ich kein Milieu hatte, kein eindeutig festgelegtes Milieu.

Am nächsten Morgen stand ich gegen neun Uhr auf und fand ihn über einem üppigen Frühstück aus Spiegelei, gebratener Blutwurst und Speck sitzend, zu dem er erst Kaffee und dann Calvados trank. Sein Tag habe schon vor Langem begonnen, erklärte er, er stehe jeden Morgen um fünf Uhr zum Melken auf, er habe keine Melkmaschine angeschafft, das sei eine unverhältnismäßige Ausgabe, der Großteil seiner Kollegen, die den Versuch gewagt hätten, seien kurz darauf wieder abgesprungen, und außerdem mögen es die Kühe, mit der Hand angefasst zu werden, das glaube er zumindest, es gebe da auch einen gefühlsmäßigen Aspekt. Er bot an, mir die Herde zu zeigen.

Die brandneue metallene Lagerhalle, die mir bei meiner Ankunft am Vortag aufgefallen war, war in Wirklichkeit ein Stall, die in vier Reihen angeordneten Boxen waren fast alle besetzt und ausschließlich mit Normanne-Rindern, wie ich sogleich feststellte. »Ja, das war eine bewusste Entscheidung«, bestätigte Aymeric, »der Ertrag ist etwas geringer als bei Holstein-Rindern, aber ich finde die Milch deutlich besser. Darum fand ich auch interessant, was du gestern über die Herkunftsbezeichnung »Livarot« gesagt hast – auch wenn ich im Moment vor allem an Hersteller von Pont-l'Évêque verkaufe.«

Im hinteren Bereich befand sich ein kleines, durch Trennwände aus Furnierholz abgeteiltes Büro mit einem Computer, einem Drucker und metallenen Aktenschränken. »Steuerst du die Futterversorgung per Computer?«, fragte ich ihn.

»Der Computer kann gegebenenfalls die Befüllung der Futterkrippen mit Maissilage einleiten; ich kann auch die Beimengung von Vitaminzusätzen programmieren, die Behälter sind miteinander verbunden. Gut, das ist eher eine Spielerei, eigentlich nutze ich ihn vor allem für die Buchhaltung.« Schon das Wort »Buchhaltung« genügte, um seine Miene zu verfinstern. Wir traten hinaus unter den wolkenlosen, strahlend blauen Himmel. »Vor der DRAF habe ich bei Monsanto gearbeitet«, gestand ich, »aber ich nehme an, du verwendest keinen GVO-Mais.«

»Nein, ich halte mich an die Anforderungen des Bio-Siegels, außerdem versuche ich die Verwendung von Mais ohnehin einzuschränken, Kühe sind ja im Prinzip Grasfresser. Jedenfalls versuche ich alles korrekt zu machen, das ist hier keine industrielle Aufzucht, du hast ja gesehen, dass die Kühe Platz haben, und sie kommen jeden Tag ein bisschen nach draußen, selbst im Winter. Aber je mehr ich alles korrekt zu machen versuche, desto schlechter komme ich über die Runden.«

Was hätte ich darauf antworten können? In gewissem Sinne eine ganze Menge, ich hätte an einer dreistündigen Debatte über dieses Thema auf irgendeinem beliebigen Nachrichtenkanal teilnehmen können. Aber zu Aymeric, zu Aymeric in seiner speziellen Situation konnte ich nicht viel sagen, er kannte die Grundlagen genauso gut wie ich. Der Himmel war an diesem Morgen so klar, dass man den Ozean in der Ferne sehen konnte. »Am Ende meines Volontariats hatten sie mir angeboten, bei Danone zu bleiben ...«, sagte er nachdenklich.

Den Rest des Tages widmete ich einem Besuch des Schlosses, es gab eine Kapelle, in der die Fürsten von Harcourt wohl

Andacht gehalten hatten, aber am beeindruckendsten war ein Speisesaal von gigantischen Ausmaßen, dessen Wände mit Ahnenporträts bedeckt waren, mit einem sieben Meter breiten Kamin, bei dem man sich bestens vorstellen konnte, dass während endloser mittelalterlicher Gelage Wildschweine oder Hirsche darin gebraten worden waren, die Vorstellung eines Boutique-Hotels nahm etwas konkretere Formen an, ich hatte mich nicht getraut, es Aymeric zu sagen, aber es erschien mir wenig wahrscheinlich, dass sich die Lage der Milchviehhalter in absehbarer Zeit verbessern würde, ich hatte Gerüchte gehört, wonach man in Brüssel über eine Aufhebung der Milchquote zu diskutieren begann – dieser Beschluss, der letztlich Tausende von Milchviehhaltern ins Elend stürzen und in den Konkurs treiben sollte, wurde erst 2015 unter Präsident Hollande endgültig verabschiedet, doch die Ankunft von zehn neuen Staaten im europäischen Raum 2004 in der Folge des Beitrittsvertrags, die Frankreich in eine deutliche Minderheitenposition brachte, sollte ihn nahezu unausweichlich machen. Grundsätzlich fiel es mir immer schwerer, mit Aymeric zu sprechen, auch wenn den Landwirten mein ganzes Mitgefühl galt und ich mich unter allen Umständen bereit fühlte, für ihre Sache einzutreten, musste ich mir doch klarmachen, dass ich jetzt auf der Seite des französischen Staats war, dass wir nicht mehr ganz im selben Lager waren.

Ich fuhr am nächsten Tag nach dem Frühstück ab, im Schein einer strahlenden sonntäglichen Sonne, die einen Gegensatz zu meiner wachsenden Traurigkeit bildete. Wenn ich es mir heute wieder ins Gedächtnis rufe, wundert es mich, dass ich so traurig war, als ich langsam über die verlassenen Landstraßen entlang des Ärmelkanals fuhr. Wir wünschen uns, dass es Vorahnungen oder Zeichen gäbe, aber im Allgemeinen gibt es keine, und nichts ließ mich an jenem sonnigen und toten Nachmittag ahnen, dass ich Camille am nächsten Morgen wiedertreffen sollte und dass an diesem Montagmorgen die schönsten Jahre meines Lebens anbrechen würden.

Kehren wir, bevor wir uns meiner Begegnung mit Camille zuwenden, zu einem ganz anderen November zurück, fast zwanzig Jahre später, einem spürbar traurigeren November, insoweit als die *kritischen Fragen* (in dem Sinne, wie man auch vom *kritischen Zustand* eines Patienten spricht) bereits größtenteils ausgemacht waren. Gegen Ende des Monats überwucherten die ersten Weihnachtsdekorationen das Einkaufszentrum Italie 2, und ich fragte mich langsam, ob ich während der Feiertage im Mercure-Hotel bleiben würde. Ich hatte keinen richtigen Grund, abzureisen, keinen bis auf die Scham, aber das ist ja an und für sich schon ein ernst zu nehmender Grund, sich zu seiner völligen Einsamkeit zu bekennen, ist selbst heutzutage nicht ganz einfach, und ich begann verschiedene Ziele in Erwägung zu ziehen, am ehesten boten sich Klöster an, viele besinnen sich in den Tagen des Gedenkens an die Geburt des Erlösers auf die innere Einkehr, zumindest hatte ich das in einer Sonderausgabe des *Pèlerin Magazine* gelesen, und in diesem Fall ist die Einsamkeit nicht nur normal, sie wird sogar empfohlen, ja, das war die beste Lösung, ich würde mich sofort über einige infrage kommende Klöster kundig machen, die Zeit war reif, sie war sogar überreif, wie eine erste Internetsuche zeigte (und wie mich diese Ausgabe des *Pèlerin Magazine* schon hatte argwöhnen lassen), alle Klöster, deren Seiten ich besuchte, waren ausgebucht.

Ein weiteres, noch dringlicheres Problem war, dass ich ein neues Captorix-Rezept brauchte, die Wirksamkeit dieses Medikaments war unbestreitbar, dank ihm war mein Sozialleben jetzt frei von jeglichen Reibereien, ich betrieb jeden Morgen eine minimale, aber ausreichende Körperpflege und grüßte die Bedienungen im O'Jules voller Warmherzigkeit und Vertraulichkeit, nur dass ich nicht die geringste Lust hatte, wieder zu einem Psychiater zu gehen, ganz gewiss nicht zu dem in der Rue des Cinq Diamants, dieser Witzfigur, aber auch zu keinem anderen, Psychiater im Allgemeinen *kotzten mich an;* und da fiel mir Doktor Azote wieder ein.

Der Allgemeinarzt mit dem fremdartig klingenden Namen hatte eine Praxis in der Rue d'Athènes, einen Katzensprung vom Gare Saint-Lazare entfernt. Ich war nach einer meiner wöchentlichen Reisen zwischen Caen und Paris einmal wegen einer Art Bronchitis bei ihm gewesen und hatte ihn als einen Mittvierziger in Erinnerung, der an beträchtlicher Kahlköpfigkeit litt, die verbliebenen Haare waren lang, grau und ziemlich ungewaschen, eigentlich ähnelte er eher dem Bassisten einer Hardrock-Band als einem Mediziner. Ich erinnerte mich auch noch, dass er sich mitten im Behandlungsgespräch eine Camel angesteckt hatte, »Entschuldigung, das ist eine schlechte Angewohnheit, ich bin der Erste, der davon abraten würde«, vor allem erinnerte ich mich, dass er mir umstandslos einen Codein-Sirup verschrieben hatte, der bei seinen Kollegen bereits einen gewissen Argwohn zu erregen begann.

Er war zwanzig Jahre älter, aber seine Glatze hatte sich nicht wirklich vergrößert (geschrumpft war sie natürlich auch nicht), und seine Haare waren noch genauso lang, grau und ungewaschen. »Ja, Captorix ist schon brauchbar, ich habe gute Rückmeldungen dazu«, begann er sachlich. »Wie viel wollen Sie, für sechs Monate?«

»Was machen Sie zwischen den Jahren?«, fragte er etwas später. »Man muss sich davor in Acht nehmen, für Depressive ist diese Zeit oft verhängnisvoll, ich hatte schon viele Patienten, von denen ich dachte, sie wären stabil, und zack, am 31. jagen die sich eine Kugel in den Kopf, immer abends am 31., sind sie erst mal über Mitternacht hinweg, ist es geschafft. Man muss sich das klarmachen, Weihnachten hat denen schon einen Schlag versetzt, sie hatten eine ganze Woche, um in ihrer Scheiße zu waten, vielleicht wollten sie sich für den 31. irgendwohin absetzen, und es ist nichts draus geworden, und dann kommt der 31., und sie packen es nicht, sie gehen zum Fenster und springen raus oder geben sich die Kugel, je nachdem. Ich rede so, als wäre das nicht zu ändern, aber im Grunde ist es meine Aufgabe zu verhindern, dass Menschen sterben, zumindest eine gewisse Zeit lang, soweit möglich eben.« Ich erzählte ihm von meiner Idee mit dem Kloster. »Ja, das ist nicht blöd«, bekräftigte er. »Ich habe noch andere Patienten, die das machen, aber ich glaube, da sind Sie ein bisschen spät dran. Ansonsten gibt es noch die Nutten in Thailand, die Bedeutung von Weihnachten vergessen Sie in Asien komplett, und ins neue Jahr rutschen Sie ganz geschmeidig rein, dafür sind die Mädels da, einen Flug müssten Sie noch bekommen, die sind weniger ausgebucht als die Klöster, dazu habe ich auch gute Rückmeldungen, manchmal ist das geradezu therapeutisch, ich hatte welche, die waren danach komplett wiederaufgeladen, zusätzlich zu ihrem neu gewonnenen Glauben an ihre männliche Anziehungskraft, gut, das waren ziemliche Nulpen, Vollidioten eigentlich, leicht hinters Licht zu führen, den Eindruck machen Sie mir leider nicht. Das Problem bei Ihnen ist das Captorix, mit Captorix kriegen Sie vielleicht keinen mehr hoch, das kann ich nicht garantieren, selbst bei zwei süßen kleinen sechzehnjährigen Nutten kann ich es nicht garantieren, das ist das Beschissene an dem Mittel, und zugleich können Sie es nicht abrupt absetzen, davon kann ich Ihnen nur ehrlich abraten, außerdem würde es sowieso nichts bringen, es hat eine zweiwöchige Latenzzeit, aber wenn es passieren sollte, wissen Sie zumindest, dass es an dem Mittel liegt, im schlimmsten Fall genießen Sie die Sonne und futtern Garnelencurry.«

Ich sagte ihm, ich würde über den Vorschlag nachdenken, der tatsächlich interessant war, wenn auch nicht ganz auf meinen Fall zugeschnitten, denn ich hatte nicht nur jegliches Erektionsvermögen eingebüßt, sondern auch jegliches sexuelle Verlangen, die Vorstellung zu vögeln erschien mir fortan absurd, nicht umsetzbar, und selbst zwei kleine sechzehnjährige Thai-Nutten, da war ich mir ganz sicher, könnten dagegen nichts ausrichten, jedenfalls hatte Azote recht, für rechtschaffene, leicht dämliche Typen war das eine gute Sache, oft waren es Engländer aus der Unterschicht, die entschlossen waren, allen Anzeichen von Liebe oder schlicht sexueller Erregung bei einer Frau Glauben zu schenken, so zweifelhaft sie auch erscheinen mochten, sie gingen wiederbelebt aus ihren Händen, Mösen und Mündern hervor, sie waren eindeutig nicht mehr dieselben, die abendländischen Frauen hatten sie zerstört, der offensichtlichste Fall waren die Angelsachsen, und sie gingen tatsächlich wiederbelebt daraus hervor, aber mein Fall war anders gelagert, ich hatte den Frauen nichts vorzuwerfen, und es betraf mich ohnehin nicht, da ich keinen Ständer mehr kriegte und die Sexualität sogar von meinem geistigen Horizont verschwunden war, was ich gegenüber Azote seltsamerweise nicht hatte zugeben wollen, ich hatte mich darauf beschränkt, von »Erektionsproblemen« zu sprechen, aber er war trotz allem ein ausgezeichneter Mediziner, und als ich seine Praxis verließ, war mein Glaube an die Menschheit, die Medizin und die Welt ein wenig wiederhergestellt, mit nahezu beschwingtem Schritt bog ich in die Rue d'Amsterdam ein, und ich war auf der Höhe des Gare Saint-Lazare, als ich den Fehler machte, aber war es wirklich ein Fehler, ich weiß es im Grunde gar nicht, ich werde es erst am Ende wissen, und ja, das Ende rückt näher, aber es ist noch nicht das Ende, noch nicht ganz.

Ich hatte das merkwürdige Gefühl, in eine Art Autofiktion einzutreten, als ich die *Wandelhalle* des Gare Saint-Lazare betrat, die zu einer ziemlich banalen, auf Konfektionskleidung ausgerichteten Einkaufspassage geworden war, ihrem Namen aber dennoch gerecht wurde, ich wandelte wirklich, irrte sprachlos zwischen den unverständlichen Firmenschildern umher, in Wahrheit hatte ich nur eine sehr vage Vorstellung von der Bedeutung des Begriffs »Autofiktion«, er war beim Lesen eines Buchs von Christine Angot (gut, zumindest der ersten fünf Seiten) hängen geblieben, jedenfalls schien mir das Wort, während ich mich den Bahnsteigen näherte, immer stärker auf meine Situation zuzutreffen, schien es mir sogar eigens für mich erfunden zu sein, meine Realität war unerträglich geworden, kein menschliches Wesen hätte in einer so unerbittlichen Einsamkeit überleben können, wahrscheinlich versuchte ich eine

Art alternativer Realität zu erschaffen, an den Ursprung einer Gabelung in der Zeit zurückzugehen, gewissermaßen um zusätzliche Lebenspunkte zu erhalten, vielleicht waren sie all die Jahre dort versteckt gewesen, meine Lebenspunkte, hatten zwischen zwei Bahnsteigen auf mich gewartet, verborgen unter dem Staub und dem Schmierfett der Triebwagen, in diesem Augenblick begann mein Herz wie wild zu schlagen, wie das einer Spitzmaus, die von einem Raubtier entdeckt worden ist, so hübsche kleine Dinger, die Spitzmäuse, ich war gegenüber von Gleis 22 angekommen, und dort, genau dort, in wenigen Metern Entfernung, hatte Camille fast ein Jahr lang jeden Freitagabend am Ende von Gleis 22 auf mich gewartet, wenn ich von Caen zurückgekommen war. Sobald sie mich erspäht hatte, wie ich mein »Handgepäck« auf seinen armseligen Rollen hinter mir herschleifte hatte, war sie auf mich zugerannt, sie war den Bahnsteig entlanggerannt, war mit voller Kraft gerannt, sie war am Rande ihrer Lungenkapazität, und dann waren wir zusammen gewesen, und die Vorstellung von Trennung existierte nicht, existierte nicht mehr, es lohnte nicht einmal, darüber zu reden.

Ich habe das Glück erlebt, ich weiß, was es bedeutet, ich kann sach- und fachkundig darüber sprechen, und ich kenne auch das üblicherweise darauf folgende Ende. Ein einziges Wesen fehlt, und alles ist menschenleer, wie es heißt, wobei der Ausdruck »menschenleer« noch viel zu schwach ist, er klingt immer noch ein bisschen nach dem dämlichen 18. Jahrhundert, man findet darin noch nicht die gesunde Gewaltsamkeit der aufblühenden Romantik, die Wahrheit ist: Ein einziges Wesen fehlt, und alles ist tot, die Welt ist tot, und man selbst ist tot oder jedenfalls in eine Porzellanfigur verwandelt, und die anderen sind auch Porzellanfiguren, unter thermischen und elektrischen Gesichtspunkten perfekte Isolatoren, sodass absolut nichts mehr an einen herankommt bis auf die inneren Schmerzen, die der Zerfall des unabhängigen Körpers erzeugt, aber so weit war ich noch nicht, mein Körper benahm sich augenblicklich noch mit Anstand, ich war einfach nur allein, buchstäblich allein, und ich zog weder aus meinem Alleinsein noch aus meinem ungehindert funktionierenden Geist die geringste Freude, was ich brauchte, war Liebe – und eine ganz bestimmte Art von Liebe, ich brauchte im Allgemeinen Liebe, aber insbesondere brauchte ich eine Muschi, es gibt viele Muschis, Milliarden Muschis auf der Oberfläche eines Planeten von doch recht bescheidener Größe, wenn man mal darüber nachdenkt, ist es überwältigend, was es an Muschis gibt, es macht einen ganz schwindelig, ich glaube, jeder Mann hat diesen Schwindel schon einmal verspürt, andererseits brauchten die Muschis Schwänze, oder zumindest hatten sie sich das eingebildet (ein glücklicher Irrtum, auf dem die Lust des Mannes und der Fortbestand der Spezies und vielleicht sogar der Sozialdemokratie beruhen), im Prinzip ist das Problem lösbar, aber in der Praxis ist es das nicht mehr, und auf diese Weise stirbt eine Zivilisation, ohne Scherereien, ohne Gefahren und ohne Drama und fast ohne jedes Gemetzel, eine Zivilisation stirbt am bloßen Überdruss, am Abscheu vor sich selbst, was konnte mir die Sozialdemokratie bieten, offensichtlich nichts, nur ein Fortbestehen des Mangels, einen Aufruf zum Vergessen.

Den Gedanken an Gleis 22 des Gare Saint-Lazare abzuschütteln, dauerte nur ein paar Mikrosekunden, mir fiel gleich wieder ein, dass unsere Begegnung am anderen Ende der Strecke stattgefunden hatte, wobei es auf den Zug ankommt, manche fahren bis Cherbourg durch, andere halten in Caen, keine Ahnung, warum ich das erzähle, nutzlose Informationen über den Fahrplan des Zugs aus Paris Saint-Lazare ziehen zeitweise an meinem dysfunktionalen Hirn vorbei, wie dem auch sei, wir hatten uns am Bahnsteig C des Bahnhofs von Caen getroffen, an einem sonnigen Novembermorgen vor inzwischen siebzehn Jahren oder auch neunzehn, ich weiß es nicht mehr.

Die Situation an sich war schon seltsam gewesen: Es war ungewöhnlich, dass man mich mit dem Empfang einer Volontärin im Veterinärdienst betraute (Camille studierte damals im zweiten Jahr an der Hochschule für Veterinärmedizin in Maisons-Alfort), man betrachtete mich inzwischen ein wenig als Luxus-Leiharbeiter, den man mit vielfältigen, aber nicht zu erniedrigenden Tätigkeiten betrauen konnte, ich war schließlich immer noch ein Student der Landwirtschaftlichen Hochschule, jedenfalls war dies das stillschweigende Eingeständnis, dass meine Mission »Käse aus der Normandie« von meinen

Vorgesetzten immer weniger ernst genommen wurde. Wobei man die Bedeutung des Zufalls in Liebesdingen bloß nicht überbewerten sollte: Wäre ich Camille ein paar Tage später auf einem Flur in der DRAF über den Weg gelaufen, wäre das Gleiche passiert, auf fast die gleiche Weise; aber es passierte nun einmal am Bahnhof von Caen, am Ende von Bahnsteig C.

Meine Wahrnehmung war schon ein paar Minuten vor Ankunft des Zugs deutlich geschärft gewesen, was einen Fall sonderbarer Vorausahnung darstellt; ich hatte zwischen den Gleisen nicht nur Unkraut, sondern auch Blumen mit gelben Blüten entdeckt, deren Namen ich vergessen habe, ich hatte sie im Seminar »Spontane Vegetation im urbanen Umfeld« kennengelernt, das ich in meinem zweiten Studienjahr an der Landwirtschaftlichen Hochschule belegt hatte, ein ganz spaßiges Seminar, in dem wir zwischen den Steinen der Kirche Saint-Sulpice Proben entnommen hatten, an den Böschungen des Boulevard périphérique … Außerdem hatte ich hinter dem Bahnhof sonderbare lachsrot, ockergelb und schwarzbraun gestreifte Quader entdeckt, die mich an eine futuristische babylonische Stadt denken ließen – in Wirklichkeit handelte es sich um das Einkaufszentrum Les bords de l'Orne, eine der stolzen Errungenschaften der neuen Stadtverwaltung, die wichtigsten Bezugsgrößen des modernen Konsums waren dort präsent, von Desigual bis The Kooples, die Einwohner der Basse-Normandie kamen dank dieses Zentrums auch in der Moderne an.

Sie stieg die wenigen metallenen Stufen ihres Waggons hinunter und wandte sich zu mir um, sie hatte, wie ich mit einer kuriosen Befriedigung zur Kenntnis nahm, keinen Rollkoffer, nur eine dieser großen Stofftaschen, die man über der Schulter trägt. Als sie nach einem sehr langen Schweigen, das trotzdem nichts Peinliches an sich hatte (sie sah mich an, ich sah sie an, das war alles), als sie also vielleicht zehn Minuten später zu mir sagte: »Ich heiße Camille«, da war der Zug schon weitergefahren – nach Bayeux, dann nach Carentan und Valognes, Endstation war der Bahnhof von Cherbourg.

Ungeheuer viele Dinge waren zu diesem Zeitpunkt schon ausgesprochen, festgelegt und, wie es mein Vater in seinem Notarjargon gesagt hätte, »zur Kenntnis genommen« worden. Ihr Blick war von einem sanften Braun, sie folgte mir den Bahnsteig C hinunter und dann die Rue d'Auge entlang, ich hatte etwa hundert Meter entfernt geparkt, und als ich ihre Tasche im Kofferraum verstaut hatte, setzte sie sich in aller Ruhe auf den Vordersitz, als hätte sie das schon zigmal, schon hundertmal getan und als würde sie es noch zigmal, hundertmal, tausendmal tun, es gab nicht das geringste Problem, und ich fühlte mich so gelassen, verspürte eine Gelassenheit, wie ich sie noch nie erlebt hatte, ich fühlte mich so gut, dass es wohl eine gute halbe Stunde dauerte, bis ich den Motor anließ, womöglich hatte ich den Kopf hin und her gewiegt wie ein glücklicher Idiot, aber sie zeigte weder das kleinste Anzeichen von Ungeduld, noch schien meine Reglosigkeit sie in irgendeiner Weise zu überraschen; das Wetter war strahlend, der Himmel türkisblau, geradezu irreal.

Als wir erst die Périphérique Nord passierten und dann am Universitätskrankenhaus vorbeikamen, wurde mir bewusst, dass wir in ein trostloses Raumplanungsgebiet hineinfuhren, das vor allem aus flachen, grauen Wellblechbauten bestand, es war nicht einmal eine feindselige Umgebung, sie war einfach nur von einer beängstigenden Neutralität, es war ein Jahr her, dass ich diese Kulisse jeden Morgen durchfahren hatte, ohne sie auch nur zur Kenntnis zu nehmen. Camilles Hotel lag zwischen einem Prothesenhersteller und einem Wirtschaftsprüfungsbüro. »Ich habe zwischen dem Appart City und dem Adagio Aparthotel geschwankt«, stammelte ich, »das Appart City liegt natürlich überhaupt nicht zentral, aber zu Fuß ist es nur eine Viertelstunde bis zur DRAF, wenn Sie abends ausgehen wollen, ist die Straßenbahnhaltestelle Claude Bloch ganz in der Nähe, mit der Bahn ist man in zehn Minuten wieder in der Innenstadt, und sie fährt bis Mitternacht, andersherum hätte man sagen können, dass Sie mit der Straßenbahn zur Arbeit hätten fahren können, und vom Adagio hätten Sie einen Blick auf die Kais an der Orne gehabt, andererseits haben im Appart City die Premiumzimmer eine Terrasse, ich dachte mir, das wäre auch ganz angenehm, wenn Sie möchten, können wir es auch noch ändern, das übernimmt natürlich die DRAF ...« Sie warf mir einen merkwürdigen, schwer zu deutenden Blick zu, eine Mischung aus Unverständnis und einer Art Mitgefühl; später erklärte sie mir, sie habe sich gefragt, warum ich mich mit diesen langwierigen Ausführungen abmühte, wo doch ohnehin klar gewesen sei, dass wir zusammenleben würden.

In dieser extremen Stadtrandumgebung wirkten die DRAF-Gebäude seltsam veraltet und ehrlicherweise auch vernachlässigt und verwahrlost, und der Schein trüge nicht, sagte ich zu Camille, sobald es regne, sickere in den Großteil der Büros Wasser ein, und es regne hier die meiste Zeit. Man hatte weniger den Eindruck von Verwaltungsgebäuden als vielmehr eines Dörfchens aus lauter wie zufällig verstreuten Einfamilienhäusern in einer Umgebung, die ein Park hätte sein können, aber eher einem unbestimmten Gelände glich, das von einer unentwirrbaren Vegetation überwuchert wurde, zudem begannen die asphaltierten Alleen, die die Häuser voneinander trennten, unter dem Druck der Vegetation bereits rissig zu werden. Ich würde sie, fuhr ich fort, nun ihrem offiziellen Praktikumsbeauftragten vorstellen müssen, dem Leiter des Veterinärdienstes, den man, setzte ich resigniert hinzu, objektiv nur als ein altes Arschloch beschreiben könne. Von Natur aus kleinlich und streitsüchtig, gängelte er mitleidslos alle Mitarbeiter, die das Pech hatten, ihm unterstellt zu sein, insbesondere die jungen, der Jugend gegenüber verspürte er eine besondere Abneigung, er war nicht weit davon entfernt, die Aufgabe, eine junge Praktikantin zu empfangen, als persönliche Kränkung aufzufassen. Aber nicht nur junge Menschen verabscheute er, auch Tiere mochte er nicht besonders, mit Ausnahme von Pferden, Pferde waren für ihn die einzigen Tiere, die Beachtung verdienten, die übrigen Vierbeiner betrachtete er als unbestimmtes animalisches Subproletariat, dem ohnehin die baldige Schlachtung drohte. Den Hauptteil seiner Karriere hatte er im Nationalgestüt Haras du Pin verbracht, und obwohl die Berufung an die DRAF eine Beförderung – und ehrlicherweise den Höhepunkt seiner Karriere – darstellte, hatte er sie als Affront empfunden. Nichtsdestoweniger sei diese Begegnung lediglich ein unangenehmer Augenblick, der rasch vorbeigehen werde, sagte ich zu ihr, die Abneigung des Leiters gegen junge Leute sei so stark, dass er sein Menschenmöglichstes tun werde, um jeden Kontakt mit ihr zu vermeiden, sie werde ihn während ihres dreimonatigen Praktikums mit ziemlicher Sicherheit nicht mehr zu Gesicht bekommen.

Als der Moment vorbei war (»Er ist in der Tat ein altes Arschloch«, bestätigte sie sachlich), vertraute ich sie einer der Veterinärinnen an – einer sanftmütigen Person um die dreißig, mit der ich immer gut ausgekommen war. Und dann geschah eine Woche lang gar nichts. Ich hatte Camilles Nummer in meinen Terminplaner eingetragen, ich wusste, ich würde derjenige sein, der anrufen müsste, das war ein Teil der Beziehung zwischen Männern und Frauen, der sich nicht wirklich geändert hatte – außerdem war ich zehn Jahre älter als sie, das musste man auch bedenken. Ich habe eine sonderbare Erinnerung an diese Zeit, ich kann sie nur mit jenen seltenen Augenblicken vergleichen, die nur dann eintreten, wenn man sehr friedlich und glücklich ist, in denen man das Einschlafen bis zur allerletzten Sekunde hinauszögert, obwohl man weiß, dass der darauffolgende Schlaf tief, köstlich und erholsam sein wird. Ich glaube nicht, dass es falsch ist, den Schlaf mit der Liebe zu vergleichen, ich glaube nicht, dass ich mich irre, wenn ich die Liebe mit einer Art *Traum zu zweit* vergleiche, in dem es zwar gewisse Augenblicke des individuellen Träumens gibt, kleine Spielchen der Vereinigung und Verschränkung, der aber in jedem Fall einen Weg darstellt, unsere irdische Existenz zu einem erträglichen Moment zu machen – der eigentlich das einzige Mittel dazu ist.

Tatsächlich entwickelten sich die Dinge anders als von mir vorausgesehen; die Außenwelt drängte herein, und sie tat es auf brutale Weise: Camille rief mich fast genau eine Woche später am frühen Nachmittag an. Sie war in einem panischen Zustand, hatte sich in einen McDonald's im Industriegebiet von Elbeuf geflüchtet, sie habe den Vormittag in einem industriellen Hühneraufzuchtbetrieb verbracht, die Mittagspause habe sie zur Flucht genutzt, und ich müsse kommen, ich müsse sofort kommen und sie retten.

Wutentbrannt legte ich auf: Welcher Vollidiot aus der DRAF hatte sie dorthin geschickt? Ich kannte diesen Zuchtbetrieb ganz genau, es war ein riesiger Betrieb mit mehr als dreizehntausend Hühnern, der Eier bis nach Kanada und Saudi-Arabien auslieferte, der aber vor allem einen fürchterlichen Ruf hatte, einen der schlechtesten in ganz Frankreich, alle Inspektionen der Einrichtung waren zu einem negativen Fazit gelangt: In den von starken Halogenstrahlern an der Decke beleuchteten Hallen kämpften Tausende von Hühnern dicht an dicht ums Überleben, es gab keine Käfige, es war ein »Bodenhaltungsbetrieb«, sie waren kahl, ausgemergelt, die Haut entzündet und von Roten Vogelmilben befallen, sie lebten inmitten der verwesenden Kadaver ihrer Artgenossen, verbrachten jede Sekunde ihrer kurzen Existenz – maximal ein Jahr – ängstlich gackernd. Das traf sogar auf die besser geführten Zuchtbetriebe zu, und es war das Erste, was auf einen einstürzte, das unaufhörliche Gegacker, diese Blicke voller ständiger Panik, die einem die Hühner zuwarfen, diese Blicke voller Panik und Unverständnis, sie verlangten nicht das geringste Mitleid, dazu wären sie nicht in der Lage gewesen, aber sie begriffen nicht, sie begriffen die Umstände nicht, in denen sie zu leben gezwungen waren. Ganz zu schweigen von den beim Eierlegen nutzlosen männlichen Küken, die haufenweise lebendig in den Schredder geschmissen wurden; ich kannte das alles, ich hatte mehrere Hühnerzuchtbetriebe besucht, von denen der in Elbeuf zweifellos der schlimmste gewesen war, aber die allgemeine Kaltschnäuzigkeit, die ich wie jedermann an den Tag zu legen verstand, hatte mir ermöglicht, es zu verdrängen.

Sobald sie mich auf dem Parkplatz ankommen sah, lief sie auf mich zu, warf sich in meine Arme und verharrte lange so, ohne weinen zu können. Wie konnten diese Menschen das tun? Wie konnten sie das zulassen? Ich hatte zu diesem Thema nichts weiter beizusteuern als uninteressante Gemeinplätze über die menschliche Natur.

Als wir einmal im Auto saßen und in Richtung Caen fuhren, kam sie auf unangenehmere Fragen zu sprechen: Wie konnten die Veterinäre, die die Volksgesundheit kontrollierten, so etwas zulassen? Wie konnten sie diese Orte, in denen Tierquälerei auf der Tagesordnung stand, inspizieren und den Betrieb darin weiterlaufen lassen, ja sogar an ihrem Weiterbetrieb mitwirken, wo sie doch von Haus aus Tiermediziner waren? Ich muss zugeben, dass ich mich vielmehr fragte, ob sie wohl für ihr Stillschweigen zusätzlich bezahlt wurden. Aber das glaube ich nicht einmal. Schließlich gab es auch in den Konzentrationslagern gewiss ausgebildete Mediziner. Letztlich führte auch das zu banalen und wenig ermutigenden Betrachtungen zur Menschheit an sich, und ich hielt lieber den Mund.

Aber als sie mir sagte, sie sei unschlüssig, ob sie aufhören, ob sie ihr Tiermedizinstudium abbrechen solle, schritt ich doch ein. Es sei ein freier Beruf, erinnerte ich sie; nichts und niemand könne sie zwingen, in einem industriellen Zuchtbetrieb zu arbeiten, man könne sie nicht einmal nötigen, noch einmal einen zu besuchen, und ich müsse dazusagen, dass sie den schlimmsten von allen, dass sie die schlimmste aller Situationen gesehen habe (zumindest in Frankreich, in anderen Ländern erging es den Hühnern noch weit schlimmer, aber diese Erläuterung verkniff ich mir). Jetzt wusste sie es, das war alles – es war eine Menge, aber es war alles. Ich verkniff mir auch die Erläuterung, dass es den Schweinen nicht besser ergehe – ich hatte den Eindruck, für einen Tag reiche das.

Als wir auf der Höhe ihres Appart City angekommen waren, sagte sie, sie könne so nicht auf ihr Zimmer gehen, sie brauche unbedingt einen Drink. Es gab nicht viel Geeignetes in der Gegend, die Gegend war so wenig *nett* wie nur irgend möglich, tatsächlich gab es nichts als das Mercure-Hotel Côte de Nacre, dessen Klientel sich ausschließlich aus mittleren Führungskräften zusammensetzte, die mit irgendeiner der Firmen im Industriegebiet Geschäfte machten.

Die Bar erwies sich als seltsam angenehm, mit verstreuten Sofas und tiefen Sesseln mit ockerfarbenem Stoffbezug und einem Barmann, der aufmerksam war, ohne aufdringlich zu sein. Camille hatte wirklich einen seelischen Schlag erlitten, sie war ein tapferes Mädchen, dass sie überhaupt eine industrielle Hühnerzucht besucht hatte, und erst als sie ihren fünften Martini geleert hatte, gelang es ihr wirklich zu entspannen. Ich für meinen Teil fühlte mich erschöpft, bis zum Äußersten erschöpft, es war, als wäre eine sehr lange Reise zu Ende gegangen, ich fühlte mich nicht einmal mehr in der Lage, nach Clécy zurückzufahren, ich fühlte mich wirklich sehr kraftlos, ich war milde und glücklich gestimmt. Wir nahmen also ein

Zimmer für eine Nacht im Mercure-Hotel Côte de Nacre, es war, wie man es von einem Mercure-Hotel erwarten kann, jedenfalls verbrachten wir dort unsere erste Nacht, und wahrscheinlich werde ich mich bis ans Ende meiner Tage daran erinnern, werden mich die Bilder dieser lächerlichen Raumgestaltung bis an die letzte Grenze verfolgen, sie kehren ohnehin schon jeden Abend wieder, und ich weiß, dass das nicht aufhören wird, dass es sich im Gegenteil noch verschärfen wird, auf immer quälendere Weise, bis mich der Tod erlöst.

NATÜRLICH HATTE ICH erwartet, dass Camille das Haus in Clécy gefallen würde, ich war mit einem rudimentären Sinn für Ästhetik ausgestattet, zumindest konnte ich erkennen, dass es ein schönes Haus war; nicht geahnt hatte ich hingegen, dass sie es so rasch zu ihrem Haus machen würde, dass sie schon in den ersten Tagen Vorstellungen zur Raumgestaltung und Einrichtung entwickeln, dass sie Stoffe kaufen und Möbel ersetzen wollen würde, dass sie sich so fraulich – im präfeministischen Sinne des Wortes – verhalten würde, obwohl sie erst neunzehn Jahre alt war. Ich lebte immer noch wie im Hotel, einem guten Hotel, einem gelungenen Boutique-Hotel, aber erst nach Camilles Ankunft empfand ich es wirklich als mein Haus – und zwar allein deswegen, weil es das ihre war.

Mein Alltag durchlief noch weitere Veränderungen; meine Einkäufe erledigte ich noch immer auf ziemlich profane Art im Super U in Thury-Harcourt, der den zusätzlichen Vorteil mit sich brachte, dass ich dort außerdem den Wagen mit Diesel volltanken und hin und wieder den Reifendruck überprüfen konnte; das Städtchen Clécy hatte ich nie besucht, obwohl es gewiss Charme hatte, was ihm auch von Fremdenführern unterschiedlicher Prägung bescheinigt wurde, immerhin war es die Hauptstadt der normannischen Schweiz, das war nicht zu verachten.

All das änderte sich mit Camille, und wir wurden Stammkunden der Metzgerei wie auch der Bäckerei-Konditorei, die beide an der Place du Tripot lagen, ebenso wie das Rathaus und das Fremdenverkehrsamt. Nun ja, um genauer zu sein, wurde Camille Stammkundin – ich gab mich im Allgemeinen damit zufrieden, auf sie zu warten und dabei in der Brasserie Le Vincennes Bier zu trinken, in der auch Tabakwaren und Lottoscheine verkauft wurden und die sich an der Place Charles de Gaulle befand, direkt gegenüber der Kirche. Einmal aßen wir sogar im Au site normand, der örtlichen Gaststätte, die sich rühmte, 1971 die Charlots beim Dreh einer Szene des Films *Die tollen Charlots – Frechheit siegt* bewirtet zu haben, es hatte nicht nur Pink Floyd und Deep Purple gegeben, die 1970er-Jahre hatten auch ihre Schattenseiten gehabt, aber wie dem auch sei, das Restaurant war jedenfalls gut und die Käseplatte lukullisch.

Für mich war das ein neuer Lebensstil, den ich mit Claire nie für möglich gehalten hätte und der ungeahnte Reize offenbarte, jedenfalls wollte ich sagen, dass Camille Vorstellungen von der richtigen Lebensart hatte, man setzte sie in einen hübschen normannischen Marktflecken mitten auf dem Land, und sie wusste sofort, wie man das Beste aus diesem hübschen normannischen Marktflecken herausholte. Männer verstehen im Allgemeinen nicht zu leben, sie sind nicht wirklich mit dem Leben vertraut, sind nie richtig entspannt, auch verfolgen sie unterschiedliche, je nachdem mehr oder weniger ambitionierte, mehr oder weniger grandiose Projekte, meist scheitern sie wohlgemerkt und kommen zu dem Schluss, es wäre besser gewesen, ganz einfach nur zu leben, aber oft ist es dann zu spät.

Ich war glücklich, noch nie war ich so glücklich gewesen, und ich würde es auch nie wieder sein; dabei vergaß ich nicht einen Augenblick lang das Vergängliche dieser Situation. Camille war nur für die Dauer eines Praktikums an der DRAF, Ende Januar würde sie unweigerlich wieder abreisen, um in Maisons-Alfort weiter zu studieren. Unweigerlich? Ich hätte ihr vorschlagen können, ihr Studium abzubrechen, Hausfrau zu werden beziehungsweise *meine* Frau zu werden, und wenn ich mit Abstand darüber nachdenke (und ich denke fast ständig darüber nach), dann glaube ich, sie hätte Ja gesagt – vor allem nach der Sache mit der industriellen Hühneraufzucht. Aber ich habe es nicht getan, und ich hätte es wahrscheinlich auch nicht tun können, ich war nicht auf ein solches Angebot *formatiert,* das war kein Bestandteil meiner *Programmierung,* ich war ein moderner Mensch, und für mich wie für alle meine Zeitgenossen hatte die berufliche Laufbahn der Frauen über allem anderen zu stehen, es war das Kriterium schlechthin, die Überwindung der Barbarei, der Ausgang aus dem Mittelalter. Zugleich war ich vielleicht doch nicht durch und durch modern, da ich mir, und sei es nur ein paar Sekunden lang, vorstellen konnte, mich diesem Imperativ zu entziehen; aber einmal mehr tat ich nichts, ich sagte nichts, ich ließ den Dingen ihren Lauf, wobei ich eigentlich keine Sekunde lang an diese Rückkehr nach Paris glaubte, Paris war wie alle Städte gemacht, um Einsamkeit zu erzeugen, und wir hatten nicht ausreichend gemeinsame Zeit gehabt in diesem Haus, ein Mann und eine Frau allein zu zweit, ein paar Monate lang hatten wir füreinander den Rest der Welt dargestellt, würden wir das aufrechterhalten können? Ich weiß es nicht mehr, ich bin jetzt alt, ich kann mich nicht mehr richtig erinnern, aber es scheint mir, als hätte ich seinerzeit schon Angst gehabt und durchaus begriffen, dass die Gesellschaft eine Maschine zur Zerstörung der Liebe war.

Von der Zeit in Clécy sind mir nur zwei Fotografien geblieben, wir waren wohl zu sehr mit Leben beschäftigt, um unsere Zeit mit Selfies zu verschwenden, aber vielleicht war diese Praxis seinerzeit auch noch nicht so verbreitet, die Entwicklung der sozialen Netzwerke steckte noch in den Kinderschuhen, sofern sie überhaupt existierten; ja, die Menschen haben damals auf jeden Fall besser gelebt. Diese Fotografien wurden wahrscheinlich beide am selben Tag gemacht, in einem Wald in der Nähe von Clécy; sie sind erstaunlich, weil sie wahrscheinlich im November entstanden, obwohl alles im Bild – das klare, grelle Licht, das glänzende Laub – an den Frühlingsanfang denken lässt. Camille trägt darauf einen kurzen Rock und eine passende Jeansjacke. Unter der Jacke ein an der Taille verknotetes kurzärmliges weißes Hemd, mit aufgedruckten roten Früchten verziert. Auf der ersten Fotografie ist ihr Gesicht von einem strahlenden Lächeln erhellt, sie strahlt buchstäblich vor Glück – und es erscheint mir heute töricht zu denken, dass ich die Quelle dieses Glücks gewesen bin. Die zweite Fotografie ist pornografisch, es ist die einzige pornografische Aufnahme, die ich von ihr aufbewahrt habe. Ihre Handtasche, von einem leuchtenden Rosa, steht neben ihr im Gras. Sie kniet vor mir und hat mein Geschlechtsteil in den Mund genommen, ihre Lippen sind um die Mitte meiner Eichel geschlossen. Sie hält die Augen geschlossen, und sie ist so auf diese Fellatio konzentriert, dass ihr Gesicht ausdruckslos ist, ihre Züge sind völlig rein, nie wieder habe ich eine solche Verkörperung der Hingabe gesehen.

Ich lebte seit zwei Monaten mit Camille zusammen und war seit etwas über einem Jahr in Clécy, als der Eigentümer des Hauses starb. Am Tag der Beerdigung regnete es, wie es in der Normandie im Januar oft der Fall ist, und nahezu das ganze Dorf war versammelt, fast ausschließlich ältere Menschen, er habe seine Zeit gehabt, hörte ich, als ich dem Trauerzug folgte, er habe ein gutes Leben gehabt, ich erinnerte mich daran, dass der Pfaffe aus dem etwa dreißig Kilometer entfernten Falaise war, mit der Entvölkerung, der Entchristianisierung und all den Dingen, mit denen man so »im Clinch« lag, hatte der arme Pfarrer ordentlich zu tun, er war ständig auf Achse, aber das hier war mal ein einfaches Begräbnis, der Verblichene habe die Sakramente nie vernachlässigt, seine Treue sei unverbrüchlich gewesen, ein wahrer Christ habe seine Seele in Gottes Hand gegeben, und, das könne er mit Gewissheit bestätigen: Sein Platz an der Seite des Vaters sei schon reserviert gewesen. Zwar dürften seine anwesenden Kinder gern weinen, denn Tränen zu spenden, sei dem Menschen gewährt, und es sei auch notwendig, doch sie hätten nichts zu fürchten, bald würden sie sich in einer besseren Welt wiederfinden, in der Tod, Leid und Tränen aufgehoben waren.

Die beiden besagten Kinder waren leicht zu erkennen, sie waren dreißig Jahre jünger als die Bevölkerung von Clécy, und ich spürte sofort, dass mir die Tochter etwas mitzuteilen hatte, etwas Schwieriges, ich wartete also in dem hartnäckigen, kalten Regen darauf, dass sie auf mich zukam, während langsam eine Schaufel Erde nach der anderen auf das Grab gestreut wurde, aber erst in dem Café, in dem sich die Trauergäste nach der Zeremonie versammelt hatten, konnte sie sich äußern. Nun, es tue ihr wirklich leid, mir das sagen zu müssen, aber ich würde ausziehen müssen, das Haus ihres Vaters sei auf Leibrentenbasis verkauft worden, und die holländischen Käufer wollten es nun rasch nutzen, es sei selten genug, dass auf Leibrentenbasis verkaufte Häuser vermietet würden, das geschehe nur im Fall eines Verkaufs, bei dem der Verkäufer die Nutznießungsrechte behalten hatte, in diesem Augenblick begriff ich, dass sie wirklich in finanziellen Schwierigkeiten steckten, auf Leibrente verkaufte Objekte werden so gut wie nie vermietet, vor allem aufgrund der Gefahr, dass der Mieter bei der Rückgabe der Mietgüter Schwierigkeiten machen könnte. Ich versuchte ihr gleich zu versichern, dass ich keine Schwierigkeiten machen würde, ich käme schon zurecht, ich hätte ein Gehalt, aber sei es bei ihnen wirklich schon so weit gekommen? Nun, ja, es sei so weit gekommen, ihr Mann habe seine Anstellung bei der Käserei Graindorge verloren, die in echten Schwierigkeiten stecke, und da waren wir wieder beim Kern meiner Arbeit, beim schändlichen Kern meiner Inkompetenz. Das 1910 in Livarot gegründete Unternehmen Graindorge hatte seine Palette nach dem Zweiten Weltkrieg um Camembert und Pont-l'Évêque erweitert und seine Glanzzeit gehabt (als unangefochtener Marktführer beim Livarot hatte man es bei der Herstellung der beiden anderen Käsesorten der normannischen Trilogie auf den zweiten Platz gebracht), bevor es Anfang der 2000er-Jahre in eine zunehmend steile Abwärtsspirale geraten war, die 2016 in der Übernahme durch Lactalis mündete, die weltweite Nummer eins auf dem Milchsektor.

Ich war vollkommen auf dem Laufenden über die Situation, aber ich erzählte der Tochter meines ehemaligen Vermieters nichts davon, weil es Momente gibt, in denen man besser die Schnauze hält, schließlich gab es keinen Grund, stolz auf irgendetwas zu sein, ich war daran gescheitert, dem Unternehmen ihres Mannes zu helfen und letztlich seinen Arbeitsplatz zu retten, aber ich versicherte ihr auf alle Fälle, sie habe nichts zu befürchten, ich würde das Haus schnellstmöglich räumen.

Ich hatte eine echte Zuneigung für ihren Vater empfunden und gespürt, dass er mich seinerseits mochte, hin und wieder hatte er mir ein Fläschchen vorbeigebracht, für die Alten ist der Alkohol eine wichtige Sache, viel mehr bleibt ihnen nicht. Seine Tochter war mir auf Anhieb sympathisch, und sie selbst hatte ihren Vater unwahrscheinlich geliebt, das merkte man, ihre Liebe war aufrichtig, ungeteilt, bedingungslos. Dennoch war uns kein Wiedersehen beschieden, und wir gingen in der Gewissheit auseinander, dass wir uns niemals wiedersehen würden, dass sich die Maklerfirma um die Einzelheiten kümmern würde. Dergleichen passiert einem im Leben ständig.

In Wirklichkeit hatte ich nicht die geringste Lust, allein in diesem Haus zu wohnen, in dem ich mit Camille zusammengelebt hatte, ich hatte auch nicht die geringste Lust, irgendwo anders zu leben, aber ich hatte keine Wahl mehr, ich musste handeln, ihr Praktikum neigte sich jetzt wirklich dem Ende zu, uns blieben nur noch ein paar Wochen und bald nur noch ein paar Tage. Das war offensichtlich der Grund, der vordringliche und beinahe einzige Grund für meinen Entschluss, nach Paris zurückzukehren, aber ich weiß nicht, welche männliche Schamhaftigkeit mich dazu brachte, andere Gründe anzuführen, wenn ich mit irgendjemand anderem und selbst mit ihr darüber sprach, glücklicherweise ließ sie sich nicht ganz täuschen, und wenn ich ihr von meinen beruflichen Ambitionen erzählte, sah sie mich mit einem zögerlichen und betrübten

Blick an, und es war tatsächlich bedauerlich, dass ich nicht den Mut hatte, einfach zu sagen: »Ich will zurück nach Paris, weil ich dich liebe und mit dir zusammenleben will«, sie musste bei sich denken, dass Männer ihre Beschränkungen hatten, ich war ihr erster Mann, aber ich glaube, sie hatte die männlichen Beschränkungen rasch und mühelos erfasst.

Im Übrigen waren diese Ausführungen über meine beruflichen Ambitionen nicht ganz und gar erlogen, in der DRAF waren mir die engen Grenzen meines Handlungsrahmens bewusst geworden, die wahre Macht saß in Brüssel oder zumindest in den Hauptverwaltungen, welche in enger Beziehung zu Brüssel standen, tatsächlich würde ich dorthin gehen müssen, wenn ich meinen Standpunkt zu Gehör bringen wollte. Nur waren die Stellen auf dieser Ebene rar, deutlich rarer als in einer DRAF, und ich brauchte fast ein Jahr, um meine Ziele zu erreichen, ein Jahr, in dem ich nicht den Mut aufbrachte, nach einer neuen Wohnung in Caen zu suchen, das Aparthotel Adagio war eine mittelmäßige, aber für vier Nächte in der Woche akzeptable Lösung, und dort zerstörte ich meinen ersten Rauchmelder.

Fast jeden Freitagabend gab es in der DRAF einen Umtrunk, es war unmöglich, mich dem zu entziehen, ich glaube, ich habe nicht ein einziges Mal den Zug um 17 Uhr 53 erwischt. Mit dem Zug um 18 Uhr 53 kam ich um 20 Uhr 46 am Gare Saint-Lazare an, wie schon gesagt, habe ich das Glück erlebt, und ich weiß ganz genau, worin es besteht. Alle Paare haben ihre kleinen Riten, unbedeutende, sogar ein wenig lächerliche Riten, von denen sie niemandem erzählen. Eines unserer Rituale bestand darin, das Wochenende einzuläuten, indem wir jeden Freitagabend in der Brasserie Mollard direkt gegenüber vom Bahnhof aßen. Es kommt mir vor, als hätte ich jedes Mal Wellhornschnecken mit Mayonnaise und Hummer Thermidor gegessen und als hätte es mir jedes Mal geschmeckt, ich hatte nie den Drang oder auch nur den Wunsch verspürt, den Rest der Karte zu erkunden.

In Paris hatte ich eine schöne Zweizimmerwohnung mit Blick auf den Innenhof zur Miete gefunden, sie lag in der Rue des Écoles, keine fünfzig Meter von der Einzimmerwohnung entfernt, in der ich zu meiner Studienzeit gewohnt hatte. Ich kann trotzdem nicht sagen, dass mich das gemeinsame Leben mit Camille an meine Studienzeit erinnert hätte; es war nicht mehr dasselbe, zunächst einmal war ich kein Student mehr, und vor allem war Camille anders, sie hatte nicht diese Laxheit an sich, diese Null-Bock-Haltung, die ich mir während meines Studiums an der Landwirtschaftlichen Hochschule zu eigen gemacht hatte. Es ist eine Plattitüde, dass Mädchen das Studium ernsthafter betreiben, und es ist mit Sicherheit eine zutreffende Plattitüde, aber da war auch noch etwas anderes, ich war nur zehn Jahre älter als Camille, aber etwas hatte sich unbestreitbar geändert, die Stimmung in dieser Generation war nicht mehr die gleiche, das fiel mir an allen ihren Studienkollegen auf, egal, welches Fach sie belegt hatten: Sie waren ernsthaft, strebsam, maßen ihrem akademischen Erfolg eine große Bedeutung zu, so als wüssten sie schon, dass ihnen dort draußen nichts in den Schoß fallen würde, dass die Welt, die sie erwartete, unwirtlich und hart war. Manchmal hatten sie das Bedürfnis, Dampf abzulassen, also besoffen sie sich in der Gruppe, aber selbst ihre Besäufnisse waren anders als die zu meiner Zeit: Sie betranken sich schonungslos, stürzten in rasender Geschwindigkeit enorme Alkoholmengen hinunter, wie um schnellstmöglich einen Zustand der Benommenheit zu erreichen, sie betranken sich genauso, wie es die Bergleute zur Zeit von *Germinal* getan haben mussten – dem entsprach auch das Comeback des Absinths, der einen atemberaubenden Alkoholgehalt erreichte und es tatsächlich erlaubte, sich in minimaler Zeit zuzuknallen.

Die Beziehung zu mir ging Camille genauso ernsthaft an wie ihr Studium. Ich will damit nicht sagen, dass sie streng oder steif gewesen wäre, sie war im Gegenteil sehr fröhlich, sie lachte beim geringsten Anlass, und in mancherlei Hinsicht war sie sogar außerordentlich kindlich geblieben, manchmal verschlang sie haufenweise Kinder Bueno, solche Dinge. Aber wir waren ein Paar, das war eine ernsthafte Angelegenheit, es war sogar die ernsthafteste Angelegenheit ihres Lebens, und ich war so erschüttert, dass es mir buchstäblich jedes Mal den Atem verschlug, wenn sie mich ansah und ich ihr die Schwere, die Tiefe ihrer Hingabe von den Augen ablas – eine Schwere, eine Tiefe, zu der ich mit neunzehn Jahren ganz und gar unfähig gewesen wäre. Vielleicht teilte sie auch diese Eigenschaft mit anderen jungen Leuten aus ihrer Generation – ich wusste, dass ihre Freunde um sie herum fanden, sie könne sich »glücklich schätzen, jemanden gefunden zu haben«, und der in gewisser Weise gesetzte, bürgerliche Charakter unserer Beziehung befriedigte ein tiefes Bedürfnis in ihr – die Tatsache, dass wir uns jeden Freitagabend in einer im Jugendstil eingerichteten Brasserie trafen statt in einer Tapas-Bar in der Rue Oberkampf erschien mir symptomatisch für den Traum, in dem wir zu leben versuchten. Die Außenwelt war hart, ohne Mitleid mit den Schwachen, sie hielt ihre Versprechen nie, und die Liebe blieb das Einzige, woran man vielleicht noch glauben konnte.

DOCH WARUM ZIEHT ES MICH zu diesen vergangenen Szenen, wie jemand einmal schrieb, ich will Träume, keine Tränen, fügte er hinzu, als hätte man die Wahl, es wird reichen, wenn ich sage, dass unsere Geschichte etwas über fünf Jahre dauerte, fünf glückliche Jahre sind schon beachtlich, so viel hatte ich sicherlich nicht verdient, und dass sie auf eine entsetzlich dämliche Art und Weise endete, so etwas sollte nicht geschehen, es geschieht trotzdem, es geschieht ständig. Gott ist ein mittelmäßiger Drehbuchschreiber, das ist die Überzeugung, zu der mich meine fast fünfzigjährige Existenz gebracht hat, Gott ist mittelmäßig, seine gesamte Kreation trägt das Mal des Ungefähren und des Misserfolgs, wo nicht schlichtweg der Bosheit, sicher gibt es Ausnahmen, die gibt es zwangsläufig, die Möglichkeit des Glücks muss weiterbestehen, *und sei es nur als Köder,* aber ich schweife ab, kommen wir auf mein Thema zurück, das ich selbst bin, nicht, dass das besonders interessant wäre, aber es ist nun einmal mein Thema.

In diesen Jahren hatte ich gewisse berufliche Erfolgserlebnisse, es gab sogar kurze Augenblicke – vor allem während meiner Reisen nach Brüssel –, in denen ich mich der Illusion hingab, ein bedeutender Mann zu sein. Wahrscheinlich war ich wichtiger als zu jener Zeit, da ich groteske Werbefeldzüge um den Livarot herum führte, ich spielte eine gewisse Rolle bei der Entwicklung der französischen Position innerhalb des europäischen Landwirtschaftsbudgets – doch selbst wenn dieses Budget das erste europäische Budget war und Frankreich als erstes Land davon profitierte, so war die Zahl der Landwirte, wie ich schon bald einsehen musste, einfach zu hoch, um den Abwärtstrend umzukehren, ich kam Schritt für Schritt zu der Einsicht, dass die französischen Landwirte schlicht verdammt waren. Und wie andere auch nabelte ich mich von der Arbeit ab, ich begriff, dass die Welt nicht zu den Dingen gehörte, die ich ändern konnte, andere waren ambitionierter, motivierter, wahrscheinlich intelligenter.

Ich befand mich auf einer meiner Reisen nach Brüssel, als mir der unselige Einfall kam, mit Tam zu schlafen. Der Einfall wäre übrigens so ziemlich jedem gekommen, glaube ich, sie war hinreißend, diese kleine Schwarze, vor allem ihr kleiner Hintern, nun ja, sie hatte einen hübschen kleinen schwarzen Hintern, das sagt ja schon alles, meine Verführungsmethode zielte übrigens direkt darauf ab, es war ein Donnerstagabend, und wir tranken im Grand Central ein Bier, eine Gruppe relativ junger Eurokraten, vielleicht brachte ich sie irgendwann mal zum Lachen, damals konnte ich so etwas, wie dem auch sei, als wir gingen, um den Abend in einem Laden an der Place du Luxembourg fortzusetzen, legte ich ihr die Hand auf den Hintern, an sich funktionieren diese einfachen Methoden schlecht, diesmal aber klappte es.

Tam gehörte der englischen Delegation an (England zählte damals noch zu Europa, oder zumindest gab es sich den Anschein), aber ursprünglich war sie aus Jamaika, glaube ich, oder vielleicht auch aus Barbados, jedenfalls von einer dieser Inseln, die scheinbar unendliche Mengen von Ganja, Rum und hübschen Schwarzen mit kleinen Ärschen hervorbringen können, lauter Dinge, die das Leben erleichtern, ohne es zum Schicksal zu machen. Ich muss dazusagen, dass sie blies »wie eine Königin«, wie man zumindest in gewissen Milieus bizarrerweise sagt, und mit Sicherheit deutlich besser als die Königin von England, nun ja, ich bestreite es nicht, ich hatte eine angenehme Nacht, sehr angenehm sogar, aber war es ratsam, es noch einmal zu tun?

Denn ich tat es noch einmal, bei einer ihrer Reisen nach Paris, von Zeit zu Zeit kam sie nach Paris, ich habe nicht die geringste Ahnung, wieso, bestimmt nicht zum Shopping, die Pariserinnen fahren zum Shopping nach London, nie andersherum, gut, die Touristen müssen auch ihre Gründe haben, kurz gesagt: Ich traf sie in ihrem Hotel im Viertel Saint-Germain, und als ich Hand in Hand mit ihr das Hotel verließ und auf die Rue de Buci trat, wahrscheinlich diesen leicht dümmlichen Ausdruck eines Mannes, der gerade einen Orgasmus hatte, auf dem Gesicht, sah ich mich Auge in Auge mit Camille, was sie in diesem Viertel machte, weiß ich auch nicht, ich habe ja gesagt, es ist eine dämliche Geschichte. In dem Blick, mit sie mich ansah, lag nichts als Angst, es war ein Blick des reinen Schreckens; dann drehte sie sich um und ergriff die Flucht, sie ergriff buchstäblich die Flucht. Ich brauchte einen Moment, um mich von dem Mädchen zu befreien, aber ich bin mir fast sicher, dass ich höchstens fünf Minuten nach ihr in der Wohnung ankam. Sie machte mir keinen einzigen Vorwurf, sie zeigte keinerlei Anzeichen von Wut, es war viel schrecklicher: Sie begann zu weinen. Stundenlang weinte sie leise vor sich hin, die Tränen strömten über ihr Gesicht, ohne dass sie daran gedacht hätte, sie wegzuwischen; es war der schlimmste Moment meines Lebens, darüber gibt es keinen Zweifel. Mein Gehirn arbeitete langsam, verschwommen auf der Suche nach einer Formulierung wie »Wir werden doch wegen so einer Sexkiste nicht alles kaputtmachen« oder »Ich empfinde nichts für dieses Mädchen, ich war betrunken« (was aufs erste Mal zutraf, aufs zweite Mal offenkundig nicht), aber nichts erschien mir geeignet, nichts angemessen. Am Tag darauf weinte sie weiter, während sie ihre Sachen packte und ich mir den Kopf über eine angemessene Formulierung zerbrach, um ehrlich zu sein, habe ich mir noch zwei oder drei Jahre danach den Kopf über eine angemessene Formulierung zerbrochen, wahrscheinlich habe ich sogar niemals damit aufgehört.

Danach setzte sich mein Leben ohne nennenswerte Ereignisse fort – von Yuzu habe ich schon erzählt –, und dann war ich mit einem Mal allein, so allein wie nie zuvor, gut, ich hatte Hummus, angemessen für einsame Freuden, aber die Festtage sind heikler, da hätte es eine Platte mit Meeresfrüchten gebraucht, aber so etwas teilt man, eine Platte mit Meeresfrüchten allein, das ist eine Grenzerfahrung, selbst Françoise Sagan hätte derlei nicht schildern können, das ist wirklich zu krass.

Blieb noch Thailand, aber ich spürte, das könnte ich nicht, mehrere Kollegen hatten mir davon erzählt, reizende Mädchen seien das, aber sie hätten trotzdem einen gewissen Berufsstolz, und ein Kunde, der keinen hochkriege, so etwas schätzten sie nicht besonders, sie fühlten sich infrage gestellt, jedenfalls wollte ich keinen Zwischenfall provozieren.

Im Dezember 2001, unmittelbar nach meinem Treffen mit Camille, sah ich mich zum ersten Mal im Leben mit jenem wiederkehrenden, unvermeidlichen Drama der Festtage konfrontiert – meine Eltern waren im Juni gestorben, was gab es zu feiern? Camille war in der Nähe ihrer Eltern geblieben, sie aß sonntags oft bei ihnen zu Mittag, sie wohnten in Bagnoles-de-l'Orne, etwa fünfzig Kilometer entfernt. Ich spürte von Anfang an, dass mein Schweigen zu diesem Thema Camille beschäftigte, aber sie sprach mich nicht darauf an, sie wartete, bis ich das Thema selbst anging. Eine Woche vor Weihnachten tat ich es schließlich, ich erzählte ihr vom Selbstmord meiner Eltern. Es war ein Schock für sie, das merkte ich sofort, ein heftiger Schock; es gibt Dinge, über die man mit neunzehn noch nicht viel hat nachdenken können, Dinge, über die man tatsächlich nicht nachdenkt, solange einen das Leben nicht dazu zwingt. Das war der Moment, in dem sie mir anbot, die Zeit zwischen den Jahren gemeinsam mit ihr zu verbringen.

Es ist immer ein heikler, unangenehmer Moment, wenn man den Eltern vorgestellt wird, aber dem Blick, mit dem sie mich ansah, entnahm ich sofort eine klare Tatsache: Auf keinen Fall würden ihre Eltern ihre Wahl hinterfragen, das würde ihnen gar nicht in den Sinn kommen; sie hatte sich für mich entschieden, ich gehörte zur Familie, so einfach war das.

Was die Da Silvas dazu gebracht hatte, sich in Bagnoles-de-l'Orne niederzulassen, würde mir bis zuletzt verborgen bleiben und ebenso, wie es Joaquim Da Silva – von Haus aus schließlich ein einfacher Bauarbeiter – gelungen war, zum Betreiber des wichtigsten, ja sogar einzigen Kiosks von Bagnoles-de-l'Orne zu werden, der sich einer bemerkenswerten Lage am

Ufer des Sees erfreute. Die Lebenserzählungen von Menschen aus unmittelbar vorangegangenen Generationen halten oft solche Konstellationen bereit, in denen man das Wirken eines fast schon mythisch gewordenen, einst als »Fahrstuhleffekt« bekannten Dispositivs beobachten kann. Jedenfalls hatte Joaquim Da Silva dort mit seiner ebenfalls portugiesischen Frau zusammengelebt, ohne zurückzuschauen, er hatte nie den Traum gehegt, in sein Geburtsland Portugal zurückzukehren, und er hatte zwei Kindern das Leben geschenkt: Camille und dann viel später Kevin. Ich selbst war so französisch, wie man es nur sein konnte, und hatte nichts zu diesen Themen beizusteuern, das Gespräch war dennoch leicht und angenehm, mein Beruf interessierte Joaquim Da Silva, der wie jedermann einen landwirtschaftlichen Hintergrund hatte, seine Eltern hatten im Alentejo irgendetwas anzubauen versucht, er stand der immer ungeheuerlicheren Not der Bauern seiner Region nicht gleichgültig gegenüber, mitunter war selbst er, der Betreiber eines Kiosks, nicht weit davon entfernt, sich als *privilegiert* zu betrachten. Tatsächlich arbeitete er zwar viel, aber immer noch weniger als ein durchschnittlicher Bauer; tatsächlich verdiente er nicht viel, aber immer noch mehr als ein solcher. Gespräche über die Ökonomie ähneln stets ein wenig Gesprächen über Wirbelstürme oder Erdbeben; sie enden ziemlich schnell, weil man nicht mehr versteht, worüber man spricht, man hat den Eindruck, eine obskure Gottheit zu beschwören, und dann gießt man sich Champagner nach, an Festtagen ist es ja immer Champagner, ich hatte während des Aufenthalts bei Camilles Eltern hervorragend gegessen und war ganz allgemein sehr gut aufgenommen worden, sie waren reizend gewesen. Aber ich glaube, meine Eltern hätten sich auch gut geschlagen, auf eine zwar etwas, aber letztlich nicht sehr viel bürgerlichere Art, sie verstanden es, dafür zu sorgen, dass man sich wohlfühlte, ich hatte das so manches Mal beobachten können, in der Nacht vor unserer Abreise träumte ich, Camille sei bei meinen Eltern in Senlis zu Gast, und nach dem Aufwachen hätte ich fast mit ihr darüber gesprochen, bevor mir bewusst wurde, dass sie tot waren, ich hatte schon immer Schwierigkeiten mit dem Tod, das ist eine Charaktereigenschaft von mir.

Ich würde trotzdem gern versuchen, und sei es nur einem ungewöhnlich aufmerksamen Leser zuliebe, folgende Themen ein klein wenig zu erhellen: Warum wollte ich Camille wiedersehen? Warum verspürte ich den Drang, Claire wiederzusehen? Und selbst die dritte, die Magersüchtige mit den Leinsamen, deren Vorname mir gerade nicht einfällt, aber vom Leser, wenn er so aufmerksam ist, wie ich glaube, ergänzt werden wird, warum hatte ich den Wunsch, sie wiederzusehen?

Die meisten Sterbenden (das heißt, abgesehen von jenen, die sich auf die Schnelle auf einem Parkplatz oder im Heimkino umbringen) organisieren eine Art Zeremoniell um ihr Dahinscheiden herum; sie möchten gern ein letztes Mal jene Menschen wiedersehen, die in ihrem Leben eine Rolle gespielt haben, und sie möchten gern letzte Gespräche von unterschiedlicher Dauer mit ihnen führen. Das ist ihnen sehr wichtig, ich habe es wiederholte Male beobachtet, sie sind beunruhigt, wenn sie die Person nicht telefonisch erreichen, sie wollen das Treffen schnellstmöglich herbeiführen, was ja auch durchaus verständlich ist, ihnen bleiben nur noch ein paar Tage, die genaue Anzahl hat ihnen niemand genannt, aber es sind jedenfalls nicht viele, nur einige wenige. Die Palliativpflegeeinheiten (zumindest jene, die ich bei ihrer Arbeit beobachten konnte, was in meinem Alter nicht wenige sind) begegnen diesen Gesuchen kompetent und voller Menschlichkeit, es sind bewundernswerte Menschen, sie gehören zum knappen und beherzten Kontingent jener »bewundernswerten kleinen Leute«, die in einer Zeit allgemeiner Unmenschlichkeit und Beschissenheit das Funktionieren der Gesellschaft gewährleisten.

Auf die gleiche Weise versuchte ich wahrscheinlich in einem kleineren, aber zu Übungszwecken geeigneten Maßstab ein Miniatur-Zeremoniell zum Abschied von meiner Libido oder, genauer gesagt, von meinem Schwanz zu organisieren, sobald er mir signalisieren würde, dass er sich anschickte, den Betrieb einzustellen; ich wollte all die Frauen wiedersehen, die ich geehrt, die ich auf ihre Art geliebt hatte. Die beiden Zeremonielle in meinem Fall, das kleine und das große, würden im Übrigen nahezu identisch sein, Männerfreundschaften hatten in meinem Leben kaum eine Rolle gespielt, im Grunde war da nur Aymeric gewesen. Er ist seltsam, dieser Wunsch, Bilanz zu ziehen, sich im allerletzten Augenblick davon zu überzeugen, dass man gelebt hat; oder vielleicht auch gar nicht, das Gegenteil ist schauderhaft und sonderbar, es ist schauderhaft und sonderbar, wenn man an all die Männer, an all die Frauen denkt, die nichts zu erzählen haben, die sich nie ein anderes künftiges Schicksal ausgemalt haben, als sich in einem vagen biologischen und technischen Kontinuum aufzulösen (denn die Asche ist eine technische Angelegenheit, selbst wenn sie nur als Dünger dienen soll, muss man den Kalium- und Stickstoffgehalt bemessen), all jene letztendlich, deren Leben ohne äußere Störungen abgelaufen ist und die es gedankenlos beenden, so wie man einen Urlaubsaufenthalt beendet, der insgesamt allenfalls in Ordnung war, ohne darüber hinaus die Vorstellung eines weiteren Ziels zu haben, nur mit der vagen Ahnung ausgestattet, dass es besser gewesen wäre, nicht geboren zu werden, ich rede kurzum vom größten Teil aller Männer und Frauen.

Begleitet von einem deutlichen Gefühl der Hoffnungslosigkeit, reservierte ich daher im Hotel Spa du Béryl am Ufer des Sees von Bagnoles-de-l'Orne ein Zimmer für die Nacht vom 24. auf den 25. und machte mich am Morgen des 24. auf den Weg, es war ein Sonntag, die meisten waren wohl freitagabends oder spätestens in den Morgenstunden des Samstags losgefahren, die Autobahn war leer bis auf die unvermeidlichen lettischen und bulgarischen Fernlaster. Den größten Teil der Fahrt verbrachte ich mit der Ausarbeitung einer Erzählung für die Rezeptionistin, für das Zimmerpersonal, falls sich dort welches finden sollte: Das geplante Familienfest sei von einem solchen Ausmaß, dass sich mein Onkel (es finde bei meinem Onkel statt, aber alle Familienzweige würden anwesend sein, ich würde wohl Cousins wiedersehen, die ich seit Jahren oder gar Jahrzehnten aus den Augen verloren hätte) außerstande gesehen habe, allen Unterschlupf zu bieten, also hätte ich mich geopfert, die Nacht im Hotel zu verbringen. Ich fand, das sei eine ausgezeichnete Geschichte, und ich fing allmählich an, sie selbst zu glauben; um ihre Stimmigkeit aufrechtzuerhalten, durfte ich natürlich nichts beim Zimmerservice bestellen, und ich kaufte noch kurz vor dem Ziel an der Raststätte Pays d'Argentan Lebensmittel aus der Gegend (Livarot, Cidre, Pommeau, Kuttelwurst).

Ich hatte einen Fehler gemacht, einen riesigen Fehler, mein Zwischenstopp am Gare Saint-Lazare war schon schmerzlich gewesen, aber dort hatte ich vor allem das Bild von Camille im Kopf gehabt, die den Bahnsteig entlanggerannt kam, um sich atemlos in meine Arme zu stürzen. Das hier war schlimmer, es war um einiges schlimmer, noch bevor ich in Bagnoles-de-l'Orne ankam, fiel mir mit einer halluzinatorischen Klarheit alles wieder ein, als ich durch den Staatsforst von Andaines fuhr, in dem ich mit ihr einen so langen Spaziergang unternommen hatte, einen langen, nicht enden wollenden und in gewissem Sinne ewigen Spaziergang an einem Dezembernachmittag, wir waren außer Atem und mit roten Wangen zurückgekehrt, in einem Maße glücklich, wie ich es mir heute gar nicht mehr vorstellen kann, wir hatten bei einem »Schokoladenfabrikanten« haltgemacht, der neben einem entsetzlich sahnigen Kuchen, den er »Paris-Bagnoles« getauft hatte, auch Camembert-Imitate aus Schokolade anbot.

So ging es weiter, mir blieb nichts erspart, und ich erkannte das sonderbare Türmchen mit dem weiß-roten Schachbrettmuster, das über dem Restaurant-Hotel La Potinerie du Lac (Spezialität Tartiflette) aufragte, ebenso wieder wie das merkwürdige, mit Ziegeln in allen erdenklichen Farben geschmückte Haus aus der Zeit der Belle Époque, das beinahe daranstieß, ich erinnerte mich noch an die gekrümmte kleine Brücke, die die Seespitze überspannte, und an den Druck von Camilles Hand, die sie auf meinen Unterarm legte, wodurch sie mich auf die Bewegung der über das Wasser gleitenden Schwäne aufmerksam machen wollte, das war am 31. Dezember gewesen, im Abendrot.

Es wäre falsch zu sagen, ich hätte in Bagnoles-de-l'Orne angefangen, Camille zu lieben, wie schon gesagt, hatte das am Ende von Bahnsteig C im Bahnhof von Caen begonnen. Aber es gibt nicht den geringsten Zweifel daran, dass sich im Laufe dieser zwei Wochen etwas zwischen uns vertieft hatte. Das Eheglück meiner Eltern hatte ich in meinem Innersten immer als unerreichbar empfunden, zunächst einmal weil meine Eltern sonderbare Leute waren, die ein Unbehagen an ihrer irdischen Existenz verspürten und im wahren Leben kaum als Vorbild dienen konnten, aber auch weil ich dieses Ehemodell in gewisser Weise für abgeschafft hielt, meine Generation hatte dem ein Ende gesetzt, das heißt, nicht meine Generation, meine Generation war gar nicht dazu in der Lage, irgendetwas abzuschaffen, geschweige denn irgendetwas wiederaufzubauen, sagen wir, die vorangegangene Generation, ja, die vorangegangene Generation war gewiss schuld, wie dem auch sei, Camilles Eltern verkörperten in ihrer Eigenschaft als ganz gewöhnliches Paar ein leicht verständliches Beispiel, ein unmittelbares, schlagkräftiges und starkes Beispiel.

Im Hier und Jetzt legte ich die kurzen hundert Meter zurück, die mich von dem Kiosk trennten. An einem Sonntagnachmittag, dem 24. Dezember, war er natürlich geschlossen, aber ich erinnerte mich, dass die Wohnung ihrer Eltern direkt darüber lag. Die Wohnung war erleuchtet, strahlend hell erleuchtet, und natürlich kam es mir vor, als strahlte sie *vor Glück,* schwer zu sagen, wie lange ich dort stehen blieb, in Wirklichkeit wahrscheinlich nicht lange, aber mir kam es wie eine Ewigkeit vor, vom See stieg schon dichter Nebel auf. Wahrscheinlich begann es langsam kalt zu werden, aber ich spürte es immer nur kurz und gewissermaßen oberflächlich, auch in Camilles Zimmer brannte Licht, dann verlosch es, meine Gedanken lösten sich in wirre Erwartungen auf, wobei mir durchaus bewusst war, dass es keinen Grund gab, dass Camille das Fenster öffnen sollte, um den Abendnebel einzusaugen, nicht den geringsten, und ich wünschte es mir nicht einmal, ich war zufrieden damit, mir der neuen Gestalt meines Lebens vollauf bewusst zu werden und auch, mit einem gewissen Schrecken, der Tatsache, dass meine Reise vielleicht nicht allein dem Andenken diente; dass diese Reise vielleicht auf eine Weise, die ich schon bald erkennen sollte, in Richtung einer möglichen Zukunft führen würde. Mir blieben ein paar Jahre, um darüber nachzudenken; ein paar Jahre oder ein paar Monate, ich wusste es nicht genau.

Das Spa du Béryl machte einen erbärmlichen Eindruck; von allen Möglichkeiten (und es waren nicht wenige gewesen, im Dezember in Bagnoles-de-l'Orne) hatte ich die schlechteste gewählt, schon die Bauweise war inmitten von hinreißenden Belle-Époque-Häusern die einzige, die die ansonsten harmonischen Ufer des Sees verunstaltete, und ich traute mich nicht, meine Geschichte der Rezeptionistin aufzutischen, die bei meinem Anblick nur Anzeichen von Überraschung und sogar unverhohlener Feindseligkeit gezeigt hatte, und tatsächlich konnte man sich fragen, was ich dort machte, wobei es das durchaus gab, einsame Gäste am Weihnachtsabend, im Leben einer Rezeptionistin gab es alles, ich war nur eine besonders unglückliche Existenz; förmlich erleichtert über die Anonymität des Check-in-Vorgangs, begnügte ich mich mit einem Kopfnicken, als sie mir den Zimmerschlüssel gab. Ich hatte zwei ganze Kuttelwürste gekauft, und die Mitternachtsmesse würde sicherlich im Fernsehen übertragen werden, ich war nicht schlecht dran.

Tatsächlich gab es für mich in Bagnoles-de-l'Orne nach einer Viertelstunde nichts mehr zu tun; am Tag darauf nach Paris zurückzufahren, erschien mir allerdings unklug. Ich hatte die Hürde des 24. genommen, aber es galt noch die des 31. zu überwinden – was Doktor Azote zufolge noch schwieriger war.

Man sinkt in die Vergangenheit ein, man beginnt in sie einzusinken, und dann scheint es, als würde man von ihr verschlungen und als könnte nichts mehr diesem Verschlungenwerden Einhalt gebieten. In den Jahren nach meinem Besuch hatte ich mehrmals von Aymeric gehört, aber die Neuigkeiten beschränkten sich im Wesentlichen auf Geburten: zuerst Anne-Marie, drei Jahre später dann Ségolène. Über den Zustand seines Landwirtschaftsbetriebs sprach er nie mit mir, woraus ich schloss, dass er immer noch zu wünschen übrig ließ, ja dass er sich verschlechtert hatte; bei Leuten mit einem gewissen Erziehungshintergrund entsprechen keine Nachrichten zwangsläufig schlechten Nachrichten. Vielleicht gehörte auch ich zu dieser unglückseligen Kategorie wohlerzogener Leute: Meine ersten E-Mails nach meiner Begegnung mit Camille waren voller Begeisterung gewesen, über unsere Trennung hatte ich geschwiegen; dann war der Kontakt ganz abgebrochen.

Die Seite der Ehemaligen der Landwirtschaftlichen Hochschule war inzwischen online, und an Aymerics Leben schien sich nichts geändert zu haben: Er hatte noch immer dieselbe Tätigkeit, dieselbe Anschrift, dieselbe E-Mail-Adresse, dieselbe Telefonnummer. Und doch merkte ich gleich, als ich seine Stimme hörte – erschöpft, schleppend, er beendete seine Sätze mit Mühe und Not –, dass sich *irgendetwas* geändert hatte. Ich könne jederzeit vorbeikommen, auch heute Abend, warum nicht, er könne mich problemlos unterbringen, wenn auch unter veränderten Bedingungen, nun ja, er werde es mir schon erklären.

Zwischen Bagnoles-de-l'Orne und Canville-la-Rocque fuhr ich langsam, sehr langsam über verlassene und neblige Landstraßen von der Orne bis zum Kanal – es war schließlich der 25. Dezember. Ich machte ziemlich oft halt und versuchte mich zu erinnern, warum ich da war, aber es gelang mir nicht ganz, die Nebelbänke hingen über den Weiden, nicht eine Kuh war zu sehen. Man hätte meine Reise wohl als »poetisch« bezeichnen können, aber das Wort vermittelt einen unangenehmen Eindruck von Beiläufigkeit, von Vergänglichkeit. Am Steuer meines Mercedes-Geländewagens, der sanft über die flachen Straßen rollte, war mir, obwohl die Heizung eine angenehme Wärme verströmte, eines ausgesprochen bewusst: Es gibt auch eine tragische Poesie.

Das Schloss Olonde hatte seit meinem letzten Besuch fünfzehn Jahre zuvor unter keinem offensichtlichen Verfall gelitten; im Inneren sah das anders aus, und das Speisezimmer, ehemals ein gemütlicher Raum, war zu einer finsteren und schmutzigen, übel riechenden Kammer geworden, in der hier und dort verstreute Schinkenverpackungen und Cannelloni-mit-Soße-Dosen herumlagen. »Ich habe nichts zu essen da« waren die Worte, mit denen Aymeric mich begrüßte. »Ich habe noch eine Kuttelwurst übrig«, erwiderte ich; so verlief also mein Wiedersehen mit dem Mann, der mein bester Freund gewesen war, der es in gewisser Weise (aber eher aus Mangel an Alternativen) noch immer war.

»Was willst du trinken?«, setzte er hinzu; Getränke wiederum schien es im Überfluss zu geben, bei meiner Ankunft war er gerade dabei, eine Flasche Zubrowka zu leeren, ich gab mich mit einem Chablis zufrieden. Er war zudem dabei, die Einzelteile einer Schusswaffe zu schmieren und wieder zusammenzusetzen, die ich als ein Sturmgewehr identifizierte, weil ich sie schon in verschiedenen Fernsehserien gesehen hatte. »Das ist eine Schmeisser S4 Kaliber .223 Remington«, erläuterte er unaufgefordert. Um die Stimmung zu heben, schnitt ich ein paar Scheiben Kuttelwurst ab. Er hatte sich äußerlich verändert, sein Gesicht war dicklich und geädert, aber das Unheimliche war vor allem sein Blick, ein hohler, toter Blick, den man offenbar immer nur für ein paar Sekunden davon ablenken konnte, zurück in die Leere zu schweifen. Es erschien mir unnütz, die geringste Frage zu stellen, das Wesentliche hatte ich schon begriffen, dennoch mussten wir versuchen, ein Gespräch zu führen, der Drang zu schweigen lastete letztlich doch auf uns, wir gossen uns regelmäßig nach, er Wodka, ich Wein, wiegten den Kopf hin und her, ermattete Mittvierziger. Irgendwann setzte er meiner Beklommenheit ein Ende, indem er abschließend sagte: »Wir reden morgen.«

Er bahnte mir am Steuer seines Nissan Navara einen Weg. Ich folgte ihm fünf Kilometer lang auf einer schmalen, holperigen Straße, die kaum breit genug war, Dornenbüsche kratzten an unseren Karosserien entlang. Dann stellte er den Motor ab und stieg aus, ich gesellte mich zu ihm: Wir befanden uns am höchsten Punkt eines weiten Halbrunds, dessen Grashang sanft zum Meer abfiel. In der Ferne ließ der Vollmond die Wellen auf der Oberfläche des Ozeans glitzern, aber man konnte gerade eben die Bungalows ausmachen, die in regelmäßigen Abständen von etwa hundert Metern über den Hang verteilt waren. »Ich habe insgesamt vierundzwanzig Bungalows«, sagte Aymeric. »Wir haben letztlich nie die Bezuschussung bekommen, um das Schloss in ein Boutique-Hotel umzuwandeln, die fanden, mit Schloss Bricquebec sei der nördliche Ärmelkanal abgedeckt, also haben wir uns auf dieses Bungalow-Projekt verlagert. Es läuft gar nicht so schlecht, eigentlich ist es das Einzige, was mir ein bisschen Kohle einbringt, die ersten Gäste kommen mit den Brückentagen im Mai, einmal waren wir sogar im Juli ausgebucht. Im Winter steht natürlich alles leer – das heißt, nein, ein Bungalow ist vermietet, an einen einzelnen Typen, einen Deutschen, ich glaube, er interessiert sich für Ornithologie, ab und zu sehe ich ihn mit Feldstecher und Teleobjektiven auf den Wiesen, er wird dich nicht stören, ich glaube, er hat mich kein einziges Mal angesprochen, seit er hier ist, er nickt mir im Vorbeigehen zu, und das war's.«

Aus der Nähe betrachtet, waren die Bungalows rechteckige Klötze, fast würfelförmig und mit lackierten Kiefernlatten verkleidet. Auch innen bestanden sie aus hellem Holz, das Zimmer war relativ weiträumig: ein Doppelbett, ein Sofa, ein Tisch mit vier Stühlen – ebenfalls aus Holz –, eine Kochnische und ein Kühlschrank. Aymeric schaltete den Stromzähler wieder ein. Über dem Bett hing an einem Gelenkarm ein kleiner Fernseher. »Ich habe den gleichen noch mal mit Kinderzimmer und

Doppelstockbett und mit zwei Kinderzimmern und vier Zustellbetten; angesichts der abendländischen Bevölkerungsentwicklung sollte das reichen. Leider habe ich kein Wi-Fi«, sagte er bedauernd. Ich gab ein gleichgültiges Brummen von mir. »Ich verliere dadurch nicht wenige Gäste«, fuhr er fort. »Bei vielen ist das die erste Frage, der Ausbau des ländlichen Breitbandnetzes zieht sich hier am Kanal ein bisschen hin. Zumindest sind sie gut geheizt«, sagte er und zeigte auf den Elektro-Radiator. »Darüber hat es noch nie Klagen gegeben, wir haben beim Bau auf die Isolation geachtet, das ist der wichtigste Punkt.«

Er verstummte abrupt. Ich spürte, dass er kurz davor war, über Cécile zu reden, ich schwieg auch, wartete ab. »Wir reden morgen miteinander«, wiederholte er mit erstickter Stimme. »Ich wünsche dir eine gute Nacht.«

Ich streckte mich auf dem Bett aus und schaltete den Fernseher ein, das Bett war bequem, komfortabel, die Zimmertemperatur wurde rasch milder, er hatte recht, die Heizung funktionierte gut, es war nur etwas schade, dass ich allein war, das Leben ist nicht einfach. Das Fenster war sehr groß, beinahe eine Glaswand, gewiss um vom Ausblick auf den Ozean zu profitieren, der Vollmond beleuchtete weiter die Wasseroberfläche, die mir seit unserer Ankunft merklich näher gerückt zu sein schien, das war vermutlich ein Gezeitenphänomen, ich kenne mich da nicht aus, ich bin in Senlis aufgewachsen und habe die Ferien in den Bergen verbracht, später war ich mal mit einem Mädchen zusammen, dessen Eltern eine Villa in Juan-les-Pins hatten, eine kleine Vietnamesin, die ihre Muschi unglaublich stark anspannen konnte, o nein, ich habe im Leben nicht nur Unglück gehabt, aber meine Erfahrung mit den

Gezeiten ist mehr als eingeschränkt geblieben, es war merkwürdig, diese riesigen Wassermassen zu spüren, die ruhig anstiegen, um die Erde wieder zu bedecken, im Fernsehen lief *On n'est pas couché,* die überdrehte Talksendung stand im Gegensatz zur langsamen Ausbreitung des Ozeans, es waren zu viele Moderatoren, und sie redeten zu laut, der Lautstärkepegel dieser Sendung war insgesamt übertrieben hoch, ich schaltete den Fernseher aus, bereute es aber sofort, jetzt hatte ich das Gefühl, dass mir ein Stück Weltwirklichkeit fehlte, dass ich mich vor der Geschichte zurückzog und dass das, was mir fehlte, vielleicht unentbehrlich war, die Zusammenstellung der Talkgäste war tadellos, es waren *bedeutende Menschen,* da war ich mir sicher. Mit einem Blick aus dem Fenster stellte ich fest, dass sich das Wasser auf eine nahezu beunruhigende Weise noch weiter genähert zu haben schien, würden wir im Lauf der nächsten Stunde verschlungen werden? In dem Fall könnte man sich auch ein wenig ablenken. Schließlich setzte ich der Sache ein Ende, schaltete den Fernseher wieder ein, drehte den Ton ab und merkte gleich, dass ich die richtige Entscheidung getroffen hatte, so war es gut, die Überdrehtheit der Sendung blieb erhalten, aber die Unhörbarkeit des Gesagten steigerte im Grunde das Vergnügen, es war, als würde man kleinen, leicht verrückten, aber drolligen Medienfiguren zusehen, gewiss würden sie mir helfen, in den Schlaf zu finden.

DER SCHLAF KAM TATSÄCHLICH, doch es war kein guter Schlaf, meine Nacht war von düsteren, zuweilen erotischen, im Ganzen aber düsteren Träumen erschüttert, inzwischen fürchtete ich mich vor meinen Nächten, fürchtete mich davor, dass mein Geist unkontrolliert bewegte, denn meinem Geist war bewusst, dass sich meine Existenz nun dem Tod zuwandte, und er ließ keine Gelegenheit verstreichen, mich daran zu erinnern. Im Traum ruhte ich halb liegend, halb im Boden vergraben auf einem Abhang mit einem schmierigen, weißlichen Boden; mein Verstand sagte mir, ohne dass etwas an der Landschaft darauf hingedeutet hätte, dass wir uns in einem Mittelgebirge befanden; um mich herum breitete sich, so weit das Auge reichte, ein watteartiger, ebenfalls weißlicher Dunstkreis aus. Wiederholt und beständig stieß ich schwache Rufe aus, die nicht das geringste Echo erzeugten.

Gegen neun Uhr morgens klopfte ich vergebens an die Tür des Schlosses. Nach kurzem Zögern ging ich zum Stall, auch dort war Aymeric nicht. Die Kühe blicken mir neugierig nach, als ich zwischen den Boxen hindurchging. Ich steckte die Hand durch die Gitterstäbe, um ihre Schnauzen zu streicheln; sie fühlten sich feuchtwarm an. Ihr Blick war lebhaft, sie wirkten robust und gesund; was für Schwierigkeiten er auch haben mochte, er schaffte es noch, sich um seine Tiere zu kümmern, das war beruhigend.

Das Büro war offen und der Computer eingeschaltet. In der Menüleiste erkannte ich das Firefox-Symbol. Es war nicht so, dass ich viele Gründe gehabt hätte, ins Internet zu gehen; ich hatte genau einen.

Neben dem Ehemaligenverzeichnis der Landwirtschaftlichen Hochschule war jetzt auch das von Maisons-Alfort online, und ich brauchte etwas weniger als fünfzig Sekunden, um Camilles Eintrag zu finden. Sie hatte sich als Tierärztin selbstständig gemacht, ihre Praxis befand sich in Falaise, dreißig Kilometer von Bagnoles-de-l'Orne entfernt. Sie war nach unserer Trennung also wieder in die Nähe ihrer Familie gezogen; das hätte ich ahnen können.

Der Eintrag enthielt nur die Adresse und Telefonnummer ihrer Praxis, es gab keinerlei persönliche Informationen. Ich druckte ihn aus und faltete das Blatt zweimal, bevor ich es in eine Tasche meines Kolanis steckte, ohne genau zu wissen, was ich damit tun wollte, oder besser gesagt ohne zu wissen, ob ich den Mut haben würde, es zu tun, aber wohl wissend, dass mein Leben davon abhing.

Auf dem Rückweg zu meinem Bungalow begegnete ich dem deutschen Ornithologen, das heißt, ich wäre ihm beinahe begegnet. Als er mich aus einer Entfernung von etwa dreißig Metern kommen sah, erstarrte er und hielt ein paar Sekunden lang inne, bevor er einen ansteigenden Weg zur Linken einschlug. Er hatte einen Rucksack dabei und trug einen Fotoapparat mit einem riesigen Teleobjektiv an einem Gurt um den Hals. Er marschierte mit schnellen Schritten, ich blieb stehen, um seinen Weg zu verfolgen: Er stieg fast bis zur Kuppe des Hangs hinauf, der an dieser Stelle ziemlich steil war, dann lief er dort oben fast einen Kilometer weit, bevor er wieder schräg zu seinem Bungalow hinabstieg, der etwa hundert Meter von meinem entfernt war. Er hatte also einen viertelstündigen Umweg gemacht, bloß um nicht mit mir sprechen zu müssen.

Der Umgang mit Vögeln musste einen Reiz besitzen, der mir bisher verborgen geblieben war. Es war der 26. Dezember, die Geschäfte müssten geöffnet sein. Tatsächlich konnte ich in einer Waffenhandlung in Coutances ein starkes Fernglas der Marke Schmidt & Bender erwerben, das, so erklärte mir der nette homosexuelle Verkäufer mit einem leichten Sprachfehler, der ihn ein wenig wie einen Chinesen klingen ließ, »mit Sichelheit beste auf dem Malkt, wilklich unvelgleichlich gut«: Das optische System von Schneider-Kreuznach habe eine herausragende Akutanz, und das Fernglas nutze einen effizienten Restlichtverstärker: Selbst im Morgengrauen, selbst in der Dämmerung, selbst bei starkem Nebel könne ich mir sicher sein, problemlos eine fünfzigfache Vergrößerung zu erreichen.

Den restlichen Tag verbrachte ich damit, die mit ruckartigen, mechanischen Bewegungen über den Strand laufenden Vögel zu beobachten (das Meer hatte sich kilometerweit zurückgezogen, mit Mühe konnte man es in der Ferne erkennen, es war einer riesigen grauen Fläche gewichen, übersät mit unregelmäßigen Lachen schwarz erscheinenden Wassers, eine wahrlich unheimliche Landschaft). Er war interessant, dieser naturkundliche Nachmittag, er erinnerte mich ein wenig an meine Studienzeit, nur mit dem Unterschied, dass ich mich in der

Vergangenheit vor allem für Pflanzen interessiert hatte, aber warum nicht mal Vögel? Es schien drei Arten von ihnen zu geben: einmal komplett weiße, dann weiß-schwarze und drittens weiße mit langen Beinen und einem entsprechenden Schnabel. Ich kannte weder ihre wissenschaftlichen noch ihre volkstümlichen Namen; ihr Tun dagegen war alles andere als rätselhaft: Durch häufiges Stochern mit dem Schnabel im feuchten Sand gingen sie dem nach, was man bei Menschen als »Wattfischen« bezeichnet. Einer Informationstafel für Touristen hatte ich kurz zuvor entnommen, dass man sich unmittelbar nach Zurückweichen der Springflut im Sand oder in den Lachen reichlich mit Wellhornschnecken, Strandschnecken, Schwertförmigen Scheidenmuscheln, Samtmuscheln, manchmal sogar mit Austern oder Krebsen eindecken konnte. Auch zwei Menschen (um genauer zu sein, zwei menschliche Frauen um die fünfzig von gedrungenem Körperbau, wie mir die Vergrößerung meines Fernglases zeigte) gingen mit Greifern und Eimern bewaffnet den Strand entlang, um den Vögeln ihre Kost streitig zu machen.

Gegen neunzehn Uhr klopfte ich wieder an die Tür des Schlosses; diesmal war Aymeric da, er wirkte nicht nur betrunken, sondern auch leicht bekifft. »Rauchst du wieder?«, erkundigte ich mich. »Ja, ich habe einen Dealer in Saint-Lô«, bestätigte er und nahm eine Flasche Wodka aus dem Gefrierfach; ich für meinen Teil hielt mich lieber an den Chablis. Diesmal setzte er nicht sein Sturmgewehr zusammen, aber er hatte ein Ahnenporträt hervorgeholt, das an einem Sessel lehnte; es war ein untersetzter Typ mit einem vierschrötigen, glatt rasierten Gesicht und einem argwöhnischen, wachsamen Blick, eingezwängt in eine eiserne Rüstung. In einer Hand hielt er ein riesiges Breitschwert, das ihm beinahe bis zur Brust reichte, in der anderen eine Streitaxt; insgesamt vermittelte er einen Eindruck von außergewöhnlicher Körperkraft und Brutalität. »Robert d'Harcourt, genannt ›der Starke‹«, kommentierte er, »aus der sechsten Generation der Harcourts, also eine ganze Zeit nach Wilhelm dem Eroberer. Er hat Richard Löwenherz auf dem dritten Kreuzzug begleitet.« Ich dachte mir, es sei doch ganz gut, Wurzeln zu haben.

»Cécile ist vor zwei Jahren gegangen«, fuhr er im selben Tonfall fort. Es ist so weit, jetzt kommen wir zur Sache, dachte ich; endlich würde er das Thema anschneiden. »In gewisser Weise ist es meine Schuld, ich habe sie zu viel schuften lassen, die Leitung des Bauernhofs war schon eine Mordsaufgabe, aber mit den Bungalows wurde es verrückt, ich hätte sie schonen sollen, versuchen, mich ein bisschen um sie zu kümmern. Seit wir uns hier niedergelassen haben, haben wir nicht einen Tag Urlaub gemacht. Frauen brauchen einfach Urlaub«, sagte er vage, als spräche er über eine verwandte Spezies, die er jedoch kaum kannte. »Und dann hast du ja gesehen, wo wir hier sind, Frauen brauchen einfach kulturelle Zerstreuung.« Er machte eine unbestimmte Handbewegung, so als wollte er nicht näher darauf eingehen, was er damit meinte. Er hätte noch hinzufügen können, dass es shoppingmäßig nicht gerade Babylon war und dass die *Fashion Week* nicht so bald nach Canville-la-Rocque umsiedeln würde. Wobei, dachte ich, sie hätte ja auch einen anderen heiraten können, die Schlampe.

»Oder man muss ihnen eben Sachen kaufen, weißt du, hübsche Sachen ...«, sagte er und zog wieder an seinem Joint, ich fand, da verrannte er sich jetzt etwas, triftiger wäre der Hinweis gewesen, dass sie nicht mehr vögelten und dass das der Kern des Problems war, die Frauen sind weniger käuflich als mitunter behauptet, was Schmuck betrifft, kaufst du ihnen hin und wieder irgendwelchen afrikanischen Tand, dann läuft das schon, aber wenn du sie nicht mehr vögelst, wenn du sie nicht mal mehr begehrst, dann wird es riskant, und das wusste Aymeric, mit Sex kann alles gelöst werden, ohne Sex gar nichts mehr, aber ich wusste, er würde nicht darüber sprechen, unter keinen Umständen, nicht mal mit mir, wahrscheinlich gerade nicht mit mir, mit einer Frau hätte er vielleicht darüber geredet, aber darüber zu reden, hätte ehrlich gesagt auch nichts gebracht und wäre sogar kontraproduktiv gewesen, Salz in die Wunde reiben war nicht die richtige Option, ich hatte natürlich schon am Vorabend begriffen, dass seine Frau ihn verlassen hatte, und den Tag über hatte ich Zeit gehabt, einen Gegenschlag vorzubereiten, ein konkretes Projekt auszuarbeiten, aber jetzt war noch nicht der Augenblick, um darauf zu sprechen zu kommen, ich steckte mir noch eine Zigarette an.

»Ich muss dazusagen: Sie ist mit einem Kerl gegangen«, fügte er nach sehr langem Schweigen hinzu. Direkt nach dem Wort »Kerl« erklang ein schmerzerfülltes, unfreiwilliges kleines Stöhnen. Darauf gab es nichts zu erwidern, es ging jetzt ans Eingemachte, an die rohe Demütigung des Mannes, und ich konnte nur meinerseits ein entsprechendes schmerzliches Stöhnen von mir geben. »Er war Pianist«, fuhr er fort, »ein bekannter Pianist, er gibt überall auf der Welt Konzerte, er hat Platten aufgenommen. Er kam her, um zu entspannen, sich eine Auszeit zu nehmen, und weggefahren ist er mit meiner Frau ...«

Wieder breitete sich Stille aus, aber ich verfügte über einige Mittel, um diese Stille zu füllen, mir noch ein Glas Chablis eingießen, mit den Fingerknöcheln knacken. »Ich bin wirklich ein Vollidiot, ich habe nicht aufgepasst«, sprach Aymeric schließlich weiter, mit einer derart leisen Stimme, dass es besorgniserregend war. »Wir haben ein sehr gutes Klavier im Schloss, einen Stutzflügel von Bösendorfer, der einer Urahnin von mir gehörte, während des Zweiten Kaiserreichs unterhielt sie eine Art Salon, gut, wir waren nie wirklich eine Familie von Mäzenen, nie wie die Noailles, aber sie hatte trotzdem einen Salon, anscheinend hat Berlioz auf diesem Klavier gespielt, kurz: Ich habe ihm angeboten, darauf zu spielen, wenn er wolle, natürlich musste es erst einmal neu gestimmt werden, jedenfalls hat er immer mehr Zeit im Schloss verbracht, tja, und jetzt leben sie in London, aber sie reisen viel, er gibt überall auf der Welt Konzerte, in Südkorea, in Japan ...«

»Und deine Töchter?« Ich spürte, dass es besser wäre, die Geschichte mit dem Bösendorfer zu vergessen, zwar ahnte ich, dass die Situation mit den Töchtern nicht sehr vielversprechend war, aber der Bösendorfer, das war die Art von Detail, die buchstäblich tötet, die einen geradewegs in den Selbstmord treibt, das musste unbedingt aus seinen Gedanken vertrieben werden, bei den Töchtern bot sich bestimmt eine Gelegenheit zur Annäherung.

»Ich habe natürlich das Sorgerecht, aber tatsächlich sind sie in London, ich habe sie seit zwei Jahren nicht gesehen; was sollte ich hier auch mit zwei kleinen Mädchen von fünf und sieben Jahren anfangen?«

Ich warf einen Blick ins Speisezimmer mit den aufgeschlitzten Dosen mit Bohneneintopf und Cannelloni, die verstreut auf dem Boden herumlagen, dem umgestürzten Schrank, aus dem zerbrochenes Porzellangeschirr quoll (wahrscheinlich hatte Aymeric diesen Schrank während eines alkoholisierten Wutanfalls selbst umgestoßen); es ließ sich tatsächlich nicht leugnen, es war erstaunlich, wie tief Männer sich innerhalb kurzer Zeit sinken lassen. Ich hatte am Vortag bemerkt, dass Aymerics Kleidung rundheraus schmutzig war und sogar ein wenig stank; schon auf der Landwirtschaftlichen Hochschule hatte er seine Wäsche jedes Wochenende seiner Mutter zum Waschen vorbeigebracht, gut, ich auch, aber ich hatte immerhin gelernt, die Waschmaschinen zu bedienen, die den Studenten im Keller des Wohnheims zur Verfügung standen, und ich hatte sie auch zwei- oder dreimal benutzt, er niemals, ich glaube, er hatte nicht mal geahnt, dass es sie gab. Vielleicht war es tatsächlich besser, die Sache mit den kleinen Mädchen auf sich beruhen zu lassen und sich aufs Wesentliche zu konzentrieren, schließlich konnte man neue kleine Mädchen machen.

Er goss sich noch ein großes Glas Wodka ein, das er in einem Zug hinunterkippte, und resümierte sachlich: »Mein Leben ist am Arsch.« Das war eine Art Startschuss für mich, und ich unterdrückte ein inneres Lächeln, denn ich hatte von Anfang an gewusst, dass er so etwas sagen würde, und während der Schweigephasen, von denen seine Erzählung unterbrochen war, hatte ich Zeit gehabt, an meiner Antwort zu feilen, meinem Gegenschlag, dem konkreten Plan, den ich während meiner Seevogelbeobachtung am Nachmittag insgeheim ausgearbeitet hatte.

»Dein grundlegender Fehler«, setzte ich lebhaft zum Angriff an, »war, innerhalb deines Milieus zu heiraten. Diese ganzen Weiber, die Rohan-Chabots, die Clermont-Tonnerres, was sind die denn heute noch wirklich? Bloß kleine Nutten, die alles machen für ein Praktikum bei einem wöchentlichen Kulturmagazin oder einem alternativen Modeschöpfer.« (Ohne es zu wissen, traf ich damit ziemlich genau ins Schwarze, denn Cécile war eine Faucigny-Lucinge, eine Familie von genau demselben Stand, vom selben Adelsstand, versteht sich.) »Kurz gesagt: Es sind auf keinen Fall Bauersfrauen. Wohingegen es Hunderte, Tausende, Millionen von Mädchen gibt, für die du das männliche Idealbild darstellst. Nimm eine Moldawierin oder auch eine aus Kamerun oder Madagaskar, zur Not eine Laotin: Diese Mädchen sind nicht sehr reich oder sogar schlichtweg arm, sie kommen aus einem vollkommen ländlichen Milieu, etwas anderes haben sie nie kennengelernt, sie wissen nicht mal, dass es ein anderes Milieu gibt. Und da kommst du, du bist in deinen besten Jahren, körperlich noch gut in Form, ein gut aussehender, kräftiger Kerl in den Vierzigern, und dir gehört die Hälfte des Weidelands im Departement.« (Damit übertrieb ich ein wenig, aber das war schließlich der Plan.) »Natürlich wirft das überhaupt nichts ab, aber das können sie ja nicht wissen, und sie werden es nie wirklich begreifen, weil Land in ihrem Kopf gleichbedeutend mit Reichtum ist, Land und Vieh, ich kann dir also versprechen, dass sie nicht abhauen würden, sie könnten hart arbeiten, sie würden nie eine Aufgabe ablehnen, um fünf Uhr morgens würden sie zum Melken aufstehen. Und dazu wären sie noch jung, viel sexier als deine ganzen aristokratischen Nutten, und sie würden vierzigmal so gut ficken. Nur mit dem Wodka müsstest du ein bisschen kürzertreten, das könnte sie an ihr Herkunftsmilieu erinnern, vor allem wenn es sich um ein Mädchen aus den Ostländern handelt, aber schaden kann es dir sowieso nicht, mit dem Wodka ein bisschen kürzerzutreten. Sie steht um fünf Uhr morgens zum Melken auf«, begeisterte ich mich, immer stärker mitgerissen von meiner eigenen Fantasie, ich sah die Moldawierin schon vor mir, »danach weckt sie dich mit einem Blowjob, und das Frühstück ist auch schon fertig!«

Ich sah Aymeric an, bis hierhin hatte er mir aufmerksam zugehört, da war ich mir sicher, aber er wurde schläfrig, er musste schon vor meiner Ankunft mit dem Saufen angefangen haben, wahrscheinlich schon am frühen Nachmittag. »Dein Vater würde mir zustimmen«, sagte ich abschließend, ich hatte mein Pulver allmählich verschossen; in diesem Punkt war ich mir nicht ganz so sicher, ich kannte Aymerics Vater kaum, ich hatte ihn nur ein einziges Mal gesehen, er hatte auf mich wie ein rechtschaffener, aber etwas steifer Typ gewirkt, die unerwarteten gesellschaftlichen Umwälzungen in Frankreich seit 1794 waren wohl mehr oder weniger an ihm vorbeigegangen. Historisch betrachtet, wusste ich, dass ich nicht im Unrecht war, die Aristokratie hatte bei offenkundigen Anzeichen des Niedergangs nie gezögert, den Genpool der Horde zu erneuern, indem man sich Waschfrauen oder Weißnäherinnen holte, jetzt musste man sie eben von weiter her holen, das war alles, doch war Aymeric in der Lage, gesunden Menschenverstand anzuwenden? Und dann kam mir noch ein Zweifel allgemeinerer, biologischerer Art: Wozu eigentlich versuchen, einen bezwungenen alten Mann zu retten? Wir waren fast am selben Punkt, unsere Schicksale waren unterschiedlich, aber im Ergebnis vergleichbar.

Er war nun tatsächlich eingeschlafen. Vielleicht waren meine Worte nicht vergebens gewesen, vielleicht würde die Moldawierin in seine Träume eindringen können. Er schlief aufrecht auf dem Sofa sitzend, die Augen weit geöffnet.

Ich wusste, dass ich Aymeric weder am nächsten Tag noch vermutlich an den darauffolgenden Tagen wiedersehen würde, er würde sein Geständnis bereuen, am 31. würde er zurückkommen, weil man am Abend des 31. schließlich nicht *nichts machen* kann, wobei es mir schon häufiger so ergangen war, aber ich war anders als er, weniger empfänglich für Richtlinien. Mir blieben vier einsame Tage, und ich merkte gleich, dass die Vögel nicht ausreichen würden, und da fiel mir der Deutsche wieder ein, am Morgen des 27. richtete ich mein Fernglas von Schmidt & Bender auf den Deutschen, ich glaube, im Grunde hätte ich es schön gefunden, Polizist zu sein, in die Leben anderer Leute einzudringen, in ihre Geheimnisse. Was den Deutschen anging, erwartete ich nichts sonderlich Spannendes; ich lag falsch. Gegen fünf Uhr nachmittags klopfte ein kleines Mädchen an die Tür seines Bungalows, also wirklich ein kleines Mädchen, damit wir uns verstehen, ein braunhaariges Mädchen von vielleicht zehn Jahren mit kindlichen Gesichtszügen, aber groß für sein Alter. Die Kleine war mit dem Fahrrad gekommen, sie musste in der unmittelbaren Umgebung wohnen. Selbstverständlich vermutete ich sofort eine pädophile Angelegenheit: Aus welchem Grund sollte denn sonst ein zehnjähriges Mädchen an die Tür eines finsteren, misanthropischen Mittvierzigers klopfen, der zudem noch Deutscher war? Wollte er ihr Schiller-Gedichte vorlesen? Da war es um einiges wahrscheinlicher, dass er ihr seinen Schwengel zeigen wollte. Im Übrigen entsprach der Mann ganz und gar dem Profil eines Pädophilen, ein gebildeter Mann mittleren Alters, einsam, nicht in der Lage, Beziehungen zu anderen aufzubauen, erst recht nicht zu Frauen, so dachte ich, bevor mir klar wurde, dass man dasselbe über mich hätte sagen können, man hätte mich mit genau denselben Worten beschreiben können, das ärgerte mich, zur Beruhigung richtete ich mein Fernglas auf die Fenster des Bungalows, doch die Vorhänge waren zugezogen, an jenem Abend würde ich nicht mehr in Erfahrung bringen können, nur dass das Mädchen fast zwei Stunden später wieder ging und dass es die Nachrichten auf seinem Mobiltelefon durchsah, bevor es wieder aufs Fahrrad stieg.

Tags darauf kam die Kleine fast zur gleichen Uhrzeit wieder, doch diesmal hatte er vergessen, die Vorhänge zuzuziehen, wodurch ich eine Videokamera auf einem Stativ ausmachen konnte; meine Vermutungen bestätigten sich. Leider bemerkte er kurz nach der Ankunft des Mädchens, dass die Vorhänge geöffnet waren. Er ging zum Fenster und verbarg das Zimmer vor meinen Blicken. Dieses Fernglas war außerordentlich, ich hatte seinen Gesichtsausdruck perfekt erkennen können, er befand sich in einem Zustand höchster Erregung, es war mir in dem Augenblick sogar vorgekommen, als sabberte er ein wenig; er für seinen Teil, da war ich mir sicher, ahnte nichts von meiner Überwachung. Wie schon am Vortag machte sich die Kleine nach knapp zwei Stunden wieder auf den Weg.

Am übernächsten Tag wiederholte sich das Szenario, nur dass ich kurz den Eindruck hatte, das Mädchen im Hintergrund in einem T-Shirt und mit nacktem Po zu sehen; aber es war nur unscharf und flüchtig zu erkennen, ich hatte das Gesicht des Typen fokussiert, und diese Ungewissheit machte mich wirklich rasend.

Am Morgen des 30. gab es endlich einen Durchbruch. Gegen zehn Uhr sah ich, wie er den Bungalow verließ und in den Kofferraum seines Geländewagens (ein Oldtimer vom Typ Defender, wahrscheinlich ein Modell von 1953 oder so, der Trottel war nicht nur ein Misanthrop und wahrscheinlich ein Pädophiler, sondern auch noch ein Snob der übelsten Sorte, wieso gab er sich nicht mit einem Mercedes-Geländewagen zufrieden wie alle anderen und wie ich auch, das würde er büßen, das würde er bitter büßen), kurz, der Pädophile (ich habe es noch nicht erwähnt, aber er sah genau wie ein deutscher Akademiker aus, ein deutscher Akademiker, der krankgeschrieben oder wahrscheinlich eher im Forschungsurlaub war, gewiss beobachtete er am Kap von La Hague im Nordwesten von Cotentin Küstenseeschwalben oder so was), kurz, er stellte eine Kühlbox in den Kofferraum seines Defenders, die bestimmt ein paar Flaschen bayrisches Bier enthielt, für das er eine Schwäche hatte, und eine vermutlich mit Sandwiches gefüllte Plastiktüte, das würde bis zum Nachmittag reichen, wahrscheinlich würde er kurz vor seiner rituellen Verabredung um siebzehn Uhr zurückkommen, das war der Augenblick zu handeln und ihn zu entlarven.

Trotzdem wartete ich noch eine Stunde ab, um sicher zu sein, dann schlenderte ich gemächlich zu seinem Bungalow.

Ich hatte ein Notfallwerkzeugset mitgenommen, das ich immer im Kofferraum meines Mercedes hatte, aber die Tür war nicht einmal abgeschlossen, es ist doch wirklich erstaunlich, was die Leute für ein Vertrauen haben; wenn sie an den Ärmelkanal kommen, haben sie das Gefühl, in einen dunstigen, friedlichen Raum vorzustoßen, weit weg von den gewöhnlichen menschlichen Problemen und in gewisser Weise weit weg von allem Schlechten, so stellen sie sich das zumindest vor. Den Computer musste ich trotzdem hochfahren, er machte sich wohl Gedanken über den Stromverbrauch selbst im Energiespar-Modus, wahrscheinlich hatte er ökologische Überzeugungen, ein Passwort dagegen hatte er nicht, und das war schlichtweg verblüffend, jeder hatte doch heutzutage ein Passwort, selbst sechsjährige Kinder hatten ein Passwort auf ihren Tablets, was war das bloß für ein Typ?

Die Dateien waren nach Jahren und Monaten geordnet, und im Dezember-Ordner befand sich nur ein Video mit dem Titel »Nathalie«. Ich hatte nie ein Pädophilen-Video gesehen, ich wusste, dass es so was gab, aber mehr auch nicht, und ich spürte sofort, dass ich unter den amateurhaften Aufnahmen leiden würde, schon in den ersten Sekunden richtete er die Kamera versehentlich auf die Badezimmerfliesen, dann hob er sie wieder zum Gesicht der Kleinen, die dabei war, sich zu schminken, sie trug eine dicke Schicht Zinnoberrot auf ihre Lippen auf, eine zu dicke Schicht, es verschmierte, dann ging sie zum Lidschatten über, auch dabei stellte sie sich ungeschickt an, sie machte fette Kleckse, dem Ornithologen schien es dennoch zu gefallen, ich hörte ihn auf Deutsch murmeln: *»Gut … gut …«*, das war bisher das einzige leicht Widerwärtige an dem Film.

Dann versuchte er eine Kamerafahrt nach hinten, genauer gesagt, trat er ein paar Schritte zurück, und man sah das Mädchen vor dem Badezimmerspiegel, nackt bis auf dieselben Mini-Jeans-Shorts, die es bei seiner Ankunft getragen hatte. Es hatte fast keine Brüste, das heißt, man konnte eine Knospung, eine Verheißung erkennen. Er sagte ein paar Worte, die ich nicht verstand, woraufhin die Kleine die Shorts auszog und sich auf den Badschemel setzte, dann spreizte sie die Beine und begann mit dem Mittelfinger über ihre Muschi zu fahren, sie hatte eine kleine, wohlgeformte, aber gänzlich unbehaarte Muschi, ein Pädophiler wäre jetzt bestimmt in ernsthafte Erregung geraten, und tatsächlich hörte ich ihn immer stärker atmen, die Kamera wackelte ein wenig.

Die Einstellung wechselte abrupt, und man fand die Kleine im Wohnzimmer wieder. Zu dem extrakurzen Schottenrock, den sie bereits trug, zog sie sich noch Netzstrümpfe über, die sie mit Strapsen befestigte – es war alles ein wenig groß für sie, es musste Kleidung für Erwachsene sein, in XS, jedenfalls passten ihr die Sachen mit Müh und Not. Dann band sie sich ein kleines Oberteil, ebenfalls aus Netzstoff, um die Brust, und das war eine gute Idee, fand ich, auch wenn sie keine Brüste hatte, wurde dadurch der Eindruck erweckt.

Es folgte eine etwas wirre Sequenz, in deren Verlauf er eine Audio-Kassette holte, die er in einen Kassettenrekorder einlegte, ich wusste gar nicht, dass es so was noch gab, nun ja, es war wie mit dem Defender, es war Vintage. Das Mädchen saß tatenlos da und wartete in aller Ruhe ab. Als das Lied begann, hatte ich Mühe, es zu erkennen, es klang wie ein Disco-Stück aus den späten Siebzigern oder frühen Achtzigern, vielleicht von Corona, aber die Kleine sprach gut darauf an, sie begann sofort, sich im Kreis zu drehen und zu tanzen, und da wurde mir wirklich übel, nicht aufgrund des Inhalts, sondern aufgrund der filmischen Umsetzung, er war offenbar in die Hocke gegangen, um sie aus der Froschperspektive zu filmen, er musste um sie herumhopsen wie eine alte Kröte. Das Mädchen tanzte mit echter Hingabe, vom Rhythmus getragen, von Zeit zu Zeit ließ sie ihren Rock herumwirbeln, was dem Ornithologen einen sehr guten Blick auf ihren kleinen Hintern ermöglichte, dann wieder verharrte sie vor der Kamera, öffnete die Schenkel und schob sich einen oder zwei Finger hinein, dann steckte sie sich die Finger in den Mund und lutschte ausgiebig daran herum, wie dem auch sei, jedenfalls wurde er immer erregter, die Kamerabewegungen wurden schlichtweg chaotisch, und ich bekam es gerade etwas leid, als er sich schließlich beruhigte, die Kamera wieder auf dem Stativ befestigte und sich zurück aufs Sofa setzte. Das Mädchen drehte sich noch ein paarmal zur Musik, während er es bewundernd ansah, er hatte schon einen Orgasmus gehabt, einen geistigen, versteht sich, blieb noch die körperliche Dimension, bestimmt holte er sich schon einen runter.

Die Wiedergabe der Kassette endete unvermittelt mit einem abrupten Klicken. Das Mädchen machte einen kleinen Knicks, eine Art ironisches Grinsen lag auf seinem Gesicht, dann ging es zu dem Deutschen hinüber und kniete sich zwischen seine Schenkel – er hatte die Hose heruntergezogen, ohne dazu aufzustehen. Die Kamera hatte er nicht von ihrem Standfuß genommen, wodurch man fast nichts sah – das verstieß gegen alle Regeln des pornografischen Films, auch im Amateurbereich. Das Mädchen schien seine Aufgabe ungeachtet seines Alters gekonnt auszuführen, der Ornithologe stieß hin und wieder ein befriedigtes Grunzen aus, unterbrochen durch Worte wie *»Mein Liebchen«*, ihm schien wirklich sehr viel an dem Mädchen zu liegen, das hätte ich nie gedacht bei einem so gefühlskalten Typen.

Das Video neigte sich dem Ende zu, die Ejakulation würde wohl nicht mehr lange auf sich warten lassen, da hörte ich Schritte auf dem Kies knirschen. Ich sprang mit einem Satz auf und mir war sofort bewusst, dass es keinen Ausweg gab, keinerlei Möglichkeit, die Konfrontation zu vermeiden, und dass diese Konfrontation tödlich sein könnte, er könnte mich auf der Stelle umbringen und hoffen, davonzukommen, er hätte kaum eine Chance, aber er könnte trotzdem darauf hoffen. Beim Hereinkommen zuckte er geradezu starrkrampfartig zusammen, sein ganzer Körper erzitterte, einen Augenblick lang hoffte ich, er würde in Ohnmacht fallen, aber letztlich tat er es nicht, er blieb breitbeinig stehen, sein Gesicht war hochrot. »Ich verrate Sie nicht!«, schrie ich, ich spürte, dass ich schreien musste, dass ich nur mit einem lauten Schrei aus der Sache herauskommen könnte, und gleich darauf begriff ich, dass er die Vokabel »verraten« wahrscheinlich nicht kannte, ich schrie umso lauter: »Ich rede nicht! Ich sage niemandem etwas!«, während ich mich zugleich langsam auf die Tür zubewegte. Im Schreien hatte ich die Arme gehoben und zum Zeichen der Unschuld vor mir ausgebreitet; er durfte keinerlei Hang zu physischer Gewalt haben, das war meine Hoffnung, meine einzige Chance.

Ich bewegte mich weiter langsam vorwärts und wiederholte dabei mit leiserer Stimme in einem hoffentlich eindringlichen Rhythmus: »Ich rede nicht! Ich sage niemandem etwas!« Und plötzlich, ich hatte mich ihm auf weniger als einen Meter genähert, vielleicht war ich in eine persönliche Distanzzone eingedrungen, ich weiß es nicht, jedenfalls sprang er mit einem Satz zurück und gab damit die Tür frei, ich stürzte auf die Öffnung zu, rannte den Weg entlang, und in weniger als einer Minute war ich in meinem Bungalow eingeschlossen.

Ich goss mir ein großes Glas Williams Birne ein und kam rasch wieder zur Vernunft: *Er* war in Gefahr, nicht ich; *er* riskierte eine dreißigjährige Gefängnisstrafe ohne Haftminderung, nicht ich; er würde nicht lange bleiben. Und tatsächlich, keine fünf Minuten später sah ich – dieses Fernglas war wirklich bemerkenswert –, wie er sein Gepäck in den Kofferraum seines Defenders lud, sich ans Steuer setzte und mit unbekanntem Ziel aufbrach.

Am Morgen des 31. erwachte ich in nahezu friedlicher Stimmung und ließ einen heiteren Blick über die Bungalowlandschaft schweifen, deren einziger Bewohner ich derzeit war; wenn der Ornithologe gut vorangekommen war, musste er inzwischen irgendwo bei Mainz oder Koblenz sein, und er musste froh sein, musste dieses kurze Glück empfinden, das man verspürt, wenn man einem beträchtlichen Unglück entgangen ist und sich wieder dem gewöhnlichen Unglück ausgesetzt sieht. Während ich mich vor allem auf den Deutschen konzentriert hatte, hatte ich doch nicht die Amateur-Wattfischer vernachlässigt, die die ganze Woche über dicht an dicht aufeinandergefolgt waren, es war nun mal Ferienzeit. Ein schön aufbereiteter kleiner Führer, herausgegeben von den Éditions Ouest-France, den ich im Super U in Saint-Nicolas-le-Bréhal gekauft hatte, hatte mir die Ausmaße des Phänomens Wattfischen ebenso aufgezeigt wie die Existenz bestimmter Tierarten wie Furchenkrebse, Trogmuscheln, Sattelmuscheln und Pfeffermuscheln, nicht zu vergessen die Koffermuscheln, die man am besten mit einer Persillade in der Pfanne brät. Eine gewisse Geselligkeit stellte sich dabei ein, da war ich mir sicher, ich hatte auf TF1 und seltener auch auf France 2 gesehen, wie dieser Lebensstil zelebriert wurde, man tat sich in der Familie oder manchmal auch unter befreundeten Paaren zusammen, grillte Messermuscheln und Venusmuscheln über einem Kohlenfeuer und trank dazu maßvoll einen Muscadet, wir hatten es hier mit einer höheren Zivilisationsstufe zu tun, welche die primitiveren Gelüste beim Wattfischen befriedigte. Die Konfrontation sei nicht unriskant, warnte mich der Führer: Die Viperqueise könne einem unerträgliche Schmerzen zufügen, sie sei der giftigste Fisch von allen, während die Sattelmuschel leicht zu fischen sei, lasse sich die Pfeffermuschel nur mit viel Geduld und Geschick erbeuten; der Fang des Seeohrs gelinge nur mithilfe eines Hakens an einem langen Stiel; Teppichmuscheln, das müsse man wissen, ließen sich durch keinerlei äußere Anzeichen finden. Ich war noch nicht in diese höhere Zivilisation aufgestiegen und der pädophile Deutsche noch weniger, inzwischen musste er irgendwo bei Dresden sein, vielleicht war er auch nach Polen hinübergefahren, wo die Auslieferungsbedingungen schwieriger waren. Gegen siebzehn Uhr hielt die Kleine wie jeden Tag mit dem Fahrrad vor dem Bungalow des Ornithologen. Sie klopfte anhaltend an die Tür und ging dann zum Fenster, um durch die Vorhänge zu schauen; anschließend kehrte sie wieder zur Tür zurück und klopfte noch einmal ausdauernd an, bevor sie es aufgab. Ihre Miene war schwer zu entziffern, sie wirkte nicht wirklich traurig (noch nicht?), eher überrascht und verdrossen. In diesem Augenblick fragte ich mich, ob er sie bezahlt hatte, das war schwer zu sagen, aber meiner Vermutung nach lautete die Antwort Ja.

Gegen neunzehn Uhr ging ich zum Schloss, es war an der Zeit, dem Jahr ein Ende zu machen. Aymeric war nicht da, aber er hatte gewisse Vorbereitungen getroffen, Fleisch und Wurst vom Schwein waren auf dem Esszimmertisch verteilt, Kuttelwurst aus Vire, Blutwurst nach Hausmacherart, weitere, eher italienische Fleisch- und Wurstwaren und auch Käse, Getränke waren ja immer da, diesbezüglich hatte ich keinerlei Bedenken.

Nachts war der Stall ein beruhigender Ort, die dreihundert Kühe der Herde erzeugten ein sanftes Rumoren aus Seufzern, leisem Muhen, Bewegungen im Stroh – denn es gab Stroh, er hatte sich der Bequemlichkeit von Gitterrosten verweigert, er legte Wert darauf, Stallmist zu produzieren, um seine Felder damit zu düngen, sein Ziel war wirklich, nach althergebrachter Art zu arbeiten. Ich fühlte mich einen Augenblick lang niedergeschlagen, als mir einfiel, dass er in finanzieller Hinsicht am Ende war, dann geschah etwas anderes, das sanfte Muhen der Kühe, der gar nicht unangenehme Geruch des Stallmists, all das gab mir kurz das Gefühl, vielleicht nicht einen Platz auf der Welt zu haben, man soll nicht übertreiben, aber immerhin Teil einer Art organischen Kontinuums, einer Art tierischen Zusammenschlusses zu sein.

In dem kleinen Verschlag, den er als Büro nutzte, brannte Licht, und Aymeric saß hinter seinem Computer, ein Headset auf dem Kopf, er war von der Darstellung auf dem Bildschirm gefesselt und bemerkte mich erst in der letzten Sekunde. Er stand abrupt auf und machte eine absurde Abwehrbewegung, so als wollte er das Bild vor mir verbergen, das ich ohnehin nicht sehen konnte. »Nur die Ruhe, lass dir Zeit, nur die Ruhe, ich gehe wieder ins Schloss«, sagte ich, begleitet von einer vagen Handbewegung (unbewusst versuchte ich wahrscheinlich, Inspector Columbo zu imitieren, Inspector Columbo hatte auf die Jugend meiner Generation einen erstaunlichen Einfluss gehabt), bevor ich kehrtmachte. Ich hatte die Arme gehoben, um meine Worte zu unterstreichen, ein wenig wie bei dem pädophilen Deutschen am Vortag, aber leider handelte es sich hier nicht um Pädophilie, es war um einiges schlimmer, ich war mir sicher, er hatte an diesem letzten Tag des Jahres unbedingt mit London skypen wollen, gewiss nicht mit Cécile, aber sehr wohl mit seinen Töchtern, er musste mindestens einmal in der Woche mit seinen Töchtern skypen. »Und wie geht's dir, Papi?« Ich sah es genau vor mir, und ich konnte mich gut in die Lage der kleinen Mädchen versetzen, konnte ein klassischer Konzertpianist eine virile Vaterfigur für sie sein, natürlich keinesfalls (Rachmaninow?), und dann auch noch so eine Londoner Schwuchtel, wohingegen es ihr Vater mit ausgewachsenen Rindern zu tun hatte, Großsäugern immerhin von mindestens fünfhundert Kilo. Und er selbst, was konnte er seinen kleinen Töchtern schon erzählen, dummes Zeug natürlich, er würde ihnen sagen, es gehe ihm gut, obwohl es ihm alles andere als gut ging, er war im Begriff, an ihrer Abwesenheit und an der generellen Abwesenheit von Liebe zugrunde zu gehen. Aller Wahrscheinlichkeit nach war er also am Arsch, dachte ich, während ich wieder über den Hof ging, mit dieser Geschichte würde er niemals fertigwerden, er würde bis ans Ende seiner Tage darunter leiden, und mein ganzes Gerede von der Moldawierin wäre umsonst gewesen. Ich hatte schlechte Laune, und ich goss mir ein großes Glas Wodka ein, ohne auf ihn zu warten, während ich Scheiben der hausgemachten Blutwurst aß, man kann das Leben der Leute wirklich nicht ändern, dachte ich, weder Freundschaft noch Mitgefühl noch Psychologie noch situative Intelligenz sind zu irgendetwas nütze, die Leute stellen selbst den Mechanismus ihres eigenen Unglücks her, sie ziehen ihn mit einem Schlüssel bis zum Anschlag auf, und dann läuft er immer weiter, unausweichlich, mit ein paar Fehlzündungen, ein paar Ausfällen, wenn sich eine Krankheit einmischt, aber er läuft weiter bis zum Ende, bis zur letzten Sekunde.

Aymeric kam eine Viertelstunde später, er heuchelte eine gewisse Beiläufigkeit, so als wollte er den Vorfall vergessen machen, womit er meine Überzeugung und vor allem die Gewissheit meiner Machtlosigkeit nur untermauerte. Ich jedoch war nicht ganz beschwichtigt, hatte nicht komplett aufgegeben, und ich nahm das Gespräch in Angriff, indem ich das schmerzhafte Thema direkt anschnitt.

»Lässt du dich scheiden?«, fragte ich ganz ruhig, in einem fast gleichgültigen Tonfall.

Er versank buchstäblich im Sofa, ich goss ihm ein großes Glas Wodka ein, er brauchte mindestens drei Minuten, bevor er es an die Lippen hob, einen Augenblick lang hatte ich sogar den Eindruck, er würde anfangen zu weinen, was unangenehm gewesen wäre. Was er mir zu erzählen hatte, war nicht im Geringsten originell, nicht genug damit, dass die Leute einander quälen, sie tun es auch noch ohne jegliche Originalität. Natürlich ist es schmerzhaft zu sehen, wie sich jemand, den man geliebt hat, mit dem man die Nacht und das Erwachen geteilt hat, vielleicht Krankheiten und die Sorge um die Gesundheit der Kinder, innerhalb von ein paar Tagen in eine Art Ghula verwandelt, eine Art Harpyie mit grenzenloser finanzieller Gier; das ist eine schmerzliche Erfahrung, von der man sich nie ganz erholt, aber vielleicht ist sie in einem gewissen Sinne heilsam, das Durchlaufen des Scheidungsprozesses ist vielleicht das einzig wirksame Mittel, um der Liebe ein Ende zu setzen (natürlich nur, wenn man das Ende der Liebe als etwas Heilsames betrachten kann), hätte ich für meinen Teil Camille geheiratet und mich dann von ihr scheiden lassen, hätte ich es vielleicht geschafft, sie nicht mehr zu lieben – und genau in diesem Moment, während ich noch Aymerics Erzählung lauschte, ließ ich zum ersten Mal ohne Vorsichtsmaßnahmen, Lügenmärchen oder Einschränkungen irgendwelcher Art jene schmerzliche, qualvolle und tödliche Offenkundigkeit in mein Bewusstsein eindringen, dass ich Camille noch liebte; dieser Silvesterabend fing eindeutig nicht gut an.

Was Aymeric betraf, war es noch schlimmer, selbst seine Liebe zu Cécile zu beenden, würde ihm nicht helfen, da waren noch die kleinen Töchter, die Falle war perfekt. Und in finanzieller Hinsicht wies seine Geschichte, obwohl sie genau dem entsprach, was in Scheidungsfällen gemeinhin zu beobachten ist, einige besonders besorgniserregende Aspekte auf. Die Errungenschaftsgemeinschaft, schön und gut, das sei die übliche Form, aber die Errungenschaften seien in seinem Fall ja alles andere als unerheblich. Zunächst einmal seien da der Bauernhof, der neue Kuhstall, die Landmaschinen (die Landwirtschaft ist eine Schwerindustrie, die wichtiges Sachkapital bindet, um ein niedriges oder nichtvorhandenes, ja in Aymerics Fall sogar negatives Einkommen zu erzielen): Stünde Cécile die Hälfte dieses Kapitals zu? Sein Vater habe seinen Widerwillen gegenüber juristischen Kniffen, den Mitgliedern der Anwaltskammer und wahrscheinlich dem Recht im Allgemeinen überwunden und sich entschlossen, einen Anwalt zu beauftragen, den ihm ein Bekannter aus dem Jockey Club empfohlen habe. Die ersten Schlussfolgerungen des Beraters seien im Übrigen relativ beruhigend gewesen, zumindest was den Bauernhof betraf: Das Land gehöre immer noch Aymerics Vater, und sämtliche vorgenommenen Verbesserungen, der neue Kuhstall, die Maschinen, ließen sich ebenfalls als sein Besitz betrachten; in rechtlicher Hinsicht könne man die These vertreten, dass Aymeric nur eine Art Regisseur sei. Mit den Bungalows verhalte es sich anders: Das Hotelunternehmen und sämtliche Baumaßnahmen liefen auf seinen Namen, lediglich das Land sei im Besitz seines Vaters geblieben. Sollte Cécile auf der Hälfte des Wertes der Bungalows bestehen, dann hätten sie keine andere Wahl, als Insolvenz anzumelden und abzuwarten, ob sich ein Aufkäufer fände, was eine Zeit lang dauern könne, Jahre wahrscheinlich. Alles in allem, fasste Aymeric mit einer Mischung aus Hoffnungslosigkeit und Abscheu zusammen, jener Mischung, die einem im Laufe einer Scheidung in dem Maß zum permanenten Geisteszustand wird, wie die Prozedur voranschreitet, wie das Geschacher, die Verhandlungen, Vorschläge und Gegenvorschläge der Rechtsanwälte und Notare aufeinanderfolgen, alles in allem sei für ihn kein Ende abzusehen.

»Außerdem kommt es für meinen Vater nicht infrage, die zum Meer hin gelegenen Grundstücke zu verkaufen, die, auf denen die Bungalows stehen, dazu wird er sich nie durchringen können«, fügte er hinzu. »Seit Jahren reißt er sich zusammen, ich weiß, er leidet jedes Mal darunter, wenn ich eine Parzelle verkaufen muss, um mein Konto auszugleichen, er leidet fast körperlich darunter, du musst dir klarmachen, dass es für einen traditionellen Aristokraten – und genau das ist er nun einmal – das Wichtigste ist, den Familienbesitz an die nachfolgenden Generationen weiterzureichen, ihn nach Möglichkeit etwas zu mehren, aber zumindest nicht zu schmälern, und das ist es, was ich von Anfang an getan habe, ich schmälere den Familienbesitz, anders komme ich einfach nicht über die Runden, und notgedrungen reicht es ihm allmählich, er wünscht sich, dass ich das Handtuch werfe, letztens hat er mir offen gesagt: ›Die Harcourts waren nie dazu berufen, Bauern zu sein‹, so hat er es zu mir gesagt, und das mag ja stimmen, aber wir waren auch nie zu Hoteliers berufen, und Céciles Projekt fand er seltsamerweise gut, dieses Boutique-Hotel-Projekt, aber das liegt wahrscheinlich nur daran, dass es eine Renovierung des Schlosses ermöglicht hätte, die Bungalows dagegen sind ihm völlig egal, wir könnten sie morgen mit der Bazooka zusammenschießen, das wäre ihm auch egal. Das Furchtbare ist, dass er selbst mit seinem Leben kaum etwas Nützliches angefangen hat – er hat sich damit begnügt, zu Hochzeiten zu gehen, zu Beerdigungen, zu der einen oder anderen Hetzjagd, hin und wieder auf ein Glas in den Jockey Club, ich glaube, er hat auch die eine oder andere Geliebte gehabt, nichts Übertriebenes – und er hat das Erbe der Harcourts unangetastet gelassen. Und ich, ich versuche etwas aufzubauen, ich schufte mich zu Tode, ich stehe jeden Tag um fünf Uhr auf, abends sitze ich über der Buchhaltung – und unterm Strich kommt dabei heraus, dass ich die Familie verarmen lasse.«

Er hatte lange geredet, diesmal hatte er sich wirklich gründlich ausgesprochen, und es musste wohl auf Mitternacht zugehen, als ich ihm vorschlug, Musik aufzulegen, das war längst das Einzige, was es noch zu tun gab, das Einzige, was in unserer

Situation möglich war, er nickte dankbar, und ich weiß nicht mehr genau, was er dann auflegte, denn ich war selbst komplett besoffen, besoffen und verzweifelt, der Gedanke an Camille hatte mich innerhalb von ein paar Sekunden fertiggemacht, unmittelbar davor hatte ich mich noch als der starke Typ gefühlt, der weise Tröster, und mit einem Schlag war ich nichts weiter als ein dahintreibendes Stück Scheiße, jedenfalls bin ich mir sicher, dass er das Beste aufgelegt hat, was er hatte, das, was ihm am meisten bedeutete. Das Einzige, woran ich mich genau erinnere, ist eine Aufnahme von *»Child in Time«*, ein Bootleg von einem Konzert in Duisburg im Jahr 1970, der Klang seiner Klipschorn-Lautsprecher war wirklich herausragend, in ästhetischer Hinsicht war das vielleicht der schönste Moment meines Lebens, darauf möchte ich hinweisen, sofern Schönheit irgendeinen Nutzen haben kann, jedenfalls müssen wir die Platte dreißig oder vierzig Mal abgespielt haben, immer wieder aufs Neue gebannt von der gelassenen Meisterschaft Jon Lords, der ganz und gar flugähnlichen Bewegung, mit der Ian Gillan vom Sprechen zum Singen und dann vom Singen zum Schreien überging, um schließlich wieder beim Sprechen anzukommen, unmittelbar darauf folgte der erhabene Break von Ian Paice, zwar unterstützte Jon Lord ihn mit seiner gewohnten Mischung aus Effizienz und Größe, aber der Break von Ian Paice war trotzdem prächtig, es war mit Sicherheit der beste Break in der Rock-Geschichte, dann kam Gillan wieder dazu, und der zweite Teil des Opfergangs wurde vollzogen, Ian Gillan schwang sich erneut von der Sprache zum Gesang und dann zum blanken Schrei auf, und leider endete das Stück kurz darauf, und es blieb nichts weiter zu tun, als die Nadel wieder zurück an den Anfang zu setzen, und so hätten wir ewig leben können, ewig, ich weiß nicht, das war sicherlich eine Illusion, aber eine schöne Illusion, ich erinnerte mich, dass ich mit Aymeric auf einem Deep-Purple-Konzert im Palais des Sports gewesen war, es war ein gutes Konzert gewesen, aber trotzdem nicht so gut wie das in Duisburg, wir waren alt, die Höhepunkte würden jetzt seltener werden, aber im Augenblick unseres Todeskampfs, seinem wie meinem, würde all das zurückkommen, in meinem Fall würde auch Camille dort sein und wahrscheinlich Kate, ich weiß nicht, wie ich es zurück in meinen Bungalow geschafft habe, ich erinnere mich, mir eine Scheibe hausgemachter Blutwurst gegriffen zu haben, auf der ich am Steuer meines Geländewagens lange herumkaute, ohne sie wirklich zu schmecken.

DER MORGEN DES 1. JANUAR erhob sich, wie jeder Morgen auf der Welt, über unserem fragwürdigen Dasein. Ich erhob mich ebenfalls und schenkte dem Morgen meinerseits vergleichsweise viel Aufmerksamkeit – er war neblig, ohne übertrieben neblig zu sein, ein normaler nebliger Morgen; auf den Unterhaltungssendern war das Neujahrsprogramm im Gang, doch ich kannte keine einzige der Sängerinnen, es erschien mir allerdings, als müsse die sexy Latina gegenüber der betreffenden Keltensängerin zurückstecken, aber von diesem Lebensaspekt hatte ich nur ein bruchstückhaftes und vages, im Ganzen optimistisches Bild: Wenn die Zuschauer so entschieden hatten, dann war es in gewissem Sinne gut. Gegen sechzehn Uhr ging ich zum Schloss. Aymeric war in seinen gewohnten Zustand zurückgekehrt, war also verdrossen, verstockt und verzweifelt; leicht mechanisch nahm er sein Sturmgewehr von Schmeisser auseinander und setzte es wieder zusammen. Da sagte ich ihm, ich wolle schießen lernen.

»Wie schießen? Schießen, um dich zu verteidigen, oder sportschießen?« Er wirkte begeistert, dass ich ein konkretes, technisches Thema anschnitt, und vor allem erleichtert, dass ich nicht auf das Gespräch vom Vorabend zurückkam.

»Etwas von beidem, glaube ich.« Tatsächlich würde ich mich nach meinem Zusammentreffen mit dem Ornithologen mit einem Revolver wohler fühlen; aber auch das Präzisionsschießen hatte etwas an sich, das mich schon seit Langem reizte.

»Zur reinen Selbstverteidigung könnte ich dir eine kurzläufige Smith & Wesson geben – wegen des kurzen Laufs ist sie etwas weniger präzise, aber viel leichter zu transportieren. Es ist eine .357er Magnum, auf zehn Meter ohne Weiteres tödlich und extrem einfach zu handhaben, die kann ich dir in fünf Minuten erklären. Zum Sportschießen ...« Seine Stimme war klangvoller geworden, sie bebte vor einer Begeisterung, die ich an ihm seit Jahren nicht bemerkt hatte, eigentlich seit unseren Zwanzigern nicht. »Das Sportschießen habe ich wirklich geliebt, das habe ich jahrelang betrieben, weißt du. Es ist wirklich einzigartig, in dem Moment, wenn du die Zielscheibe in der Mitte deines Visiers hast, denkst du an nichts mehr, du vergisst alle deine Sorgen. Die ersten Jahre mit dem Hof waren so hart, so viel härter, als ich je gedacht hätte, ich glaube, ohne meine Schießübungen hätte ich nicht durchgehalten. Jetzt natürlich ...« Er hielt die rechte Hand waagerecht in die Luft, und tatsächlich begann sie nach ein paar Sekunden leicht, aber unbestreitbar zu zittern. »Der Wodka ... Das verträgt sich überhaupt nicht miteinander, man muss eine Wahl treffen.« Hatte er eine Wahl gehabt? Hatte irgendjemand eine Wahl? Ich hatte diesbezüglich meine Zweifel.

»Fürs Sportschießen habe ich ein Gewehr, das ich richtig toll fand, ein Steyr Mannlicher, das HS .50, ich kann es dir leihen, wenn du willst, aber ich muss es erst prüfen und gründlich reinigen, es war drei Jahre lang nicht in Gebrauch, ich kümmere mich heute Abend darum.«

Er schwankte leicht auf dem Weg zu seiner Waffenkammer, hinter den drei Schiebetüren befanden sich ungefähr zwanzig Waffen – Gewehre, Karabiner und ein paar Handfeuerwaffen – sowie Dutzende aufeinandergestapelte Munitionsschachteln. Das Steyr Mannlicher überraschte mich, es sah gar nicht wie ein Gewehr aus, sondern wie ein dunkelgrauer, völlig abstrakter Stahlzylinder. »Das ist natürlich nicht alles, ich muss es erst wieder zusammensetzen … Aber die Präzision bei der Fertigung des Laufs, ich sage dir, das ist das Entscheidende.« Er hielt den Lauf kurz ins Licht, damit ich ihn bewundern konnte; ja, es war ein Zylinder, ein zweifellos perfekter Zylinder, ich war geneigt, ihm zuzustimmen. »Gut, ich kümmere mich darum«, schloss er das Thema ab. »Ich bringe es dir morgen vorbei.«

Tatsächlich hielt er am nächsten Morgen um acht Uhr mit seinem Pick-up vor dem Bungalow, er war wirklich außergewöhnlich euphorisch. Die Smith & Wesson war schnell gezeigt, diese Geräte sind erstaunlich leicht zu handhaben. Das Steyr Mannlicher war eine andere Geschichte, er holte eine Schutzhülle aus unnachgiebigem Polycarbonat aus dem Kofferraum, die er behutsam auf den Tisch legte. Darin ruhten, exakt in ihre Schaumgehäuse eingepasst, vier dunkelgraue, hochpräzisionsgefertigte Stahlelemente, von denen keines unmittelbar an eine Waffe erinnerte und die er mich mehrfach zusammensetzen und wieder auseinandernehmen ließ: Neben dem Lauf gab es noch einen Schaft, eine Kammer und einen Standfuß; zusammengebaut ähnelte es im Ganzen immer noch keinem Gewehr im herkömmlichen Sinn des Wortes, sondern einer Art Metallspinne, einer tödlichen Spinne, bei der keinerlei ästhetische Verzierungen zugelassen waren, an der sich kein überflüssiges Gramm Metall befand, und ich begann seine Begeisterung zu verstehen, ich glaube, ich hatte nie zuvor ein technologisches Objekt gesehen, das ein solches Gefühl von Perfektion ausstrahlte. Schließlich krönte er die metallene Konstruktion mit einem Zielfernrohr. »Das ist ein Swarovski dS 5«, erläuterte er, »in Sportschützenkreisen ist es verpönt, bei Wettbewerben sogar schlichtweg verboten, du musst wissen, dass die Flugbahn der Kugel nicht geradlinig verläuft, sie ist zwangsläufig parabolisch, und die entsprechenden Instanzen beim Sportschießen betrachten das als Teil des Wettkampfs, für sie ist es normal, dass die Konkurrenten sich angewöhnen, einen Punkt etwas oberhalb der Mitte anzuvisieren, um die parabolische Abweichung auszugleichen. Das Swarovski hat einen integrierten Laserentfernungsmesser, es berechnet deinen Abstand zur Zielscheibe und korrigiert selbsttätig, sodass du nicht mehr nachdenken musst, du zielst auf die Mitte, genau auf die Mitte. Die Sportschützenszene besteht vor allem aus Traditionalisten, die gern unnötige kleine Komplikationen hinzufügen, das ist auch der Grund dafür, dass ich ziemlich bald wieder mit den Wettkämpfen aufgehört habe. Um es kurz zu machen: Ich habe den Transportkasten nach Maß anfertigen lassen und dabei Platz für das Swarovski gelassen. Aber das Wichtigste ist und bleibt die Waffe. Wir probieren sie draußen mal aus.«

Er nahm eine Decke aus einem Schrank. »Wir fangen gleich mit der Position ›Anschlag liegend‹ an, das ist die Königsposition, bei der man am genauesten zielen kann. Aber du musst bequem auf dem Boden liegen, du musst dich gegen Kälte und Feuchtigkeit schützen, sonst könntest du anfangen zu zittern.«

Wir blieben oben auf dem Hang stehen, der zum Meer hin

steil abfiel, er breitete die Decke auf dem grasbewachsenen Boden aus und zeigte auf ein etwa hundert Meter entfernt im Sand eingegrabenes Boot. »Siehst du das auf die Flanke gepinselte Bootskennzeichen, *BOZ-43*? Du versuchst eine Kugel in der Mitte des *O* zu platzieren. Es hat einen Durchmesser von ungefähr zwanzig Zentimetern; mit dem Steyr Mannlicher schafft das ein guter Schütze problemlos aus fünfzehnhundert Metern Entfernung; aber gut, wir fangen mal so an.«

Ich legte mich ausgestreckt auf die Decke. »Finde die richtige Position, nimm dir Zeit … Du darfst keinen Grund mehr haben, dich zu bewegen; keinen anderen Grund als deinen eigenen Atem.«

Es gelang mir ohne größere Schwierigkeiten; der Gewehrkolben hatte eine gebogene, glatte Oberfläche, die sich leicht an meine Achsel drücken ließ.

»Es gibt diese Zen-Typen, die dir erzählen werden, es käme nur darauf an, eins mit deinem Ziel zu werden. Ich glaube das nicht, das ist Blödsinn, im Übrigen sind die Japaner miserable Sportschützen, sie haben noch keinen einzigen internationalen Wettkampf gewonnen. Richtig ist dagegen, dass das Sportschießen sehr viel von Yoga hat: Du versuchst mit deinem Atem eins zu werden. Du atmest also langsam, immer langsamer, so langsam und so tief du kannst. Und wenn du bereit bist, visierst du das Ziel an.«

Ich bemühte mich, das zu tun. »Gut, bist du so weit?« Ich bejahte. »Du musst wissen, dass man nicht die absolute Bewegungslosigkeit anstreben sollte, das ist schlicht unmöglich. Du wirst dich zwangsläufig bewegen, weil du atmest. Was man erreichen muss, ist eine ganz langsame Bewegung, ein regelmäßiges Hin und Her um die Mitte des Ziels herum, das du mit deinem Atem kontrollierst. Wenn du das geschafft, wenn du diese Bewegung erreicht hast, musst du nur noch in dem Moment den Abzug betätigen, in dem du dich über die Mitte bewegst. Nur ein ganz sanfter Druck, nicht mehr, der Abzug ist hochsensibel abgestimmt. Das HS .50 ist ein einschüssiges Modell, wenn du noch einmal schießen willst, musst du neu laden; deswegen wird es im tatsächlichen Krieg kaum von den Scharfschützen benutzt, denen geht es vor allem um Effizienz, sie sind da, um zu töten. Ich persönlich mag es, eine einzige Chance zu haben.«

Ich schloss kurz die Augen, um nicht über die Implikationen dieser Wahl nachdenken zu müssen, dann öffnete ich sie wieder; es ließ sich gut an, wie er gesagt hatte, liefen die Buchstaben *BOZ* langsam durch mein Visier, hin und zurück, im mir richtig erscheinenden Moment drückte ich ab, ein Geräusch ertönte, aber ganz leise, ein leichtes Ploppen. Es war tatsächlich eine einzigartige Erfahrung, ich hatte ein paar Minuten außerhalb der Zeit verbracht, in einem rein ballistischen Raum. Ich richtete mich wieder auf und sah, dass Aymeric sein Fernglas auf das Boot gerichtet hatte.

»Nicht schlecht, gar nicht schlecht«, sagte er, während er sich wieder zu mir drehte. »Die Mitte hast du nicht erwischt, aber du hast die Kugel innerhalb des *O* platziert, das heißt, du warst zehn Zentimeter vom Ziel entfernt. Für das erste Mal Schießen, auf eine Distanz von hundert Metern, ist das sogar sehr gut, würde ich sagen.«

Bevor er ging, riet er mir, lange mit fixen Zielen zu üben, bevor ich zu »beweglichen Zielen« überginge. Die Buchstaben des Kennzeichens seien perfekt, daran könne man sich präzise orientieren. Das Boot könne ich ruhig beschädigen, begegnete er meinem Einwand, er kenne den Eigentümer (der, nebenbei gesagt, ein echtes Arschloch sei), es würde wahrscheinlich nie mehr zu Wasser gelassen werden. Er ließ mir zehn Schachteln mit je fünfzig Patronen da.

In den darauffolgenden Wochen trainierte ich jeden Morgen mindestens zwei Stunden lang. Ich kann nicht behaupten, ich hätte »meine Sorgen vergessen«, das wäre übertrieben, aber ich durchlebte tatsächlich jeden Morgen eine Zeit der Ruhe und des relativen Friedens. Außerdem half das Captorix, das war nicht zu leugnen, meine täglichen Alkoholdosen blieben in einem bescheidenen Rahmen; aufmunternd war überdies die Feststellung, dass ich bei einer Dosierung von fünfzehn Milligramm und damit leicht unter der Höchstdosis lag. Von allen Begierden und allen Gründen zu leben befreit (war das nicht übrigens gleichbedeutend? Das war ein schwieriges Thema, zu dem ich mir noch keine endgültige Meinung gebildet hatte), hielt ich die Verzweiflung auf einem annehmbaren Niveau, man kann mit der Verzweiflung leben, ja die meisten Menschen leben auf diese Weise, hin und wieder fragen sie sich trotzdem, ob sie sich zu einem Hauch von Hoffnung hinreißen lassen können, zumindest stellen sie sich die Frage, bevor sie sie verneinen. Dennoch machen sie beharrlich weiter, und das ist ein bewegendes Schauspiel.

Beim Schießen machte ich rasch Fortschritte, sogar so rasch, dass ich selbst beeindruckt war; in weniger als zwei Wochen schaffte ich es, meine Schüsse nicht nur in der Mitte des *O* zu platzieren, sondern auch in den beiden geschlossenen Schlaufen des *B* und im Dreieck der *4;* ich begann daher über »bewegliche Ziele« nachzudenken. Daran fehlte es nicht am Strand, die offensichtlichsten waren die Meeresvögel.

Ich hatte in meinem Leben noch kein Tier getötet, es hatte sich nicht ergeben, aber ich war nicht prinzipiell dagegen. So abstoßend ich die industriellen Zuchtbetriebe fand, so wenig hatte ich grundsätzlich gegen die Jagd einzuwenden, bei der die Tiere in ihrer natürlichen Umgebung blieben, bei der sie ungehindert laufen und springen konnten, bis sie von einem in der Nahrungskette weiter oben stehenden Räuber niedergestreckt wurden. Das Steyr Mannlicher HS .50 machte mich zu einem in der Nahrungskette sehr weit oben stehenden Räuber, daran gab es keinen Zweifel; nur hatte ich mein Gewehr eben noch nie auf ein Tier gerichtet.

Ich entschied mich eines Morgens um kurz nach zehn Uhr dazu. Ich lag bequem mit meiner Decke auf der Kuppe des Abhangs, das Wetter war frisch und angenehm, an Zielen mangelte es nicht.

Ich hielt einen Vogel lange in der Mitte meines Visiers, es war keine Möwe oder Silbermöwe, nichts so Berühmtes, nur irgendein unbestimmter kleiner Vogel mit langen Beinen, den ich schon mehrfach am Strand gesehen hatte, eine Art Strandproletarier, in der Tat war es ein stumpfsinniger Vogel mit einem starren, boshaften Blick, ein mechanischer kleiner Mörder, der auf seinen langen Beinen umherstakste, deren mechanischer und vorhersehbarer Gang nur unterbrochen wurde, wenn er ein Opfer ausgemacht hatte. Wenn ich ihm den Kopf wegblies, könnte ich damit zahlreichen Gastropoden und auch Kephalopoden das Leben retten, ich würde sozusagen eine kleine Abweichung in die Nahrungskette einbringen, ohne ein Eigeninteresse zu haben, dieser trostlose Spatz war vermutlich nicht mal essbar. Ich brauchte mir nur ins Gedächtnis zu rufen, dass ich ein Mann war, ein Herr und Meister, das Universum war von einem gerechten Gott nach meinen Bedürfnissen geschaffen worden.

Die Konfrontation dauerte ein paar Minuten, mindestens drei, wahrscheinlich eher fünf oder zehn, dann begannen meine Hände zu zittern, und ich begriff, dass ich nicht imstande war, den Abzug zu betätigen, ich war eindeutig nur ein Weichei, ein trauriges und unbedeutendes Weichei, das obendrein auch noch alt wurde. »Wer nicht den Mut hat zu töten, hat nicht den Mut zu leben«, der Satz lief in Endlosschleife durch meinen Kopf, ohne irgendetwas anderes als einen Graben aus Schmerz zu hinterlassen. Ich ging zurück zum Bungalow, um ein Dutzend leerer Flaschen herauszuholen, die ich aufs Geratewohl am Hang entlang aufstellte und in weniger als zwei Minuten zu Scherben zusammenschoss.

Als alle Flaschen zerplatzt waren, merkte ich, dass ich am Ende meines Patronenvorrats angelangt war. Ich hatte Aymeric fast zwei Wochen lang nicht gesehen, aber mir war aufgefallen, dass er seit Jahresbeginn mehrfach Besuch gehabt hatte – auf dem Schlosshof standen häufig Geländewagen oder Pick-ups, und ich hatte gesehen, wie er Männer seines Alters, die wie er Arbeitskleidung trugen, zu ihren Autos begleitet hatte – wahrscheinlich andere Bauern aus der Gegend.

In dem Moment, als ich das Schloss erreicht hatte, kam er zusammen mit einem zwischen fünfzig und sechzig Jahre alten

Typen heraus, den ich zwei Tage zuvor schon einmal gesehen hatte – ein Typ mit einem bleichen, intelligenten und traurigen Gesicht; beide trugen dunkle Anzüge mit marineblauen Krawatten, die sich mit den Anzügen bissen, ich war mir mit einem Mal sicher, dass er dem anderen Kerl eine Krawatte geliehen hatte. Er stellte mich vor als einen »Freund, der einen Bungalow gemietet hat«, ohne meine ehemalige Mitarbeit im Landwirtschaftsministerium zu erwähnen, wofür ich ihm dankbar war. Frank sei »der Syndikatsbeauftragte für den Ärmelkanal«, erklärte er. Ich wartete ein paar Sekunden, bevor Frank präzisierte: »Von der Bauerngewerkschaft.« Er schüttelte zweifelnd den Kopf, bevor er hinzusetzte: »Hin und wieder frage ich mich, ob man nicht dem Agrarverband beitreten sollte. Ich weiß nicht, ich bin mir nicht schlüssig, im Moment bin ich mir über gar nichts mehr schlüssig ...«

»Wir gehen zu einer Beerdigung«, sagte Aymeric. »Ein Kollege aus Carteret hat sich vor zwei Tagen eine Kugel reingejagt.«

»Das ist der dritte seit Anfang des Jahres«, ergänzte Frank. Er wolle am übernächsten Tag eine Syndikatssitzung einberufen; ich sei willkommen, wenn ich dabei sein wolle. »Wir müssen auf jeden Fall irgendwas tun, wir können den erneuten Rückgang der Milchpreise nicht hinnehmen, wenn wir das durchgehen lassen, sind wir am Arsch, alle bis zum letzten Mann, dann können wir auch gleich aufhören.« Bevor er in Franks Pick-up stieg, warf Aymeric mir einen entschuldigenden Blick zu; ich hatte ihm nie von meinem eigenen Gefühlsleben erzählt, ich hatte nicht ein Wort über Camille verloren, das wurde mir in diesem Moment bewusst, aber man muss im Allgemeinen auch nicht viel reden, die Dinge erklären sich von selbst, und er musste ahnen, dass es bei mir derzeit auch nicht gut lief, dass das Schicksal der Milchviehhalter nur schwerlich mein aktives Mitgefühl wecken würde.

Ich kam gegen sieben Uhr abends wieder, Aymeric hatte schon Zeit gehabt, eine halbe Flasche Wodka zu trinken. Die Beerdigung war wie erwartet gewesen; der Selbstmörder hinterließ keine Familie, er hatte nie eine Frau gefunden, sein Vater war tot und seine Mutter fast völlig verkalkt, sie schluchzte immerzu nur, die Zeiten hätten sich geändert. »Frank musste ich das eine oder andere erklären«, entschuldigte er sich. »Ich musste ihm gestehen, dass du dich mit landwirtschaftlichen Fragen ein wenig auskennst; aber du brauchst nicht zu glauben, dass er dir etwas verübelt, er weiß genau, dass die Beamten nicht viel Handlungsspielraum haben.«

Ich war kein Beamter, was meinen Handlungsspielraum im Übrigen nicht vergrößerte, und ich war versucht, selbst zum Wodka überzugehen, wozu unsere Qualen verlängern? Etwas hielt mich trotzdem davon ab, ich bat Aymeric, eine Flasche Weißwein zu öffnen. Er tat es und sog den Duft des Getränks befremdet ein wie eine Erinnerung an glücklichere Tage, bevor er mir eingoss. »Kommst du denn am Sonntag?«, fragte er mich fast beiläufig, als spräche er von einer heiteren Freundesrunde. Ich wusste es nicht, ich sagte, ja, wahrscheinlich schon, aber würde bei diesem Treffen etwas herauskommen? Würde man sich auf ein Vorgehen einigen? Seiner Meinung nach ja, wahrscheinlich ja, die Produzenten seien wirklich aufgebracht, geringstenfalls würden sie die Milchlieferungen an die Genossenschaften und die Industrie einstellen. Aber wenn zwei, drei Tage später die Milchlaster aus Polen oder Irland kämen, was würden sie dann tun? Sich mit Gewehren auf die Straße stellen und ihnen die Durchfahrt verwehren? Und selbst wenn das gelänge, was würden sie tun, wenn die Milchlaster unter dem Schutz der Bereitschaftspolizei wiederkämen? Das Feuer eröffnen?

Mir kamen »symbolische Aktionen« in den Sinn, aber bevor ich den Satz auch nur zu Ende gesprochen hatte, war ich wie gelähmt vor Scham. »Hektoliterweise Milch auf dem Vorplatz des Landratsamts von Caen auskippen«, fügte Aymeric hinzu, »natürlich könnte man das machen, aber die Medien würden einen Tag lang darüber berichten, mehr nicht, und ich glaube, eigentlich möchte ich das auch nicht. Ich war 2009 dabei, als wir Milchlaster in der Bucht von Mont-Saint-Michel ausgeleert haben; ich habe eine üble Erinnerung daran. Melken wie jeden Morgen, die Laster betanken und dann alles auskippen wie wertloses Zeug ... Ich glaube, da würde ich lieber die Gewehre rausholen.«

Vor der Abfahrt ließ ich mir noch ein paar Schachteln Patronen geben; ich konnte mir nicht vorstellen, dass sich die Situation zu einer bewaffneten Auseinandersetzung entwickeln würde, eigentlich konnte ich mir gar nichts vorstellen, aber ihre Haltung hatte etwas Beunruhigendes an sich, meist passiert ja nichts, aber manchmal passiert eben doch etwas, man ist nie wirklich vorbereitet. Ein paar Zielübungen konnten in jedem Fall nicht schaden.

DAS SYNDIKATSTREFFEN FAND im Carteret statt, einer riesigen Brasserie am Place du Terminus, dessen Name sich vermutlich auf den ihm gegenüberliegenden stillgelegten alten Bahnhof bezog, der bereits teilweise von Gras und Unkraut überwuchert war. In gastronomischer Hinsicht bot das Carteret vor allem Pizza an. Ich kam deutlich zu spät, die Ansprachen waren schon gehalten worden, aber es saßen noch etwa hundert Bauern an den Tischen, die meisten tranken Bier oder Weißwein. Sie redeten wenig – die Atmosphäre des Treffens hatte nichts Freudiges an sich – und warfen mir misstrauische Blicke zu, als ich auf den Tisch zusteuerte, an dem Aymeric zusammen mit Frank und drei anderen Typen saß, die ebenso wie dieser verständige und traurige Gesichter hatten und den Eindruck erweckten, studiert zu haben, zumindest Agrarwissenschaften, jedenfalls waren es vermutlich ebenfalls Gewerkschafter, auch sie sprachen nicht viel, man muss dazusagen, dass die Senkung des Milchpreises (ich hatte mich zwischenzeitlich in *La Manche libre* informiert) diesmal brutal gewesen war, ein Keulenschlag, ich wusste nicht mal, wo sie eine Basis für eventuelle Verhandlungen sahen.

»Ich störe euch«, sagte ich und versuchte dabei, einen lockeren Ton anzuschlagen. Aymeric warf mir einen betretenen Blick zu.

»Gar nicht, gar nicht«, antwortete Frank, der mir noch erschöpfter, noch zermürbter als die anderen erschien.

»Habt ihr eine Aktion beschlossen?« Ich weiß nicht, was mich dazu trieb, die Frage zu stellen, ich wollte die Antwort nicht mal wissen.

»Wir arbeiten dran, wir arbeiten dran.« Daraufhin sah mich Frank von unten herauf mit einem sonderbaren Blick an, leicht feindselig, vor allem aber unglaublich traurig, ja verzweifelt, er sprach mit mir wie über einen Abgrund hinweg, und da begann ich ein echtes Unbehagen zu verspüren, ich hatte zwischen ihnen nichts verloren, ich war ihnen nicht verbunden, ich konnte es gar nicht sein, ich hatte nicht mal das gleiche Leben wie sie, mein Leben war auch nicht gerade prächtig, aber es war nicht das Gleiche, und mehr gab es dazu nicht zu sagen. Ich verabschiedete mich rasch, ich war nicht länger als fünf Minuten geblieben, aber ich glaube, im Gehen hatte ich schon begriffen, dass es diesmal wirklich übel werden könnte.

Während der nächsten beiden Tage sperrte ich mich in meinem Bungalow ein, brauchte meine letzten Vorräte auf, schaltete von einem Sender zum anderen; zwei Mal versuchte ich zu onanieren. Am Mittwochmorgen war das Land von einem riesigen See aus Nebel bedeckt, so weit das Auge reichte, auf zehn Meter Entfernung erkannte man nichts mehr; trotzdem musste ich wohl hinausgehen, um mich mit Lebensmitteln zu versorgen, zumindest zum Carrefour-Markt in Barneville-Carteret musste ich. Ich brauchte ungefähr eine halbe Stunde, ich fuhr sehr vorsichtig, überschritt die vierzig Stundenkilometer nicht; hin und wieder signalisierten undeutliche gelbliche Lichtkränze die Anwesenheit eines anderen Fahrzeugs. Mit seinem Jachthafen, den Segelgeschäften, dem Gourmetrestaurant, das »Hummer aus der Bucht« auf der Karte hatte, bot Carteret für gewöhnlich das Schauspiel eines adretten kleinen Badeorts; heute erschien es wie eine vom Nebel überspülte Geisterstadt, auf meinem Weg zum Supermarkt begegnete ich weder einem Auto noch auch nur einem einzigen Fußgänger. Der Carrefour-Markt mit seinen nahezu verlassenen Gängen erschien wie ein letztes Relikt der Zivilisation, der menschlichen Besiedlung; ich kaufte Käse, Wurst und Rotwein, begleitet von der irrationalen, aber beharrlichen Vorstellung, ich müsse »einer Belagerung standhalten«.

Den Rest des Tages über wanderte ich in einer wattierten, absoluten Stille den Küstenweg entlang, ging von einer Nebelbank zur nächsten, ohne den Ozean unter mir auch nur einen Augenblick lang erkennen zu können; mein Leben erschien mir so formlos und ungewiss wie die Landschaft.

Als ich am Morgen darauf am Schlosstor vorbeikam, sah ich Aymeric Waffen an eine kleine Gruppe verteilen, es waren etwa zehn Männer, in Parkas und Jagdwesten gekleidet. Dann stiegen sie in ihre Fahrzeuge und fuhren in Richtung Valognes davon.

Als ich gegen siebzehn Uhr auf dem Rückweg wieder vorbeikam, sah ich, dass Aymerics Pick-up auf dem Hof stand, und ging direkt ins Esszimmer: Er saß mit Frank und einem dritten Typen zusammen, einem rothaarigen, wenig umgänglich wirkenden Koloss, den er mir als Barnabé vorstellte. Sie waren wohl gerade angekommen, hatten ihre Waffen in Reichweite abgelegt und sich Wodka eingegossen, die Mäntel aber noch nicht ausgezogen – ich bemerkte, dass Aymeric offenbar aufgehört hatte zu heizen, obwohl in dem Raum eine fürchterliche Kälte herrschte, ich war mir nicht mal mehr sicher, ob er sich zum Schlafengehen auszog, er hörte anscheinend mit so einigem auf.

»Heute Morgen haben wir Milchlaster aufgehalten, die vom Hafen von Le Havre kamen … Es war irische und brasilianische Milch. Mit Bewaffneten hatten sie nicht gerechnet, sie haben anstandslos kehrtgemacht. Allerdings sind sie fast sicher direkt zur Polizei gefahren. Was machen wir morgen, wenn sie mit einer Kompanie der Bereitschaftspolizei wiederkommen? Wir sind immer noch am selben Punkt; wir sind am Limit.«

»Wir müssen durchhalten, sie werden sich nicht trauen, auf uns zu schießen, das können sie nicht machen«, plädierte der rothaarige Riese.

»Nein, sie werden nicht als Erste schießen«, schaltete sich Frank ein. »Aber sie werden uns angreifen und zu entwaffnen versuchen, eine Auseinandersetzung ist unvermeidlich. Was wir klären müssen, ist, ob wir schießen. Wenn wir Widerstand leisten, verbringen wir die Nacht morgen in jedem Fall auf der Polizeiwache von Saint-Lô. Aber wenn es Verletzte oder Tote gibt, dann ist das was anderes.«

Ich sah ungläubig zu Aymeric hinüber, der schwieg und sein Glas zwischen den Händen drehte; er wirkte trotzig und mürrisch, wich meinem Blick aus, und da sagte ich mir, ich müsse wirklich einschreiten, einzuschreiten versuchen, soweit es noch möglich war. »Hör mal!«, sagte ich schließlich mit Nachdruck, ohne im Geringsten zu wissen, was ich sagen wollte.

»Ja?« Diesmal drehte er den Kopf und sah mir direkt in die Augen – mit dem gleichen freimütigen, aufrichtigen Blick, den er in unseren Zwanzigern gehabt und für den ich ihn auf Anhieb ins Herz geschlossen hatte. »Sag's mir, Florent«, fuhr er ganz leise fort, »sag mir, was du darüber denkst, ich würde gern deinen Standpunkt hören. Sind wir wirklich am Arsch, können wir versuchen, etwas zu unternehmen? Muss ich versuchen, etwas zu unternehmen? Oder muss ich mich wohl verhalten wie mein Vater, den Hof wieder dichtmachen, meine Mitgliedschaft im Jockey Club verlängern und so mein Leben geruhsam beschließen? Sag mir, was du denkst.«

Auf diesen Punkt waren wir von Anfang an zugesteuert; seit meinem ersten Besuch vor über zwanzig Jahren, als er sich gerade als Landwirt niedergelassen hatte, über zwanzig Jahre hatten wir dieses Gespräch hinausgezögert, jetzt war der Augenblick gekommen, und die beiden anderen verstummten völlig unvermittelt; das war jetzt eine Sache zwischen uns beiden, zwischen ihm und mir.

Aymeric wartete, sah mir mit seinem aufrechten und arglosen Blick unverwandt in die Augen, und ich begann zu sprechen, ohne ganz und gar mitzubekommen, was ich sagte, ich fühlte mich, als rutschte ich eine schiefe Ebene hinunter, es war schwindelerregend und etwas beängstigend, wie immer, wenn man in die Wahrheit eintaucht, was einem im Leben allerdings nicht so häufig widerfährt. »Weißt du«, sagte ich, »hier und da wird eine Fabrik geschlossen, eine Produktionseinheit ausgelagert, sagen wir, es werden siebzig Arbeiter gefeuert, es kommt eine Reportage auf BFM TV, es gibt einen Streikposten, sie verbrennen Reifen, ein, zwei Lokalpolitiker kommen vorbei, schließlich ist es ein Nachrichtenthema, ein interessantes Thema mit starken visuellen Merkmalen, Eisenindustrie oder Damenwäsche, das ist ein Unterschied, das lässt sich bebildern.

So, und auf der anderen Seite hast du jedes Jahr Hunderte von Landwirten, die den Laden dichtmachen.«

»Oder sich eine Kugel reinjagen«, warf Frank nüchtern ein, dann winkte er ab, als wollte er sich entschuldigen, das Wort ergriffen zu haben, und sein Gesicht wurde wieder traurig, undurchdringlich.

»Oder die sich eine Kugel reinjagen«, bestätigte ich. »Die Zahl der französischen Landwirte ist in den letzten fünfzig Jahren stark zurückgegangen, aber sie ist noch nicht ausreichend zurückgegangen. Sie muss sich noch mal halbieren oder dritteln, damit man den europäischen Standards, den dänischen oder holländischen Standards gerecht werden kann – das meine ich in Bezug auf Milchprodukte, beim Obst setzen Marokko oder Spanien die Standards. Heute gibt es etwas über sechzigtausend Milchviehzüchter; in fünfzehn Jahren werden meiner Meinung nach fünftausend davon übrig sein. Kurz gesagt: Was derzeit mit der französischen Landwirtschaft passiert, ist ein riesiger Entlassungsplan, der größte aktuell laufende Entlassungsplan, aber es ist ein geheimer, unsichtbarer Entlassungsplan, bei dem die Leute unabhängig voneinander verschwinden, in ihrer jeweiligen Gegend, ohne je ein Thema für BFM abzugeben.«

Aymeric schüttelte den Kopf mit einer Befriedigung, die mich schmerzte, weil ich in diesem Moment begriff, dass er nichts anderes von mir erwartete, er erwartete nur eine objektive Bestätigung der Katastrophe, und ich hatte ihm nichts, absolut gar nichts anzubieten außer meinen absurden moldawischen Träumereien, und das Schlimmste war, dass ich noch nicht am Ende war.

»Ist die Zahl der Landwirte gedrittelt«, fuhr ich fort, diesmal im Gefühl, am Kernpunkt meines beruflichen Scheiterns zu sein und mich mit jedem gesprochenen Wort selbst zu zerstören, hätte ich doch wenigstens einen persönlichen Erfolg zu verzeichnen gehabt, wäre es mir gelungen, eine Frau oder wenigstens ein Tier glücklich zu machen, aber nicht mal das, »sind die europäischen Standards erreicht, haben wir immer noch nicht gewonnen, wir werden dann vielmehr an der Schwelle zur endgültigen Niederlage stehen, denn dann sind wir wirklich auf Tuchfühlung mit dem Weltmarkt, und die Schlacht der weltweiten Produktion werden wir nicht gewinnen.«

»Und Sie meinen nicht, dass es protektionistische Maßnahmen geben wird? Das halten Sie für völlig ausgeschlossen?« Franks Stimme klang sonderbar unbeteiligt, abwesend, so als erkundigte er sich nach kuriosen abergläubischen Vorstellungen der Region.

»Völlig ausgeschlossen«, erklärte ich ohne Zögern. »Die ideologische Hürde ist zu hoch.« Als ich an meine berufliche Vergangenheit, an die Jahre meines Berufslebens zurückdachte, wurde mir bewusst, dass ich in der Tat mit ziemlich seltsamen abergläubischen Vorstellungen gewisser Kasten konfrontiert gewesen war. Meine Ansprechpartner kämpften nicht für ihre Interessen, nicht einmal für die Interessen, die sie hätten verteidigen sollen; das wäre ein Trugschluss gewesen. Sie kämpften für Konzepte; ich war jahrelang mit Leuten konfrontiert gewesen, die bereit waren, für die Handelsfreiheit zu sterben.

»Da hast du es also«, wandte ich mich wieder Aymeric zu. »Meiner Meinung nach ist alles am Arsch, wirklich am Arsch, ich rate dir also: Versuch auf persönlicher Ebene durchzukommen, Cécile ist eine verdammte Schlampe, lass sie mit ihrem Klavierspieler vögeln, und vergiss deine Töchter, zieh um, verkauf den Hof wieder, schlag dir die ganze Sache komplett aus dem Kopf, wenn du es gleich angehst, hast du noch eine kleine Chance, ein neues Leben anzufangen.«

Diesmal hatte ich mich klar ausgedrückt, beim letzten Mal war mir das schwergefallen, und ich blieb nur noch ein paar Minuten. Als ich mich zum Gehen anschickte, warf mir Aymeric einen eigenartigen Blick zu, in dem ich einen Hauch von Belustigung zu erkennen glaubte – aber vielleicht, ja sogar wahrscheinlich war es nur ein Hauch von Wahnsinn.

Tags darauf konnte ich die Entwicklung des Konflikts auf BFM TV verfolgen – es war eine kurze Reportage. Sie hatten letztlich beschlossen, die Blockade widerstandslos aufzuheben und die vom Hafen von Le Havre kommenden Milchlaster zu den Fabriken in Méautis und Valognes durchfahren zu lassen. Man hatte Frank ein beinahe einminütiges Interview zugestanden, in dem er einen meiner Ansicht nach sehr klaren, schlüssigen, mit einigen Zahlen angereicherten Gesamtüberblick gab und aufzeigte, inwieweit die Situation der normannischen Züchter untragbar geworden war. Er schloss mit dem Hinweis, der Kampf habe gerade erst begonnen, und die Bauerngewerkschaft und der Agrarverband riefen gemeinsam zu einem großen Aktionstag am kommenden Sonntag auf. Aymeric stand während des gesamten Interviews neben ihm, sagte aber nichts und spielte nur mechanisch mit dem Schlagbolzen seines Sturmgewehrs. Die Reportage ließ mich in einem gewiss nur vorübergehenden und widersinnigen optimistischen Zustand zurück: Frank war in seinem Vortrag so klar, so maßvoll und so luzide gewesen – ich wüsste nicht, wie man es in einem einminütigen Interview hätte besser machen sollen –, dass ich mir nicht vorstellen konnte, wie man seinen Überlegungen nicht Rechnung tragen, wie man sich weigern könnte, mit ihm zu verhandeln. Danach schaltete ich den Fernseher ab, sah aus dem Fenster meines Bungalows – es war kurz nach sechs, die Nebelschwaden zogen sich vor Anbruch der Dunkelheit Stück für Stück zurück – und erinnerte mich, dass auch ich in meinen zusammenfassenden Berichten *immer* richtig gelegen hatte, in denen ich den Standpunkt der regionalen Landwirte verteidigt hatte, ich hatte *immer* realistische Zahlen genannt, hatte vernünftige Schutzmaßnahmen vorgeschlagen, kurze, wirtschaftlich tragbare Transportwege, aber ich war nur ein Agronom, ein Techniker, und letztlich hatte man mir *immer* Unrecht gegeben, das Blatt hatte sich *immer* im letzten Moment zugunsten des Freihandels, des Produktivitätswettstreits, der Leistungsorientiertheit gewendet, also öffnete ich eine neue Flasche Wein, die Nacht hatte sich jetzt über die Landschaft gesenkt, *Nacht ohne Ende,* wer war ich, dass ich geglaubt hatte, etwas am Lauf der Welt ändern zu können?

DIE NORMANNISCHEN ZÜCHTER waren dazu aufgerufen, sich am Sonntagmittag im Zentrum von Pont-l'Évêque zu versammeln. Als ich über BFM TV davon erfuhr, glaubte ich zunächst, es handle sich um eine symbolische Wahl mit dem Ziel, der Kundgebung eine gute Medienabdeckung zuzusichern – der Name des Käses war überall in Frankreich und sogar darüber hinaus bekannt. In Wirklichkeit war Pont-l'Évêque, wie die weiteren Ereignisse zeigen sollten, gewählt worden, weil sich dort die von Deauville kommende A1342 und die A13 Caen–Paris kreuzten.

Als ich in aller Herrgottsfrühe aufstand, hatte der Ostwind den Nebel vollständig aufgelöst, der Ozean funkelte, von ganz sanften Wellen bewegt, bis in die Unendlichkeit. Der vollkommen klare Himmel zeigte eine Abstufung blütenreiner Schattierungen eines sehr strahlenden Blaus; zum ersten Mal glaubte ich am Horizont die Küste einer Insel ausmachen zu können. Ich ging noch einmal mit meinem Fernglas hinaus: Ja, es war erstaunlich angesichts der Entfernung, aber man konnte tatsächlich einen sanften Vorsprung von zartem Grün erkennen, bei dem es sich um die Ostküste von Jersey handeln musste.

Um eine solche Uhrzeit schien nichts Dramatisches passieren zu können, und ich hatte keine große Lust mehr, mich in die Nöte der Landwirte verstricken zu lassen; als ich mich ans Steuer meines Geländewagens setzte, hatte ich mehr oder weniger die Absicht, auf den Klippen von Flamanville spazieren zu gehen, vielleicht bis zum Kap von Jobourg vorzustoßen, an einem Tag wie diesem konnte man sicherlich die Küste von Alderney sehen. Ich dachte kurz an den Ornithologen; vielleicht hatte ihn seine niemals endende Suche viel weiter geführt, in viel trostlosere Gegenden, vielleicht vermoderte er in diesem Augenblick in einem Kerker in Manila, die anderen Häftlinge hatten sich ihm schon ausgiebig gewidmet, sein geschwollener, blutiger Leib war mit einer Schar von Kakerlaken bedeckt, sein Mund mit den zertrümmerten Zähnen außerstande, den in seinen Hals eindringenden Insekten den Weg zu versperren. Dieses unangenehme Bild war der erste Riss im Verlauf dieses Vormittags. Ein zweiter folgte, als ich an dem Schuppen vorbeiging, in dem Aymeric seine Landmaschinen verstaute, und sah, wie er hin und her ging und die Ladefläche seines Pick-ups mit Benzinkanistern füllte. Warum Benzinkanister? Das ließ nichts Gutes erahnen. Ich stellte den Motor ab, zögerte, sollte ich zu ihm gehen und mit ihm reden? Aber was sollte ich ihm sagen? Was konnte ich ihm nach unserem Gespräch am Vorabend noch sagen? Die Leute hören nie auf das, was man ihnen rät, und wenn sie einen um Rat fragen, dann durchweg mit dem erklärten Ziel, den Ratschlägen nicht zu folgen, sich von einer äußeren Stimme bestätigen zu lassen, dass sie sich in einer Spirale der Vernichtung und des Todes befinden, der Rat, den man ihnen erteilt, nimmt für sie exakt die Rolle des griechischen Chors ein, der dem Helden bestätigt, dass er den Weg von Zerstörung und Chaos eingeschlagen hat.

Aber der Morgen war so schön, ich glaubte noch nicht recht daran, und nach kurzem Zögern fuhr ich in Richtung Flamanville weiter.

Mein Klippenspaziergang scheiterte leider. Doch das Licht war noch nie so schön gewesen, die Luft nie so frisch und belebend, das Grün des Graslands nie so satt, nie hatte sich die Sonne so zauberhaft auf den beinahe unbewegten kleinen Wellen des Ozeans gespiegelt; und ich glaube, ich war noch nie so unglücklich gewesen. Ich ging weiter bis zum Kap von Jobourg, und es wurde noch schlimmer, wahrscheinlich war es unvermeidlich, dass mir Kates Bild wieder erschien, das Blau des Himmels war noch tiefer, das Licht kristalliner, es war jetzt ein Nordlicht, zuerst sah ich wieder ihren Blick, mit dem sie mich im Schlosspark von Schwerin angeschaut hatte, ihren nachsichtigen und sanften Blick, der mir bereits verzieh, und dann kamen mir weitere Erinnerungen, ich dachte daran, wie wir ein paar Tage vorher einen Spaziergang durch die Dünen von Sonderborg gemacht hatten, das war es, ihre Eltern lebten in Sonderborg, und das Licht war an jenem Morgen exakt gleich gewesen, ich suchte ein paar Minuten lang hinter dem Lenkrad meines G 350 Zuflucht und schloss die Augen, seltsame kleine Stöße durchliefen meinen Körper, aber ich weinte nicht, offenbar hatte ich keine Tränen mehr.

Gegen elf Uhr schlug ich den Weg nach Pont-l'Évêque ein. Schon zwei Kilometer vor dem Ortseingang war die Landstraße durch mitten auf der Fahrbahn stehende Traktoren abgeriegelt. Es waren viele bis zum Ortszentrum, mehrere Dutzend, die Abwesenheit von Ordnungskräften war etwas überraschend, wobei die Landwirte unweit ihrer Fahrzeuge picknickten und Bier tranken, sie wirkten ziemlich friedlich. Ich rief Aymeric unter seiner Mobilnummer an, ohne ihn zu erreichen, dann ging ich ein paar Minuten zu Fuß weiter, bis ich schließlich einsehen musste, dass ich ihn in diesem Gewühl niemals finden würde. Ich kehrte zu meinem Auto zurück, wendete und fuhr in Richtung Pierrefitte-en-Auge, bevor ich zu einem Hügel mit Blick auf das Autobahnkreuz abbog. Ich parkte seit kaum zwei Minuten, als sich die Ereignisse überstürzten. Eine kleine Gruppe von vielleicht zehn Pick-ups, unter denen ich Aymerics Nissan Amara erkannte, kam langsam den Zubringer zur A13 entlanggefahren. Ein letztes Auto konnte sich noch wild hupend an ihnen vorbeischlängeln, bevor sie die Zufahrt in Richtung Paris blockierten. Sie hatten ihren Standort gut gewählt, unmittelbar hinter einem geraden Streckenabschnitt von mindestens zwei Kilometern Länge, die Sicht war perfekt, den Autos blieb reichlich Zeit zum Abbremsen. Jetzt am frühen Nachmittag war der Verkehr noch belebt, und es bildete sich ziemlich rasch ein Stau, es wurde noch etwas gehupt, aber immer seltener, dann trat Stille ein.

Die Kommandotruppe bestand aus etwa zwanzig Landwirten; acht von ihnen stellten sich vor ihren Pick-ups auf, richteten ihre Waffen auf die Autofahrer, zwischen ihnen und den ersten Autos lagen an die fünfzig Meter. Aymeric stand in der Mitte, sein Schmeisser-Sturmgewehr in der Hand. Er war entspannt, ganz locker, und zündete sich unbekümmert etwas an, was mir nach einem Joint aussah – um ehrlich zu sein, hatte ich ihn nie etwas anderes rauchen sehen. Zu seiner Rechten stand Frank, der einen deutlich nervöseren Eindruck auf mich machte, er schien ein schlichtes Jagdgewehr in den Händen zu halten. Die übrigen Landwirte begannen die Benzinkanister von den Ladeflächen der Pick-ups zu nehmen und sie etwa fünfzig Meter weiter vorn über die gesamte Breite der Autobahn zu verteilen.

Sie waren gerade fertig, als das erste Panzerfahrzeug der Bereitschaftspolizei am Horizont erschien. Die Langsamkeit, mit der die Polizisten einschritten, sollte Gegenstand einiger Debatten werden; als Augenzeuge kann ich sagen, dass wirklich schwer hindurchzukommen war, sie mussten die Sirenen wild aufheulen lassen, die Autofahrer (von denen die meisten eine Notbremsung hingelegt hatten, nicht wenige Autos waren auf der Fahrbahn aufeinandergeprallt) hatten schlicht keine Möglichkeit, Platz zu machen; sie hätten aus ihrem gepanzerten Fahrzeug steigen und zu Fuß weitergehen müssen, das war die einzige zu treffende Entscheidung, und das ist das Einzige, was man dem Zugführer meiner Meinung nach wirklich vorwerfen konnte.

Genau in dem Moment, als sie sich dem Schauplatz der Auseinandersetzung näherten, kamen die zwei Landmaschinen den Zubringer heruntergefahren; es waren riesige Geräte, ein Mähdrescher und ein Maishäcksler, beide fast so breit wie die Auffahrt selbst, die Fahrer hockten vier Meter über dem Boden. Die beiden Maschinen blieben behäbig, endgültig inmitten der Kanister stehen, woraufhin die Fahrer von ihren Sitzen sprangen und sich zu ihren Kameraden gesellten; ich begriff jetzt, was sie vorhatten, und ich konnte es kaum glauben. Um die Landmaschinen zu bekommen, hatten sie sich an den Maschinenring wenden müssen, wahrscheinlich den von Calvados; ich sah die Räumlichkeiten des Rings wieder vor mir, ein paar Dutzend Meter von der DRAF entfernt, selbst das Bild der Rezeptionistin (eine unglückliche, alte, geschiedene Frau, die es nicht geschafft hatte, dem Sex vollständig zu entsagen, was zu einigen herzzerreißenden Episoden geführt hatte) sah ich kurz vor mir. Um einen Feldhäcksler und einen Mähdrescher zu leihen (mit welcher Begründung im Übrigen? Es war keine Silagezeit und erst recht keine Erntezeit), hatten sie sich zumindest ausweisen müssen, anders ging es nicht, diese Maschinen waren jeweils mehrere Hunderttausend Euro wert, und sie waren strafrechtlich verantwortlich, jetzt kamen sie nicht mehr aus der Sache heraus, das war ausgeschlossen, sie waren unterwegs in eine Sackgasse, auf der Schnellstraße in den Selbstmord, *brother?*

Danach lief alles erstaunlich schnell ab, wie eine oft wiederholte, perfekt eingeübte Sequenz: Als die beiden Maschinenführer zu den anderen gestoßen waren, zog ein großer, kräftiger Kerl mit roten Haaren (ich glaubte Barnabé wiederzuerkennen, den ich kurz zuvor bei Aymeric gesehen hatte) einen Raketenwerfer aus dem Führerhaus seines Pick-ups, den er in aller Ruhe durchlud.

Zwei Raketen wurden auf die Treibstofftanks der Maschinen abgefeuert. Die Verbrennung erfolgte augenblicklich, zwei riesige Flammenfontänen schossen zum Himmel auf, bevor sie sich vereinigten und von einer riesigen, schwärzlichen und regelrecht dantesken Rauchwolke überlagert wurden, nie hätte ich vermutet, dass Agrardiesel einen so schwarzen Rauch produzieren könnte. In diesen Sekunden wurden die meisten der Fotos gemacht, die anschließend weltweit in den Zeitungen abgedruckt wurden – und insbesondere das von Aymeric, das es auf viele Titelblätter vom *Corriere della Sera* bis zur *New York Times* schaffen sollte. Er war bereits von äußerster Schönheit, die Aufgedunsenheit seines Gesichts schien auf mysteriöse Weise ausgelöscht zu sein, und vor allem wirkte er ruhig, nahezu amüsiert, seine langen blonden Haare wehten in einem Windhauch, der sich in ebendieser Sekunde erhoben hatte; in seinem Mundwinkel hing noch immer ein Joint, und sein Schmeisser-Sturmgewehr hatte er auf Hüfthöhe erhoben; der Hintergrund war von einer abstrakten, absoluten Gewalttätigkeit, eine Flammensäule drehte sich vor einem Hintergrund aus schwarzem Rauch; aber in dieser Sekunde wirkte Aymeric glücklich, das heißt beinahe glücklich, er schien zumindest am richtigen Ort zu sein, sein Blick und seine entspannte Pose strahlten vor allem eine unglaubliche Unverfrorenheit aus, es war eines jener ewigen Bilder der Revolte, und das war der Grund dafür, dass so viele Nachrichtenblätter auf der ganzen Welt dieses Bild aufgriffen. Zudem, und ich war wohl einer der wenigen, die das begriffen, war es der Aymeric, den ich immer gekannt hatte, ein liebenswerter Typ, durch und durch liebenswert, um nicht zu sagen gutherzig, er hatte einfach nur glücklich sein wollen, er war seinem ländlichen Traum gefolgt, der sich auf eine vernünftige und qualitativ hochwertige Produktion stützte und auch auf Cécile, aber Cécile hatte sich als eine alte Schlampe erwiesen, die für das Leben in London mit einem mondänen Pianisten schwärmte, und die Europäische Union hatte sich mit dieser Milchquoten-Geschichte auch wie eine alte Schlampe verhalten, er hatte sicherlich nicht erwartet, dass es so enden würde.

Trotz alledem verstand ich nicht, verstehe ich noch immer nicht, warum es so enden musste, es boten sich doch noch verschiedene annehmbare Lebensmöglichkeiten, ich hielt meine Geschichte von der Moldawierin nicht für übertrieben, das war sogar mit dem Jockey Club vergleichbar, es gab gewiss so etwas wie einen moldawischen Adel, ein bisschen Adel gibt es doch überall, kurz: Es hätte sich doch gewiss ein Szenario zusammenschustern lassen, aber jedenfalls hob Aymeric irgendwann seine Waffe, brachte sie in eine eindeutige Schussposition und ging auf die Reihe der Bereitschaftspolizisten zu.

Sie hatten ausreichend Zeit gehabt, um eine annehmbare Kampfformation zu bilden; inzwischen war ein zweites Panzerfahrzeug eingetroffen und hatte ohne viel Federlesens ein paar Journalisten vertrieben, natürlich hatten sie protestiert, aber angesichts der schlichten virilen Drohung eines zünftigen Kolbenhiebs gegen den Kopf hatten sie den Protest wieder eingestellt, man brauchte ihnen nicht mal die Waffen zu zeigen, es ist doch einfacher, wenn man es mit Weicheiern zu tun hat, jedenfalls hatten sie sich unter dem Einsatz brav zurückgezogen (die bewussten Journalisten protestierten auf Twitter schon gegen die Angriffe auf die Pressefreiheit, aber das war nicht die Aufgabe der Bereitschaftspolizisten, dafür gab es Sprecher).

In jedem Fall war da die Front der Bereitschaftspolizisten, schätzungsweise dreißig Meter von jener der Landwirte entfernt. Es war eine kompakte, leicht gekrümmte Reihe, in militärischer Hinsicht annehmbar, markiert durch einen Wall von Schutzschilden aus verstärktem Plexiglas.

Manchmal glaube ich, als Einziger mit angesehen zu haben, was dann folgte, doch das stimmt nicht, ein Kameramann von BFM TV hatte sich in einer Baumgruppe auf der Autobahnböschung verstecken und so der Säuberungsaktion der Bereitschaftspolizei entgehen können, und er lieferte vollkommen klare Bilder der Ereignisse, die sogar zwei Stunden lang auf dem Sender laufen sollten, bevor man sich öffentlich entschuldigte und sie zurückzog, aber es war zu spät, die Filmsequenz war auf die sozialen Netzwerke übergesprungen und bis zum Abend bereits eine Million Mal angesehen worden; ein weiteres Mal, und diesmal zu Recht, wurde der Voyeurismus der Fernsehsender angeprangert; es wäre tatsächlich besser gewesen, hätte dieses Video Untersuchungszwecken und ausschließlich Untersuchungszwecken gedient.

Sein Sturmgewehr bequem auf Höhe der Taille haltend, begann sich Aymeric langsam zu drehen und die Bereitschaftspolizisten einen nach dem anderen ins Visier zu nehmen. Sie rückten enger zusammen, die Breite der Formation reduzierte sich um mindestens einen Meter, ihre Plexiglasschilde stießen ziemlich geräuschvoll gegeneinander, dann wurde es still. Die übrigen Landwirte hatten ihre Gewehre ergriffen, waren zu Aymeric aufgerückt und hatten ebenfalls angelegt; aber sie hatten nur Jagdgewehre, und die Bereitschaftspolizisten begriffen offenbar, dass nur Aymerics Schmeisser vom Kaliber .223 ihre Schilde zertrümmern und ihre kugelsicheren Westen durchlöchern könnte. Und im Rückblick glaube ich, dass es das war, was die Tragödie verursachte, die extreme Langsamkeit von Aymerics Bewegungen, aber auch sein sonderbarer Gesichtsausdruck, er sah aus wie einer, der *zu allem bereit* ist, und Männer, die *zu allem bereit* sind, gibt es glücklicherweise nicht sehr häufig, doch sie können einen beträchtlichen Schaden anrichten, diese gewöhnlichen, üblicherweise in Caen stationierten Bereitschaftspolizisten wussten das, aber auf eine etwas theoretische Weise, sie waren nicht darauf vorbereitet, dieser Gefahr entgegenzutreten, die Leute von der Eingreiftruppe der Nationalgendarmerie oder der Anti-Terror-Einheit hätten wahrscheinlich einen kühlen Kopf bewahrt, und das wurde dem Innenminister hinlänglich vorgehalten, doch wie hätte man das andererseits vorhersehen können, es handelte sich ja nicht um internationale Terroristen, sondern zunächst einmal um eine schlichte Demonstration von Landwirten. Aymeric wirkte amüsiert, aufrichtig amüsiert und spöttisch, aber er schien auch sehr weit weg zu sein, schlicht ganz woanders, ich glaube, ich hatte noch nie jemanden gesehen, der so *weit weg* war, ich erinnere mich daran, weil mir irgendwann der Gedanke kam, den Abhang hinunterzustürzen und auf ihn zuzulaufen, und im selben Augenblick, als mir der Gedanke kam, begriff ich, dass es sinnlos wäre und dass ihn in diesem letzten Moment nichts Freundschaftliches oder Menschliches mehr erreichen konnte.

Er drehte sich langsam von links nach rechts, zielte auf jeden einzelnen der Bereitschaftspolizisten hinter ihren Schilden (sie konnten auf keinen Fall zuerst schießen, da war ich mir sicher; aber tatsächlich war das die einzige Gewissheit, die ich hatte). Anschließend bewegte er sich in entgegengesetzter Richtung, von rechts nach links; dann kehrte er, noch langsamer werdend, zur Mitte zurück und verharrte dort ein paar Sekunden lang, weniger als fünf, schätze ich. Etwas anderes huschte über sein Gesicht, etwas wie ein umfassender Schmerz; er drehte den Gewehrlauf um, hielt ihn unter sein Kinn und betätigte den Abzug.

Sein Körper sackte nach hinten und stieß geräuschvoll gegen die metallene Ladefläche des Pick-ups; es spritzte kein Blut, kein Hirn, nichts dergleichen, alles war sonderbar maßvoll und gedämpft; aber niemand außer mir und dem Kameramann von BFM TV hatte gesehen, was genau passiert war. Zwei Meter vor ihm stieß Frank einen Schrei aus und entlud seine Waffe, ohne überhaupt zu zielen, in Richtung der Bereitschaftspolizisten; mehrere andere Landwirte taten es ihm augenblicklich nach. All das wurde im Laufe der Ermittlungen durch das Betrachten der Aufzeichnung klar festgestellt: Nicht nur hatten die Bereitschaftspolizisten, anders als Aymerics Kameraden glaubten, nicht auf ihn geschossen, sie hatten auch vier oder fünf Schüsse abbekommen, bevor sie das Feuer erwiderten. Nur machten sie bei ihrem Gegenschlag – und das wurde Gegenstand einer weiteren, ernsthafteren Diskussion – keine halben Sachen: Neun Landwirte waren auf der Stelle tot, ein zehnter verstarb in der Nacht im Allgemeinen Krankenhaus von Caen, ebenso wie ein Bereitschaftspolizist, wodurch die Zahl der Opfer auf elf anstieg. Das hatte man in Frankreich lange nicht erlebt und gewiss nie anlässlich einer Demonstration von Landwirten. Ich erfuhr das alles etwas später, durch die mediale Berichterstattung in den folgenden Tagen. Ich weiß nicht, wie ich es am selben Tag nach Canville-la-Rocque zurückschaffte; beim Fahren greifen gewisse Automatismen; bei so ziemlich allem greifen offenbar gewisse Automatismen.

Am nächsten Morgen erwachte ich sehr spät in einem vor Übelkeit und Ungläubigkeit nahezu krampfartigen Zustand, nichts von alldem erschien mir möglich oder real, Aymeric konnte sich doch keine Kugel in den Kopf gejagt haben, das konnte doch so nicht passiert sein. Etwas ganz Ähnliches hatte ich vor langer Zeit beim Runterkommen von einem LSD-Trip erlebt, aber das war unendlich weniger schlimm gewesen, niemand war gestorben, da war nur so ein Mädel gewesen, das nicht mehr wusste, ob es sich freiwillig hatte vögeln lassen, die Probleme der Jugend eben. Ich schaltete die Kaffeemaschine ein, schluckte meine Captorix-Pille und öffnete die Verpackung einer frischen Stange Philip Morris, bevor ich BFM TV einschaltete, und sofort sprang mir alles ins Gesicht, ich hatte den vergangenen Tag nicht geträumt, es war alles wahr, BFM TV sendete genau die Bilder, an die ich mich erinnerte, und versuchte sie mit einem angemessenen politischen Kommentar zu versehen, aber in jedem Fall hatten die Ereignisse des Vortags wirklich stattgefunden, der Hintergrundlärm der Züchter aus der Ärmelkanalregion und aus Calvados hatte sich zu einem Drama verdichtet, eine örtliche Spaltung hatte in einer Folge schwerer Ausbrüche Gestalt angenommen, und eine historische Konstellation hatte sich sogleich mit einer Kürzesterzählung verknüpft. Diese Konstellation war eine lokale, doch sie würde ganz offensichtlich globale Auswirkungen haben, auf den Nachrichtenkanälen setzten nach und nach die politischen Kommentare ein, und ihr allgemeiner Tenor erstaunte mich: Alle verurteilten wie üblich die Gewalt, beklagten die Tragödie und den Extremismus gewisser Aufwiegler; doch unter den verantwortlichen Politikern herrschte auch Verlegenheit, eine ungewohnte Betretenheit, keiner versäumte zu betonen, man müsse die Verzweiflung und Wut der Landwirte und insbesondere der Züchter bis zu einem bestimmten Punkt verstehen, der Skandal der Aufhebung der Milchquoten kehrte als eine folgenreiche, schuldhafte Unbegreiflichkeit wieder, von der sich niemand freimachen konnte, allein die Nationale Sammlungsbewegung schien in diesem Punkt eine völlig klare Position zu vertreten. Die unhaltbaren Bedingungen, welche die großen Handelsketten den Produzenten diktierten, waren für sich ein schmachvolles Thema, dem alle, ausgenommen vielleicht die Kommunisten – ich erfuhr bei dieser Gelegenheit, dass es noch eine Kommunistische Partei gab und dass sie sogar Abgeordnete hatte –, lieber auszuweichen versuchten. Aymerics Selbstmord, das wurde mir mit einer Mischung aus Bestürzung und Abscheu bewusst, würde möglicherweise politische Auswirkungen haben, wo alles andere versagt hatte. Ich für meinen Teil wusste nur eines mit Sicherheit, und zwar dass ich wegmusste, mir eine neue Unterkunft suchen musste. Ich dachte an den Internetanschluss im Kuhstall, er müsste funktionieren, es gab keinen Grund dafür, dass er es nicht tun sollte.

Auf dem Schlosshof stand ein Kastenwagen der Polizei. Ich fuhr auch auf den Hof. Zwei Polizisten, der eine vielleicht um die fünfzig, der andere etwa fünfunddreißig, waren vor dem Schrank mit Aymerics Waffen stehen geblieben, die sie einander reichten und aufmerksam untersuchten. Sie waren sichtlich fasziniert von diesem Arsenal, tauschten mit gesenkter Stimme mutmaßlich treffende Kommentare aus, schließlich war das ein wenig ihr Fachgebiet, und ich musste ein schallendes »Guten Tag!« ausstoßen, damit sie mich bemerkten. In dem Augenblick, als sich der Ältere zu mir umdrehte, geriet ich kurz in Panik, ich musste an das Steyr Mannlicher denken, aber ich kam gleich wieder zur Vernunft, ich hatte nichts zu befürchten, ich sagte mir, dies sei vermutlich das erste Mal, dass sie Aymerics Waffen sähen, sie hätten keinen Grund zu vermuten, dass eine fehle – mit der Smith & Wesson sogar zwei. Wenn sie die Waffenscheine überprüften und einen Abgleich vornahmen, konnte das vielleicht ein Problem werden, aber alles hat seine Zeit, wie es im Buch Kohelet ungefähr heißt. Ich erklärte ihnen, ich würde in einem der Bungalows wohnen, sagte aber nicht dazu, dass ich Aymeric kannte. Ich war kein bisschen beunruhigt: Für sie war ich ein unbedeutendes Element, irgendein Tourist, sie hatten keinen Grund, sich das Leben mit mir zu beschweren, ihre Arbeit war bestimmt auch so schon nicht einfach, dies war ein friedliches Departement, in dem es nahezu keine Kriminalität gab, Aymeric hatte mir erzählt, dass die Leute oft die Türen aufließen, wenn sie morgens aus dem Haus gingen, was selbst in ländlichen Gegenden selten geworden war, kurz: Sie hatten sicherlich noch nichts Derartiges erlebt.

»Ah ja, die Bungalows«, antwortete der Ältere, als erwachte er aus einer langen Träumerei, er schien die Existenz der Bungalows bis gerade eben vergessen zu haben.

»Ich muss jetzt abreisen«, fuhr ich fort, »etwas anderes bleibt mir ja nicht.«

»Ja, Sie müssen abreisen«, bestätigte der Ältere, »etwas anderes bleibt Ihnen nicht.«

»Sie haben vermutlich Urlaub«, schaltete sich der Jüngere ein, »wie schade für Sie.«

Wir nickten alle drei, zufrieden mit der Übereinstimmung unserer Analysen. »Ich bin gleich wieder da«, beendete ich das Gespräch auf etwas sonderbare Weise. Auf dem Weg zur Tür drehte ich mich um: Sie waren schon wieder mit der Untersuchung der Gewehre und Karabiner beschäftigt.

Im Kuhstall empfing mich lang gezogenes ängstliches, klagendes Muhen; natürlich, dachte ich, sie sind heute Morgen weder gefüttert noch gemolken worden, wahrscheinlich hätten sie auch am Abend zuvor gefüttert werden müssen, nahmen Kühe wohl geregelte Mahlzeiten zu sich, ich hatte keine Ahnung.

Ich ging zum Schloss zurück und gesellte mich wieder zu den Polizisten vor dem Waffenschrank; sie schienen noch immer in unerforschliche Überlegungen wahrscheinlich ballistischer oder technischer Natur vertieft zu sein; vielleicht kam auch ihnen der Gedanke, dass ihnen im Falle ernster Unruhen Schwierigkeiten drohen könnten, wenn alle Landwirte der Gegend in ähnlicher Weise bewaffnet wären. Ich berichtete ihnen von der Situation der Kühe. »Ah ja, die Kühe«, sagte der Ältere in einem wehleidigen Tonfall, »was können wir denn bloß mit den Kühen anstellen?« Tja, keine Ahnung, sie füttern oder eben jemanden rufen, der es konnte, jedenfalls war das ihr Problem, nicht meins. »Ich reise sofort ab«, fuhr ich fort. »Ja, natürlich, Sie reisen sofort ab«, bekräftigte der Jüngere, als wäre das in dieser Situation ganz offensichtlich genau das Richtige, ja als sehnte er meine Abreise geradezu herbei. Genau das hatte ich mir gedacht: Sie könnten keine zusätzlichen Probleme gebrauchen, schien mir der Polizist sagen zu wollen, tatsächlich schienen sie weder dem Ausmaß des Geschehens gewachsen zu sein noch der anzunehmenden Genauigkeit, mit der ihre Vorgesetzten ihren Bericht über den »aristokratischen Märtyrer für die Sache der Bauern«, wie man ihn in gewissen Zeitungen zu nennen begann, zerpflücken würden, und ich ging zu meinem Geländewagen zurück, ohne dass ein weiteres Wort gesprochen wurde.

Ich fühlte mich meinerseits letztlich nicht in der Lage, im Internet eine Unterkunft zu suchen, zumal unter dem klagenden Muhen der Kühe, ehrlich gesagt, fühlte ich mich zu kaum etwas in der Lage, ich fuhr ein paar Kilometer völlig ziellos durch die Gegend, in einem geistigen Zustand beinahe vollkommener Leere, die letzten Reste meines Wahrnehmungsvermögens gänzlich auf die Suche nach einem Hotel gerichtet. Das erste, das ich sah, nannte sich Hostellerie de la Baie, ich hatte nicht einmal den Namen des Dorfs wahrgenommen, der Betreiber würde mir später sagen, dass es sich um Regnéville-sur-Mer handele. Ich blieb zwei Tage lang völlig niedergeschlagen auf meinem Zimmer, ich nahm weiterhin mein Captorix, aber ich schaffte es nicht, aufzustehen, mich zu waschen oder auch nur meinen Koffer auszupacken. Ich konnte weder an die Zukunft denken noch an die Vergangenheit und noch weniger an die Gegenwart, doch es war vor allem die unmittelbare Zukunft, die ein Problem darstellte. Um den Betreiber nicht zu beunruhigen, erklärte ich ihm, ich sei mit einem der getöteten Landwirte befreundet und bei den Ereignissen dabei gewesen. Sein zuvor freundliches Gesicht verdüsterte sich auf einen Schlag; wie alle Einwohner der Region war er ganz offensichtlich mit den Landwirten solidarisch. »Ich finde, sie haben das Richtige getan!«, bekräftigte er nachdrücklich. »So konnten sie nicht weitermachen, es gibt Dinge, die darf man nicht zulassen, es gibt Momente, da muss man reagieren.« Ich war umso weniger versucht, ihm zu widersprechen, als ich im Grunde so ziemlich das Gleiche dachte.

Am Abend des zweiten Tages stand ich auf, um mich mit Nahrung zu versorgen. Am Ortsausgang gab es ein kleines Restaurant namens Chez Maryvonne. Es musste sich im Dorf herumgesprochen haben, dass ich ein Freund von »Monsieur d'Harcourt« war, die Wirtin empfing mich voller Wohlwollen und Respekt, sie erkundigte sich mehrfach, ob ich nicht noch irgendetwas brauchte, ob ich nicht zu sehr im Luftzug säße und so weiter. Die wenigen anderen Gäste waren Bauern aus der Gegend, die am Tresen Weißwein tranken, ich aß als Einziger etwas. Hin und wieder wechselten sie mit gesenkter Stimme ein paar Worte, ich hörte mehrmals ein zornig ausgesprochenes »Bereitschaftspolizei«. Ich fühlte mich in diesem Café von einer seltsamen Atmosphäre umgeben, so als hätte 1789 nur oberflächliche Spuren hinterlassen, ich rechnete jeden Moment damit, dass einer der Bauern an Aymeric als »unseren Herrn« erinnerte.

Tags darauf begab ich mich in das nebelverhangene Coutances, man konnte kaum die Turmspitzen der Kirche erkennen, die allerdings von einer großen Eleganz zu sein schien, das Dorf war insgesamt friedlich, baumbestanden und schön. Ich hatte mir am Kiosk eine Ausgabe von *Le Figaro* gekauft und machte mich in der Taverne du Parvis an die Lektüre, einer weiträumigen, direkt am Kirchplatz gelegenen Brasserie, die zugleich noch Restaurant und Hotel war, die Einrichtung war jugendstilartig, mit ledernen Sitzflächen und Holz, ein paar Art-nouveau-Stehlampen, jedenfalls war es in Coutances offensichtlich *the place to be.* Ich war auf der Suche nach einer Hintergrundanalyse oder zumindest der offiziellen Stellungnahme der Republikaner, doch es gab nichts dergleichen, ein langer Artikel war hingegen Aymeric gewidmet, dessen Beerdigung am Vortag stattgefunden hatte, die Trauerfeier war in der Kirche von Bayeux im Beisein einer »dicht gedrängten und andächtigen Menschenmenge« abgehalten worden, wie es die Tageszeitung ausdrückte. Die Schlagzeile des Artikels, »Das tragische Ende einer großen französischen Familie«, erschien mir übertrieben, er hatte immerhin noch zwei Schwestern, in Bezug auf die Weitergabe des Adelstitels stellte das vielleicht ein Problem dar, aber das überstieg meine Kompetenzen.

Zwei Straßen weiter fand ich ein Internetcafé, es wurde von zwei Arabern geführt, die sich äußerlich so sehr ähnelten, dass sie Zwillinge hätten sein können, und so übertrieben nach Salafisten aussahen, dass sie wahrscheinlich harmlos waren. Ich stellte mir vor, dass sie wohl als Junggesellen zusammenlebten oder vielleicht mit Zwillingsschwestern verheiratet waren und in angrenzenden Häusern wohnten, irgend so eine Art von Beziehung hatten sie auf jeden Fall.

Es gab einige Internetseiten zu dem Thema, heute gibt es ja für alles Internetseiten, und ich fand mein Glück auf *aristocrates.org* oder vielleicht auch auf *noblesse.net,* ich habe es vergessen. Ich hatte gewusst, dass Aymerics Familie alt war, aber nicht, wie alt, und ich war beeindruckt. Der Begründer der Dynastie war ein gewisser Bernhard der Däne gewesen, ein Gefährte von Rollo, dem Wikingerführer, dem im Jahr 911 durch den Vertrag von Saint-Clair-sur-Epte die Normandie zugesprochen worden war. In der Folge hatten die drei Brüder Errand, Robert und Anquetil d'Harcourt an der Seite von Wilhelm I. an der Eroberung Englands teilgenommen. Als Lohn hatten sie die Oberhoheit über weite Gebiete zu beiden Seiten des Ärmelkanals erhalten und infolgedessen im Augenblick des Hundertjährigen Kriegs gewisse Schwierigkeiten gehabt, sich zu positionieren; schließlich hatten sie sich allerdings zum Nachteil der Plantagenêts für die Kapetinger entschieden, das heißt, abgesehen von Geoffroy d'Harcourt, genannt »der Hinkende«, der in den 1340er-Jahren eine recht undurchsichtige Rolle gespielt hatte, was ihm Chateaubriand mit charakteristischer Emphase zum Vorwurf machte, doch mit dieser Ausnahme wurden sie zu treuen Dienern der französischen Krone – die Zahl der Botschafter, Prälaten und Militärführer, die sie dem Land schenkten, war beträchtlich. Dennoch bestand ein englischer Familienzweig fort, dessen Motto »Die guten Zeiten werden kommen« den Umständen wenig angemessen war. Aymerics gewaltsamer Tod auf der Ladefläche seines Nissan Amara schien mir der Berufung seiner Familie zugleich zu entsprechen und zu widersprechen, und ich fragte mich, was sein Vater darüber denken mochte. Er war mit der Waffe in der Hand gestorben, um den französischen Bauernstand zu verteidigen, was zu jeder Zeit die Aufgabe des Adels gewesen war; andererseits hatte er Selbstmord begangen, was dem Hinscheiden eines christlichen Ritters nicht besonders zu entsprechen schien. Alles in allem wäre es wohl deutlich besser gewesen, wenn er zwei oder drei Bereitschaftspolizisten den Garaus gemacht hätte.

Meine Recherche hatte eine Zeit lang gedauert, und einer der beiden Brüder bot mir einen Pfefferminztee an, den ich ablehnte, so was habe ich immer verabscheut, ich nahm stattdessen eine Limo. Während ich meine Sprite schlürfte, fiel mir wieder ein, dass ich ursprünglich vorgehabt hatte, eine Unterkunft zu finden, vorzugsweise in der Region – ich fühlte mich nicht in der Lage, nach Paris zurückzukehren, wo mich im Übrigen auch nichts erwartete – und vorzugsweise noch für diese Nacht. Konkret suchte ich eine ländliche Ferienunterkunft in der Gegend von Falaise; ich brauchte etwas über eine Stunde zusätzlicher Recherche, um den passenden Ort zu finden: Er befand sich zwischen Flers und Falaise, in einem kleinen Dorf, das auf den sonderbaren Namen Putanges hörte, was unvermeidlich an pascalsche Periphrasen denken ließ, »Die Frau ist weder Engel noch Nutte« usw. »Je mehr man den Engel spielen will, desto mehr wird man zur Nutte«, wobei das keine großartige Bedeutung hatte, aber schon der Sinn des Originals war mir immer entgangen, was hatte Pascal wohl sagen wollen? Die fehlende Sexualität rückte mich wahrscheinlich in die Nähe des Engels, zumindest flüsterten mir das meine geringen Kenntnisse in Angelologie ein, doch inwiefern brachte mich das dazu, die Bestie zu spielen? Das begriff ich nicht.

Der Eigentümer war jedenfalls gut zu erreichen, ja, die Unterkunft sei auf unbestimmte Zeit verfügbar, noch vom selben Abend an, wenn ich wolle, es sei nicht leicht zu finden, warnte er mich, sie liege abgeschieden mitten im Wald, wir verabredeten uns für 18 Uhr am Fuß der Kirche von Putanges.

Abgelegen mitten im Wald, da musste ich Vorräte beschaffen. Mehrere Plakate hatten mich informiert, dass es in Coutance ein Leclerc-Center gab, mitsamt einem Leclerc-Drive, einer Leclerc-Tankstelle, einem Leclerc-Kulturkaufhaus und einem Reisebüro – auch von Leclerc. Ein Leclerc-Möbelgeschäft gab es nicht, aber sonst schien nichts zu fehlen.

Ich hatte mein Lebtag noch keinen Fuß in ein Leclerc-Center gesetzt. Ich war hingerissen. Nie hätte ich mir vorstellen können, dass es ein Geschäft mit einem so reichhaltigen Warenangebot gäbe, in Paris war dergleichen unvorstellbar. Zudem hatte ich meine Kindheit in Senlis verlebt, einem überalterten, bürgerlichen, in gewisser Hinsicht sogar anachronistischen Städtchen – und meine Eltern waren bis zu ihrem Tod bemüht gewesen, mit ihren Einkäufen den lokalen Einzelhandel zu unterstützen. Von Méribel ganz zu schweigen, das war ein künstlicher, neu erschaffener Ort fernab der echten Welthandelsströme, eine rein touristische Farce. Das Leclerc-Center von Coutances war etwas anderes, dort war man wirklich Teil der großen Handelsketten. Endlose Regale warteten mit Lebensmitteln von allen Kontinenten auf, und mir wurde beinahe schwindelig, wenn ich an die aufgebotene Logistik dachte, an riesige Containerschiffe, die die unsicheren Ozeane überquerten.

Sieh auf den Kanälen
Jene Schiffe schlafen,
Die so gern ins Weite schweifen;
Deine geringste Lust zu stillen,
Kommen sie vom Ende der Welt.

Als ich eine Stunde lang herumgewandert und mein Einkaufswagen schon mehr als halbvoll war, konnte ich nicht umhin, wieder an die potenzielle Moldawierin zu denken, die Aymeric hätte glücklich machen können, glücklich machen müssen, und die nun in einem versteckten Winkel ihres moldawischen Geburtslands sterben würde, ohne auch nur etwas von der Existenz dieses Paradieses geahnt zu haben. Ordnung und Schönheit, das war das Mindeste, was man sagen konnte. Luxus, Ruhe und Wonne, wahrhaftig. Arme Moldawierin; und armer Aymeric.

DAS HAUS BEFAND SICH in Saint-Aubert-sur-Orne; das sei ein Weiler bei Putanges, der aber von keinem GPS-System angezeigt werde, wie mir der Eigentümer erklärte. Er war wie ich zwischen vierzig und fünfzig, seine grauen Haare waren wie meine eigenen sehr kurz geschoren, fast abrasiert, und er machte, leider wohl ebenfalls wie ich, den Eindruck eines ziemlich finsteren Typen; er fuhr einen Mercedes G, eine weitere Gemeinsamkeit, die zwischen Männern mittleren Alters oft die Keimzelle eines Gesprächs bilden kann. Noch besser war, dass er einen G 500 hatte und ich einen G 350, was eine zumutbare Kleinsthierarchie zwischen uns etablierte. Er kam aus Caen; ich fragte mich, was er wohl beruflich machte, ich konnte ihn nicht recht einordnen. Er erzählte, er sei Architekt. Ein gescheiterter Architekt, ergänzte er. Wie die meisten Architekten, setzte er hinzu. Er war unter anderem für das Appart City im Raumplanungsgebiet von Caen verantwortlich, in dem Camille eine Woche lang gewohnt hatte, bevor sie wirklich in mein Leben getreten war. Kein Grund, stolz zu sein, bemerkte er; nein, das war tatsächlich kein Grund.

Er wollte natürlich wissen, wie lange ich zu bleiben vorhatte; das war eine gute Frage, es konnten drei Tage oder auch drei

Jahre werden. Wir einigten uns recht mühelos auf eine einmonatige Pacht mit stillschweigender Verlängerung, ich würde die Miete am Anfang jedes Monats zahlen, Schecks seien in Ordnung, die könne er an seinem Geschäftskonto vorbeileiten. Es gehe ihm nicht mal um die Steuerersparnis, fügte er angewidert hinzu, es sei bloß nervig, die Steuererklärung auszufüllen, er wisse nie, ob er die Einkünfte unter Punkt BZ oder BY angeben müsse, gar nichts anzugeben, sei am besten; ich war nicht überrascht, ich hatte diesen Überdruss schon bei anderen Freiberuflern bemerkt. Er selbst halte sich gar nicht mehr in dem Haus auf, und er habe allmählich den Eindruck, er werde auch nie wieder dorthin zurückkehren; seit seiner Scheidung vor zwei Jahren habe er einen großen Teil seiner Motivation für Immobilien wie auch für viele andere Dinge eingebüßt. Unsere Leben glichen sich so sehr, dass es beinahe bedrückend wurde.

Mieter gebe es nur wenige und vor den Sommermonaten sowieso gar keine, er werde die Anzeige gleich von der Seite nehmen. Selbst im Sommer laufe es schleppend. »Es gibt kein Internet«, sagte er mit plötzlicher Besorgnis zu mir, »ich hoffe, das wussten Sie, ich bin mir fast sicher, dass ich es in die Anzeige geschrieben hatte.« Ich sagte, ich wisse es, ich hätte mich mit der Vorstellung abgefunden. Da sah ich kurz Angst in seinen Augen aufflackern. An Depressiven, die sich absondern und ein paar Monate im Wald verbringen wollen, um »in sich zu gehen«, fehlte es wahrscheinlich nicht; aber wer sich, ohne mit der Wimper zu zucken, damit abfindet, auf unbestimmte Zeit ohne Internet zu leben, der muss wirklich übel dran sein, las ich in seinem bangen Blick. »Ich bringe mich nicht um«, sagte ich mit einem, wie ich hoffte, entwaffnenden Lächeln, das jedoch in Wahrheit wohl eher dubios wirkte. »Jedenfalls nicht gleich«, fügte ich als eine Art Zugeständnis hinzu. Er gab ein Brummen von sich und konzentrierte sich auf die technischen Aspekte, die alles in allem weit einfacher waren. Die elektrischen Heizkörper würden durch einen Thermostat geregelt, ich müsse die gewünschte Temperatur nur über einen Drehknopf einstellen; das heiße Wasser werde direkt vom Heizkessel geliefert, ich brauchte gar nichts weiter tun. Wenn ich wolle, könne ich ein Holzfeuer machen; er zeigte mir die Anzünder und den Vorrat an Holzscheiten. Mobiltelefone funktionierten mal besser, mal schlechter, SFR gehe gar nicht, Bouygues ganz gut, wie es bei Orange sei, wisse er nicht mehr. Ansonsten habe er ein Festnetztelefon, er habe keinen Zähler eingebaut, er ziehe es vor, den Leuten zu vertrauen, setzte er hinzu, begleitet von einer Armbewegung, mit der er seine eigene Einstellung zu verhöhnen schien, er hoffe einfach, dass ich nicht nächtelang nach Japan telefoniere. »Nach Japan ganz bestimmt nicht«, fiel ich ihm mit einer unvermittelten, unbeabsichtigten Härte ins Wort, er zog die Augenbrauen zusammen, ich spürte, dass er nachfragen, dass er mehr darüber erfahren wollte, doch nach ein paar Sekunden ließ er es auf sich beruhen, drehte sich um und ging zu seinem Geländewagen. Ich glaubte immer noch, dass wir uns wiedersehen würden, dass sich eine Beziehung anbahnte, aber bevor er wieder losfuhr, gab er mir eine Visitenkarte: »Meine Adresse, für die Miete …«

Ich war nun allein auf dieser Welt, wie Rousseau schrieb, hatte keinen Bruder mehr, keinen Nächsten, keinen Freund, keine Gesellschaft außer mir selbst. Das passte schon ganz gut, aber da endete die Ähnlichkeit auch: Im nächsten Satz erklärte Rousseau, er sei »der geselligste und warmherzigste« unter den

Menschen. Bei mir lag der Fall anders; ich habe von Aymeric erzählt, ich habe von bestimmten Frauen erzählt, die Liste ist letztendlich kurz. Im Gegensatz zu Rousseau konnte ich auch nicht behaupten, die Menschen hätten mich »einmütig aus ihrer Mitte verbannt«: Die Menschen hatten sich in keiner Weise gegen mich verbündet; es war nur so gewesen, dass da eben nichts gewesen war, dass meine von Beginn an begrenzte Anhaftung an die Welt immer weiter geschwunden war, bis nichts mehr das Abgleiten verhindern konnte.

Ich drehte den Thermostat wieder auf, bevor ich beschloss, schlafen zu gehen oder mich zumindest auf dem Bett auszustrecken, die Mitte des Winters war erreicht, die Tage wurden allmählich wieder länger, aber die Nacht würde noch immer lang und inmitten des Waldes total sein.

SCHLIESSLICH SANK ICH in einen schmerzvollen Schlaf, nicht ohne zuvor mehrfach auf den Calvados Hors d'Age aus dem Leclerc-Center in Coutances zurückzugreifen. Ohne dass dem ein Traum vorausgegangen wäre, erwachte ich in der finstersten Nacht plötzlich mit dem Gefühl, sanft an den Schultern berührt oder gestreichelt worden zu sein. Ich stand auf, ging im Zimmer auf und ab, um mich zu beruhigen, trat ans Fenster: Die Nacht war vollkommen, es musste jene Mondphase sein, bei welcher der Mond vollständig verborgen war, kein Stern war zu sehen, die Wolkendecke hing zu niedrig. Es war zwei Uhr morgens, die Nacht war erst halb vorbei, in den Klöstern war dies die Zeit des Offiziums der Vigil; ich schaltete alle verfügbaren Lampen ein, ohne dass es mich wirklich beruhigt hätte: Ich hatte von Camille geträumt, das stand fest, es war Camille gewesen, die mir im Traum über die Schultern gestrichen hatte, wie sie es ein paar Jahre oder eigentlich viele Jahre zuvor jede Nacht getan hatte. Ich hatte keine große Hoffnung mehr, glücklich zu werden, aber der schieren Demenz wollte ich doch noch zu entfliehen versuchen.

Ich legte mich wieder hin, ließ den Blick durch das Zimmer schweifen: Es war ein perfektes gleichseitiges Dreieck, die beiden schrägen Wandflächen begegneten sich in der Mitte, auf Höhe des Hauptträgers. So wurde mir die Falle bewusst, die sich um mich geschlossen hatte: In genau so einem Zimmer hatte ich mit Camille während der ersten drei Monate unseres Zusammenlebens in Clécy jede Nacht geschlafen. Dieser Zufall war an sich nicht überraschend, in der Normandie sind alle Häuser mehr oder weniger nach demselben Muster gebaut, und wir waren nur zwanzig Kilometer von Clécy entfernt, aber ich hatte nicht damit gerechnet, äußerlich glichen sich die beiden Häuser nicht, das in Clécy war ein Fachwerkhaus gewesen, während dieses hier grobe Steinmauern hatte – wahrscheinlich aus Sandstein. Ich zog mich hastig an und ging ins Esszimmer hinunter, dort war es eisig, das Feuer war nicht in Gang gekommen, ich war noch nie gut im Feuermachen gewesen, ich hatte keine Ahnung, wie man die Scheite und Zweige aufeinanderschichten musste, das war einer der zahlreichen Punkte, in denen ich mich von dem Vorzeigemann – nehmen wir zum Beispiel mal Harrison Ford – unterschied, der ich gern gewesen wäre, aber das war im Moment nicht die Frage, mein Herz krampfte sich schmerzhaft zusammen, die Erinnerungen strömten ohne Unterlass auf mich ein, es ist nicht die Zukunft, es ist die Gegenwart, die dich tötet, die wiederkommt, um an dir zu nagen, dich zu zermürben und letztlich zu töten. Auch das Esszimmer war vollkommen identisch mit dem, in dem Camille und ich drei Monate lang gegessen hatten, nachdem wir in der Metzgerei mit eigener Herstellung in Clécy eingekauft hatten, in der Bäckerei-Konditorei mit ebenfalls komplett eigener Herstellung und auch bei verschiedenen

Gemüsebauern und nachdem sie sich mit jenem Enthusiasmus, der mich im Nachhinein so schmerzte, *an den Herd gestellt* hatte. Ich erkannte die aufgereihten Kupfertöpfe wieder, die an der Steinmauer sanft schimmerten. Ich erkannte die Kommode aus massivem Nussbaumholz mit den offenen Fächern, die Fayencen aus Rouen mit einem bunten, naiven Muster zur Geltung brachten. Ich erkannte die eichene Comtoise-Uhr, die endgültig in einer vergangenen Stunde, einem vergangenen Augenblick stehen geblieben war – manche hatten sie beim Tod eines Sohnes oder einer nahestehenden Person angehalten, andere im Moment der französischen Kriegserklärung an Deutschland im Jahr 1914 und wieder andere in dem Moment, als Marschall Pétain per Wahl die uneingeschränkte Herrschaft erteilt wurde.

Dort konnte ich nicht bleiben, und ich griff mir einen dicken Metallschlüssel, der mir Zugang zum anderen Flügel verschaffte, welcher im Augenblick nicht sehr wohnlich sei, wie mich der Architekt gewarnt hatte, er sei unmöglich zu heizen, wobei mir das zugutekommen könne, wenn ich bis zum Sommer bliebe. Ich gelangte in ein sehr großes Zimmer, das in anderen Zeiten das Wohnzimmer des Hauses gewesen sein musste und gegenwärtig mit einer Unmenge an Sesseln und Gartenstühlen vollgestellt war, eine ganze Wandfläche allerdings wurde von einer Bibliothek eingenommen, in der ich überrascht eine Gesamtausgabe des Marquis de Sade entdeckte. Sie musste aus dem 19. Jahrhundert stammen, es war ein Ganzlederband mit diversen vergoldeten Schnörkeln auf Deckel und Schnitt, der Scheiß muss eine Stange Geld gekostet haben, dachte ich kurz, während ich das Buch durchblätterte, das mit zahlreichen Radierungen verziert war, jedenfalls verharrte ich vor allem bei den Radierungen, und das Merkwürdige war, dass ich nichts begriff, eine je unterschiedliche Zahl von Protagonisten wurde in verschiedenen sexuellen Positionen gezeigt, aber es gelang mir nicht, mich zu orientieren, mir vorzustellen, von wo aus ich einen Gesamtüberblick gehabt hätte, das führte alles zu nichts, und ich ging ins Souterrain, dort unten musste es eher funky und cool gewesen sein, es standen noch ein paar aufgeschlitzte, halb umgestürzte Sofas aus schimmligem Stoff herum, aber vor allem waren da ein Phonokoffer und eine Plattensammlung, hauptsächlich Singles, die ich nach kurzer Unschlüssigkeit als Twist-Platten identifizierte – man erkannte es vor allem an der Haltung der auf den Hüllen dargestellten Tänzer, was die Sänger und Bands betraf, waren sie dem endgültigen Vergessen anheimgefallen.

Ich erinnerte mich, dass sich der Architekt während des gesamten Besuchs unwohl gefühlt zu haben schien, er war nur gerade so lange geblieben wie nötig, um mir zu erklären, wie die Geräte funktionierten, allerhöchstens zehn Minuten, und er hatte mehrmals wiederholt, es wäre besser, das Haus zu verkaufen, wenn bloß nicht alles so kompliziert wäre, die notariellen Formalitäten usw., und wenn er vor allem einen Käufer finden könnte. Tatsächlich musste das Haus eine Vergangenheit haben, eine Vergangenheit, deren Umrisse ich zwischen dem Marquis de Sade und dem Twist nur schwer bestimmen konnte, eine Vergangenheit, von der er sich befreien musste, ohne dass sich dadurch die Möglichkeit einer Zukunft eröffnete, jedenfalls aber erinnerte mich der Inhalt dieses Flügels an nichts, was ich aus dem Haus in Clécy hätte kennen können, das hier war eine andere Pathologie, eine andere Geschichte, und ich legte mich beinahe frohgemut wieder schlafen, was einmal mehr bestätigt, dass uns inmitten unserer Dramen die Existenz anderer Dramen, die uns erspart geblieben sind, beruhigt.

Am Morgen darauf führte mich ein halbstündiger Spaziergang ans Ufer der Orne. Der Weg war nicht besonders interessant, außer für jemanden, der die Umwandlung abgestorbener Blätter in Humus interessant fand – was in der Vergangenheit auf mich zugetroffen hatte, das war jetzt über zwanzig Jahre her, ich hatte sogar mehrere Berechnungen der abhängig von der Bewaldungsdichte produzierten Humusmenge durchgeführt. Mir kamen weitere, äußerst ungenaue Halberinnerungen an meine Studienzeit, so schien mir zum Beispiel, dass dieser Wald schlecht gepflegt war – die Dichte der Lianen und Schmarotzerpflanzen war zu hoch, sie mussten das Wachstum der Bäume einschränken; man darf nicht glauben, dass, wenn man die Natur sich selbst überließe, sie prachtvollen Hochwald mit gewaltigen, wohlproportionierten Bäumen hervorbringen würde, diese hochgewachsenen Baumgruppen, die Kirchen vergleichbar sind, die auch religiöse Empfindungen pantheistischer Art wecken können; überlässt man die Natur sich selbst, bringt sie im Allgemeinen nur ein formloses, chaotisches und insgesamt ziemlich hässliches Gewirr verschiedener Pflanzen hervor; das war in etwa das Schauspiel, das sich mir bei meinem Spaziergang zum Ufer der Orne bot.

Der Eigentümer hatte mir davon abgeraten, die Hirschkühe zu füttern, falls ich welchen begegnen sollte. Nicht, dass ihm ein solches Handeln ihrer tierischen Würde zuwiderzulaufen schien (er zuckte ungeduldig mit den Schultern, wie um die Lächerlichkeit dieses Gedankens zu unterstreichen), aber Hirschkühe seien wie die meisten Tiere opportunistische Allesfresser, nichts bereite ihnen mehr Freude, als über die Reste eines Picknicks oder einen aufgerissenen Müllsack herzufallen; aber wenn ich anfinge, sie zu füttern, kämen sie jeden Tag wieder, ich würde sie nicht mehr loswerden, wenn sie es darauf anlegten, seien sie die reinsten Kletten, diese Hirschkühe. Sollte ich mich jedoch, von ihren anmutigen kleinen Sprüngen berührt, als Tierpfleger versuchen wollen, riet er mir zu *pains au chocolat*, für *pains au chocolat* hätten sie eine schier unglaubliche Vorliebe – darin unterschieden sie sich sehr von den Wölfen, die hauptsächlich Käse bevorzugten, aber Wölfe gebe es hier ohnehin nicht, die Hirschkühe müssten sich vorerst keine Sorgen machen, die Wölfe würden einige Jahre brauchen, um aus den Alpen oder auch nur aus dem Gévaudan zurückzukehren.

Ich traf ohnehin auf keine Hirschkühe. Ich traf ganz allgemein auf überhaupt nichts, was meine Anwesenheit in diesem entlegenen Haus mitten im Wald hätte rechtfertigen können, und geradezu unwillkürlich holte ich das Blatt hervor, auf dem Adresse und Telefonnummer von Camilles Tierarztpraxis standen, ausgedruckt nach der Internetsuche auf dem Computer in der Büroecke von Aymerics Kuhstall, in einer Zeit, die mir sehr weit entfernt schien, die mir beinahe Teil eines früheren Lebens zu sein schien, einer Zeit, die in Wahrheit weniger als zwei Monate zurücklag.

Bis Falaise waren es nur etwa zwanzig Kilometer, doch ich brauchte fast zwei Stunden, um die Strecke zu bewältigen. Ich hielt lange auf dem Hauptplatz von Putanges, fasziniert vom Hôtel du Lion Verd, wofür es keinen anderen ersichtlichen Grund als seinen sonderbaren Namen gab – aber wäre ein *lion vert,* ein »grüner Löwe«, akzeptabler gewesen? Anschließend machte ich noch grundloser in Bazoches-au-Houlme halt. Dahinter endete die normannische Schweiz mit ihren Unfällen und Wegkrümmungen, die letzten zehn Kilometer der Straße nach Falaise waren vollkommen gerade, es kam mir vor, als rutschte ich eine schiefe Ebene hinunter, und ich bemerkte, dass ich unbewusst auf hundertsechzig beschleunigt hatte, das war ein dummer Fehler, genau in solchen Gegenden wurden Radarfallen aufgestellt, und vor allem führte diese ungehinderte Rutschpartie wahrscheinlich ins Nichts, Camille musste ein neues Leben führen, sie musste irgendeinen Typen kennengelernt haben, es war schon einige Jahre her, wie konnte ich etwas anderes annehmen?

Ich parkte am Fuß der Befestigungsmauern, die Falaise umgaben und von der Burg überragt wurden, in der Wilhelm der Eroberer zur Welt gekommen war. Die Stadt war recht einfach angelegt, und ich fand Camilles Tierarztpraxis ohne Schwierigkeiten: Sie lag an der Place du Docteur Paul German, ganz am Ende der Rue Saint Gervais, ganz offenkundig eine der Haupteinkaufsstraßen der Stadt, und nah an der gleichnamigen Kirche – deren Grundmauern im vorgotischen Stil stark unter der Belagerung durch Philippe II. gelitten hatten. An diesem Punkt hätte ich direkt hineingehen und die Sprechstundenhilfe nach ihr fragen können. Andere hätten das getan, und vielleicht hätte ich es nach einigem sinnentleerten Hin und Her letztlich auch getan. Die Lösung eines Telefonanrufs hatte ich sofort verworfen; einen Brief zu schreiben, hatte ich länger in Betracht gezogen, persönliche Briefe sind so selten geworden, dass sie stets eine Wirkung erzielen, es war vor allem das Gefühl meiner eigenen Unfähigkeit, das mich davon abbrachte.

Direkt gegenüber gab es eine Bar, Au duc normand, und die Lösung war schließlich, die Entscheidung auszusetzen, bis meine Kraft oder mein Lebenswille oder irgendetwas in der Art sie herbeiführen würde. Ich entschied mich für ein Bier, das vermutlich nur das erste einer langen Reihe sein würde, es war erst elf Uhr morgens. Das Lokal war winzig, es gab nur fünf Tische, und ich war der einzige Gast. Ich hatte einen perfekten Blick auf die Tierarztpraxis, gelegentlich kam jemand mit einem Haustier – meist waren es Hunde, teilweise in Hundekörben – und wechselte die entsprechenden Worte mit der Sprechstundenhilfe. Auch in die Bar kam gelegentlich jemand, nahm ein paar Meter von mir entfernt Aufstellung und ließ sich einen Kaffee mit Schuss servieren, es waren größtenteils alte Männer, trotzdem setzten sie sich nicht, sie tranken ihren Kaffee lieber am Tresen, ich konnte ihre Entscheidung nachvollziehen und begrüßte sie, man hatte es hier mit beherzten alten Männern zu tun, die zeigen wollten, dass sie noch was auf dem Kasten hatten, deren Oberschenkelflexoren nicht nachgaben, man hätte falsch daran getan, sie abzuschreiben. Während sich seine privilegierten Kunden dieser kleinen Stärkedemonstration hingaben, las der Eigentümer weiter mit einer nahezu priesterlichen Langsamkeit die *Paris Normandie*.

Ich war beim dritten Bier, und meine Aufmerksamkeit war ein wenig sprunghaft geworden, als Camille vor meinen Augen erschien. Sie kam aus dem Raum, in dem sie die Patienten empfing, und wechselte ein paar Worte mit der Sprechstundenhilfe – es war offenbar Zeit für die Mittagspause. Sie war vielleicht zwanzig Meter von mir entfernt, nicht mehr, und sie hatte sich nicht verändert, es war beängstigend, sie war jetzt über fünfunddreißig, und sie sah noch immer aus wie ein neunzehnjähriges Mädchen. Ich hingegen hatte mich äußerlich verändert, mir war bewusst, dass der *Zahn der Zeit* ziemlich an mir genagt hatte, ich wusste es, weil ich mir hin und wieder im Spiegel begegnet war und dabei weder echte Zufriedenheit noch echtes Missfallen verspürt hatte, ein bisschen so, wie man einem nicht besonders lästigen Etagennachbarn begegnet.

Noch schlimmer war, dass sie Jeans und ein hellgraues Sweatshirt trug, und genau so war sie gekleidet gewesen, als sie an einem Montagmorgen im November mit ihrer Umhängetasche aus dem Zug aus Paris gestiegen war, kurz bevor unsere Blicke ein paar Sekunden oder ein paar Minuten, eben eine unbestimmte Zeit lang ineinander versunken waren und sie zu mir gesagt hatte: »Ich bin Camille«, womit sie die Bedingungen für eine neue Verkettung von Umständen schuf, eine neue existenzielle Konstellation, aus der ich nicht mehr herausgekommen war, aus der ich wahrscheinlich niemals herauskommen würde und aus der ich ehrlicherweise auch nicht im Geringsten herauskommen wollte. Ich geriet kurz in Panik, als die beiden Frauen die Praxis verließen und auf dem Gehweg ein paar Worte wechselten: Wollten sie im Au duc normand zu Mittag essen? Mich plötzlich Camille gegenüberzusehen, erschien mir als die denkbar schlechteste Lösung, als ein vorprogrammiertes Scheitern. Aber nein, sie gingen die Rue Saint Gervais hinauf, und ehrlich gesagt, begriff ich bei genauerer Betrachtung des Au duc normand, dass meine Angst unbegründet gewesen war, der Eigentümer bot keinerlei Speisen an, nicht einmal Sandwiches, der mittägliche *Hochbetrieb* war seine Sache nicht, er widmete sich im Gegenteil weiter seiner erschöpfenden Lektüre der *Paris Normandie,* der er ein übertriebenes, morbides Interesse entgegenzubringen schien.

Ich wartete Camilles Rückkehr nicht ab, zahlte umgehend meine Biere und kehrte leicht angetrunken in das Haus in Saint-Aubert-sur-Orne zurück, wo ich mich mit den dreieckigen Zimmerwänden, den Kupfertöpfen und ganz generell meinen Erinnerungen konfrontiert sah, ich hatte noch eine Flasche Grand Marnier, das war nicht genug, die Beklommenheit wuchs von Stunde zu Stunde, in kleinen ruckartigen Schüben, um elf Uhr abends setzte das Herzrasen ein, bald darauf folgten starkes Schwitzen und Übelkeit. Gegen zwei Uhr morgens begriff ich, dass es eine Nacht war, von der ich mich nicht vollständig erholen würde.

TATSÄCHLICH BEGINNT MEIN Verhalten an diesem Punkt, sich mir zu entziehen, fällt es mir schwer, ihm einen Sinn zuzuschreiben, und es beginnt deutlich von einer allgemeinen Moral und im Übrigen auch von einer allgemeinen Vernunft abzuweichen, an der ich bis dahin teilzuhaben glaubte. Ich denke, ich habe hinreichend erklärt, dass ich nie das besessen habe, was man als eine »starke Persönlichkeit« bezeichnet, ich gehörte nicht zu denen, die unauslöschliche Spuren in der Geschichte oder auch nur im Gedächtnis ihrer Mitmenschen hinterlassen. Seit ein paar Wochen las ich wieder, das heißt, wenn man das so nennen kann, meine Leseneugier reichte nicht sehr weit, eigentlich las ich ausschließlich *Die toten Seelen* von Gogol, und ich las nicht viel, nicht mehr als ein, zwei Seiten am Tag, und oft las ich an mehreren Tagen nacheinander dieselben Seiten. Diese Lektüre bereitete mir unendlichen Genuss, vielleicht nie hatte ich mich einem anderen so nah gefühlt wie diesem etwas in Vergessenheit geratenen russischen Autor, dabei hätte ich im Gegensatz zu Gogol nicht sagen können, dass Gott mir ein sehr komplexes Wesen verliehen habe. Gott hatte mir ein schlichtes, meiner Ansicht nach unendlich schlichtes Wesen verliehen, es war vor allem meine Umwelt, die komplex geworden war, und nun war ich bei einem Zustand zu hoher Weltkomplexität angekommen, ich konnte die Komplexität der Welt, in die ich geworfen war, schlicht nicht mehr ertragen, und auch mein Verhalten, das ich nicht zu verteidigen suche, wurde unverständlich, anstößig und erratisch.

Am darauffolgenden Tag war ich um siebzehn Uhr im Au duc normand, der Betreiber der Bar hatte sich schon an meine Anwesenheit gewöhnt, tags zuvor hatte er noch etwas überrascht gewirkt, heute gar nicht mehr, noch ehe ich etwas bestellte, hatte er schon die Hand am Zapfhahn, und ich nahm wieder genau denselben Platz ein. Gegen Viertel nach fünf stieß ein etwa fünfzehnjähriges Mädchen die Tür der Tierarztpraxis auf, es hatte ein Kind an der Hand, einen ganz kleinen Jungen, er musste drei oder vier Jahre alt sein. Camille tauchte im Zimmer auf und schloss ihn in die Arme, sie drehte sich mehrmals im Kreis und bedeckte ihn mit Küssen.

Ein Kind also, sie hatte ein Kind; das konnte man eine Neuigkeit nennen. Ich hätte damit rechnen können, Frauen machen mitunter Kinder, aber in Wahrheit hatte ich mit allem gerechnet, bloß damit nicht. Und meine ersten Gedanken galten, ehrlich gesagt, auch nicht dem Kind selbst: Kinder, dachte ich, macht man im Allgemeinen zu zweit, im Allgemeinen, aber nicht immer, es gibt heute andere medizinische Möglichkeiten, von denen ich gehört hatte, und tatsächlich wäre es mir lieber gewesen, wenn dieses Kind durch künstliche Befruchtung entstanden wäre, es wäre mir auf eine gewisse Weise *weniger real* erschienen, doch das war nicht der Fall, fünf Jahre zuvor hatte sich Camille, während sie mitten in ihrer fruchtbaren Zeit gewesen war, eine Zugfahrkarte und ein Ticket für das Musikfestival *Vieilles Charrues* gekauft und hatte dort mit einem Typen geschlafen, den sie bei einem Konzert kennengelernt hatte – an den Namen der Band erinnerte sie sich nicht mehr. Sie hatte nicht wirklich den Erstbesten genommen, der Typ war weder besonders hässlich noch besonders blöd, er studierte an der Handelsschule. Das einzige etwas Zweifelhafte an ihm war, dass er ein Heavy-Metal-Fan war, aber na ja, niemand ist perfekt, und für einen Heavy-Metal-Fan war er höflich und anständig. Das Ganze hatte sich im Zelt des Typen abgespielt, das auf einer Wiese ein paar Kilometer von den Konzertbühnen entfernt gestanden hatte; es war weder gut noch schlecht, kurzum ordentlich verlaufen; die Kondomfrage war nach Männerart ohne große Schwierigkeiten umgangen worden. Morgens war sie vor ihm aufgewacht und hatte offensichtlich eine Seite aus ihrem Rhodia-Notizbuch mit einer falschen Mobilnummer hinterlassen, eine offen gestanden etwas unnötige Vorsichtsmaßnahme, es war wenig wahrscheinlich, dass er sie anrufen würde. Zum Bahnhof musste sie fünf Kilometer weit laufen, das war das einzig Unangenehme, davon abgesehen, war es schön draußen, ein klarer, angenehmer Sommermorgen.

Ihre Eltern hatten die Nachricht resigniert aufgenommen, sie wussten, die Welt hatte sich gewandelt, nicht zwingend zum Besseren, wie sie insgeheim dachten, aber in jedem Fall hatte sie sich gewandelt, und die neue Generation musste sonderbare Umwege nehmen, um ihre Fortpflanzungsfunktion zu erfüllen. Daher hatten sie beide genickt, aber auf leicht unterschiedliche Weise: Beim Vater überwog nichtsdestoweniger die Scham, das Gefühl, dass er an seiner erzieherischen Aufgabe zumindest teilweise gescheitert war und dass die Dinge anders hätten laufen sollen; die Mutter dagegen freute sich innerlich schon jetzt darauf, ihren Enkelsohn zu begrüßen – denn sie wusste, dass es ein Junge werden würde, sie war sich da sofort sicher, und tatsächlich wurde es ein Junge.

Gegen neunzehn Uhr kam Camille zusammen mit der Sprechstundenhilfe heraus, die ihrerseits auf der Rue Saint Gervais davonging, schloss die Tür der Praxis ab und setzte sich ans Steuer ihres Nissan Micra. Ich hatte mehr oder weniger vorgehabt, ihr zu folgen, zumindest war mir früher am Tag der Gedanke gekommen, aber mein Auto stand an der Wallanlage, das war zu weit weg, ich hatte nicht genug Zeit, um es zu holen, und ich hatte ohnehin nicht mehr die Kraft, nicht heute Abend, da war immerhin noch das Kind, die gesamte Situation musste noch einmal überdacht werden, im Augenblick war es ratsamer, zum Carrefour-Markt in Falaise zu fahren und noch eine Flasche Grand Marnier zu kaufen oder besser gleich zwei.

Der nächste Tag war ein Samstag, und Camilles Tierarztpraxis müsste geöffnet sein, dachte ich mir, wahrscheinlich war das der Tag, an dem der meiste Betrieb herrschte, die Leute warten ab, wenn ihr Hund krank ist, sie warten, bis sie Zeit haben, so läuft das Leben der Leute ganz allgemein ab. Die Schule oder die Krippe oder der Hort ihres Sohnes dagegen wäre sicherlich geschlossen, gewiss würde sie für diesen Tag eine Babysitterin engagieren, jedenfalls wäre sie wahrscheinlich allein, und das erschien mir als ein günstiger Umstand.

Ich traf um halb zwölf ein, für den mir unwahrscheinlich vorkommenden Fall, dass sie die Praxis am Samstagmittag schloss. Der Barbetreiber hatte die *Paris Normandie* gekauft, war aber in eine nicht minder erschöpfende Lektüre von *France Football* vertieft, er war ein auf Vollständigkeit bedachter Leser, das gibt es, ich habe Leute wie ihn gekannt, die sich nicht mit den Schlagzeilen begnügen, mit Erklärungen von Édouard Philippe oder der für Neymar gezahlten Ablösesumme, sie wollen den Dingen auf den Grund gehen; sie sind das Fundament der aufgeklärten Meinung, die Grundfeste der repräsentativen Demokratie.

In der Tierarztpraxis folgten die Patienten in einem steten Rhythmus aufeinander, aber Camille schloss trotzdem früher als am Vortag, es war kurz vor siebzehn Uhr. Ich hatte mein Auto diesmal ein paar Meter von ihrem entfernt in der Parallelstraße abgestellt, einen Moment lang fürchtete ich, sie könnte es erkennen, aber das war eher unwahrscheinlich. Vor zwanzig Jahren, als ich es gekauft hatte, war die G-Klasse von Mercedes noch kaum verbreitet, die Leute kauften sich so einen Wagen, wenn sie vorhatten, durch Afrika oder zumindest Sardinien zu fahren; heute war das Auto angesagt, seine Vintage-Seite hatte überzeugt, jedenfalls war es mehr oder weniger zur Angeberkarre geworden.

Sie bog nach Bazoches-au-Houlme ab, und genau in dem Moment, als ihr Wagen auf Rabodanges zusteuerte, kam mir die Gewissheit, dass sie allein mit ihrem Sohn lebte. Es war nicht nur ein Wunsch, der darin zum Ausdruck kam: Es war eine intuitive Gewissheit, ebenso stark wie ungerechtfertigt.

Wir waren allein auf der Straße nach Rabodanges, und ich

bremste stark ab und ließ sie vorausfahren; Nebel zog auf, ich konnte ihre Rücklichter mit Müh und Not erkennen.

Als wir das Ufer des Sees von Rabodanges erreichten, über dem gerade die Sonne unterzugehen begann, war ich beeindruckt: Er erstreckte sich kilometerweit zu beiden Seiten einer Brücke, umgeben von dichten Eichen- und Ulmenwäldern; wahrscheinlich war es ein Stausee. Es gab so gut wie keine Anzeichen menschlicher Besiedlung, diese Landschaft erinnerte an nichts, was ich in Frankreich je gesehen hatte, man hätte sich eher in Norwegen oder in Kanada gewähnt.

Ich parkte hinter einem zu dieser Jahreszeit geschlossenen Bar-Restaurant oben auf dem Hang, dessen Terrasse einen »Panoramablick auf den See« bot und das erklärte, auf Anfrage auch Festbankette durchzuführen sowie im Sommer ganztägig Speiseeis anzubieten. Camilles Auto fuhr über die Brücke; ich holte mein Fernglas von Schmidt & Bender aus dem Handschuhfach, ich hatte jetzt überhaupt keine Angst mehr, sie zu verlieren, ich hatte schon erraten, wohin sie fuhr: Es war eine kleine Holzhütte, ein paar Hundert Meter entfernt am gegenüberliegenden Seeufer; auf der Vorderseite ging eine Terrasse zum See hinaus. Auf halber Höhe des Hügels mitten im Wald gelegen, ähnelte die einsame Hütte nachgerade einem von Menschenfressern umstellten Puppenhaus.

Tatsächlich fuhr der Nissan Micra hinter der Ausfahrt der Brücke auf einen steilen Weg, um direkt unterhalb der Terrasse zu halten. Ein junges Mädchen von etwa fünfzehn Jahren begrüßte Camille – dasselbe, das ich am Vortag gesehen hatte. Sie wechselten ein paar Worte, dann fuhr das junge Mädchen auf einem Motorroller davon.

Dort lebte Camille also, in einem abgeschiedenen Haus mitten im Wald, viele Kilometer von den nächsten Nachbarn entfernt – wobei das übertrieben ist, weiter nördlich stand in ein, zwei Kilometern Entfernung noch ein anderes, etwas größeres Haus, doch es handelte sich eindeutig um ein Ferienhaus, die Fensterläden waren geschlossen. Es gab auch noch das Bar-Restaurant mit Panoramablick La Rotonde, hinter dem ich parkte, eine eingehendere Betrachtung hatte ergeben, dass es zu Beginn der Osterferien im April wieder öffnen würde (gleich nebenan gab es sogar einen Wasserski-Club, der den Betrieb fast zur selben Zeit wiederaufnahm). Der Zugang zum Gastraum war durch einen Alarm gesichert, eine kleine rote Kontrolllampe blinkte am unteren Ende eines Kamerasystems; aber weiter unten gab es einen Lieferanteneingang, ich brach das Schloss problemlos auf. Die Temperatur im Inneren war recht mild, um einiges angenehmer als die Außentemperatur, es musste einen Wärmeregler geben, sicherlich vor allem zum Schutz des Weinkellers – ein sehr schöner Weinkeller mit Hunderten von Flaschen. In Bezug auf feste Nahrung sah es weniger prächtig aus, es gab ein paar Regale mit Konserven – im Wesentlichen Dosengemüse und eingelegtes Obst. In einem Nebenraum entdeckte ich auch eine dünne Matratze auf einem kleinen eisernen Bettgestell, das die Angestellten wohl während der Saison nutzten, um sich einen Augenblick Ruhe zu gönnen. Ich trug sie mühelos in den Gastraum mit Panoramablick hinauf und ich ließ mich darauf nieder, das Fernglas an meiner Seite. Die Matratze war alles andere als bequem, aber die Bar bot angebrochene Flaschen mit alkoholischen Getränken im Überfluss, nun ja, ich weiß nicht, wie ich die gesamte Situation erklären soll, aber zum ersten Mal seit Monaten –

oder eher Jahren – hatte ich das Gefühl, genau dort zu sein, wo ich hingehörte, und, einfach ausgedrückt, war ich glücklich.

Sie saß in ihrem Wohnzimmer auf dem Sofa, ihren Sohn neben sich, und sie waren in eine DVD vertieft, den Film konnte ich nicht genau bestimmen, wahrscheinlich *Der König der Löwen,* dann schlief das Kind ein, sie nahm es in die Arme und ging mit ihm zur Treppe. Kurz darauf verlosch im ganzen Haus das Licht. Ich selbst hatte nur eine Taschenlampe und kaum andere Möglichkeiten: Ich war mir sicher, dass sie mich auf diese Entfernung nicht sehen konnte, aber hätte ich das Licht im Gastraum eingeschaltet, wäre sie wohl argwöhnisch geworden. Ich verpflegte mich im Lebensmittellager rasch mit einer Dose Erbsen und einer mit eingelegten Pfirsichen, wozu ich eine Flasche Saint-Émilion trank, und ging bald darauf schlafen.

Am Tag darauf verließ Camille gegen elf Uhr das Haus, schnallte das Kind auf einem Kindersitz fest und überquerte die Brücke in der entgegengesetzten Richtung, ihr Auto fuhr in knapp zehn Metern Entfernung am Gastraum vorbei; sie würde vor dem Mittag in Bagnoles-de-l'Orne sein.

ALLES EXISTIERT, ALLES verlangt zu existieren, und so fallen mitunter stark gefühlsmäßig aufgeladene Situationen zusammen, und ein Schicksal nimmt seinen Lauf. Die Situation, die ich gerade beschrieben habe, dauerte etwa drei Wochen an. Ich kam im Allgemeinen gegen siebzehn Uhr, bezog sofort meinen Beobachtungsposten, ich war inzwischen gut organisiert, ich hatte meinen Aschenbecher, meine Taschenlampe; manchmal brachte ich ein paar Scheiben Schinken mit, um sie zu dem Dosengemüse aus dem Lagerraum zu essen; einmal hatte ich sogar eine Knoblauchwurst dabei. Was die Alkoholvorräte anging, sollten sie mich monatelang über Wasser halten können.

Inzwischen war nicht nur offensichtlich, dass Camille allein lebte, dass sie keine Liebhaber hatte, sondern auch, dass sie nicht besonders viele Freunde hatte; im Laufe dieser drei Wochen hatte sie nicht ein einziges Mal Besuch gehabt. Wie war es dazu gekommen? Wie war sie in diese Lage geraten? Wie waren wir beide in diese Lage geraten? Und, um es mit den Worten des kommunistischen Barden zu sagen: Ist so das Leben der Menschen?

Nun ja, die Antwort lautet: Ja, das wurde mir immer deutlicher bewusst. Und mir wurde auch bewusst, dass die Dinge nicht in Ordnung kommen würden. Camille befand sich jetzt in einer tiefgehenden und ausschließlichen Beziehung mit ihrem Sohn; das würde noch mindestens zehn, wahrscheinlich eher fünfzehn Jahre so bleiben, bis er sie verließ, um zu studieren – denn er würde sich in der Schule anstrengen, aufmerksam und hingebungsvoll von seiner Mutter begleitet, und er würde an einer Hochschule studieren, daran hatte ich nicht den geringsten Zweifel. Nach und nach würde es schwieriger werden, es würde Mädchen geben – und dann, schlimmer noch, würde es *ein* Mädchen geben, das nicht gut aufgenommen werden würde, Camille würde nun zu einem Hemmschuh werden, einem Hindernis (und auch wenn es kein Mädchen, sondern ein Junge sein sollte, wäre die Situation kaum vorteilhafter, die Zeit, in der Mütter die Homosexualität ihres Sohnes erleichtert begrüßt hatten, war vorbei, heutzutage taten sich die kleinen Homos zu Paaren zusammen, um sich der mütterlichen Herrschaft vollständig zu entziehen). Also würde sie kämpfen, sie würde darum kämpfen, die alleinige Liebe ihres Lebens zu bewahren, die Situation wäre eine Zeit lang schmerzhaft, doch schließlich würde sie sich damit abfinden müssen, sie würde sich den »Naturgesetzen« beugen. Dann wäre sie frei, aufs Neue frei und allein – aber sie wäre schon fünfzig Jahre alt, und es wäre ganz offensichtlich zu spät für sie, von mir gar nicht zu reden, ich war ohnehin schon kaum mehr am Leben, in fünfzehn Jahren würde ich längst tot sein.

Ich hatte das Steyr Mannlicher seit über zwei Monaten nicht benutzt, doch die Einzelteile fügten sich mit Leichtigkeit zusammen, geschmeidig und präzise, ihr Fertigungsgrad war wirklich bewundernswert. Den restlichen Nachmittag über übte ich an einem leer stehenden Haus etwas tiefer im Wald, bei dem man noch ein paar Scheiben einschießen konnte: Ich hatte nichts verlernt, meine Schusspräzision auf fünf Meter war noch immer ausgezeichnet.

War es vorstellbar, dass Camille mir zuliebe diese perfekte und symbiotische Beziehung zu ihrem Sohn aufs Spiel setzte? Und war es vorstellbar, dass er, der Junge, die Zuneigung seiner Mutter mit einem anderen Mann teilen würde? Die Antwort auf die Fragen war leidlich offensichtlich und die Lösung unausweichlich: entweder er oder ich.

Die Ermordung eines vierjährigen Kindes löst unweigerlich eine heftige mediale Erregung aus, ich konnte davon ausgehen, dass bei der Fahndung beträchtliche Ressourcen aufgeboten würden. Das Panoramarestaurant würde rasch als Ausgangsort des Schusses ausgemacht werden, aber ich hatte in dem Lokal nie meine Latexhandschuhe ausgezogen, kein einziges Mal, ich war mir sicher, dass ich nicht einen Abdruck hinterlassen hatte. Was Genproben anging, wusste ich nicht genau, woraus sich DNA entnehmen ließ: aus Blut, Sperma, Haaren, Speichel? Ich hatte daran gedacht, eine Plastiktüte mitzubringen, in welche ich nach und nach die Zigarettenstummel kippte, die ich zwischen den Zähnen gehalten hatte; im letzten Moment warf ich noch das Besteck dazu, das ich in den Mund genommen hatte, wobei ich den Eindruck hatte, etwas übervorsichtig zu sein, ehrlich gesagt, waren noch nie DNA-Proben von mir genommen worden, die systematische DNA-Entnahme unabhängig von Straftaten war nie verabschiedet worden, in gewisser Hinsicht lebten wir in einem freien Land, jedenfalls hatte ich nicht den Eindruck, in großer Gefahr zu sein. Der Schlüssel zum Erfolg schien mir in einer raschen Durchführung zu liegen; weniger als eine Minute nach dem Schuss könnte ich das La Rotonde endgültig verlassen haben; in weniger als einer Stunde könnte ich auf der Autobahn nach Paris sein.

Eines Abends, als ich die Parameter des Meuchelmords noch einmal im Geiste durchging, wurde ich von der Erinnerung an einen Abend in Morzine durchdrungen, einem 31. Dezember, dem ersten Silvesterabend, an dem meine Eltern mir erlaubt hatten, bis Mitternacht aufzubleiben, sie hatten ein paar Freunde zu Besuch, wahrscheinlich gab es eine kleine Feier, aber daran habe ich keinerlei Erinnerung, woran ich mich hingegen erinnere, ist, wie vollkommen berauscht ich von dem Gedanken war, dass wir die Schwelle zu einem neuen Jahr überschritten, einem vollkommen neuen Jahr, in dem jede Tat, selbst die unbedeutendste, selbst das Trinken einer Tasse Nesquik, in gewisser Weise zum ersten Mal ausgeführt werden würde, ich muss zu der Zeit fünf Jahre alt gewesen sein, etwas älter als Camilles Sohn, aber ich betrachtete das Leben damals als eine Folge von Glücksmomenten, die sich stets nur weiter ausdehnen konnten, die in der Zukunft zu immer vielfältigeren und größeren Glücksmomenten führen würden, und in dem Moment, als mir diese Erinnerung kam, wusste ich, dass ich Camilles Sohn verstand, dass ich mich in ihn hineinversetzen konnte und dass mir diese Übereinstimmung das Recht gab, ihn zu töten. Wäre ich ein Hirsch gewesen oder ein brasilianischer Makake, hätte sich die Frage ehrlicherweise gar nicht gestellt: Ein männliches Säugetier, das ein Weibchen erobert hat, vernichtet als Allererstes jeglichen bereits vorhandenen Nachwuchs, um die Vorrangstellung seines Genotyps zu sichern. Unter den ersten menschlichen Bevölkerungen war dieses Verhalten lange bestehen geblieben.

Jetzt habe ich alle Zeit, um an diese paar Stunden zurückzudenken, ich habe weiter kein großartiges Lebensprogramm, als daran zurückzudenken: Ich glaube nicht, dass die gegenläufigen Kräfte, die Kräfte, die mich vom steilen Abhang des Mordes zurückzuhalten versuchten, viel mit Moral zu tun hatten; es war eher eine anthropologische Frage, eine Frage der Zugehörigkeit zu den späten Arten, des Bekenntnisses zum Kodex der späten Arten – eine Frage der Angepasstheit, um es anders auszudrücken.

Wenn ich es schaffte, diese Grenzen zu überschreiten, würde die Belohnung natürlich nicht unmittelbar erfolgen. Camille würde leiden, sie würde ungeheuerlich leiden, ich würde mindestens sechs Monate lang warten müssen, bevor ich Kontakt zu ihr aufnahm. Und dann würde ich zurückkommen, und sie würde mich erneut lieben, denn sie hatte nie aufgehört, mich zu lieben, so einfach war das, sie würde bloß wieder ein Kind wollen, sie würde es bald wollen; und so würde es geschehen. Ein paar Jahre zuvor waren wir ins Schlingern geraten, wir waren fürchterlich vom normalen Kurs unserer Schicksale abgewichen; ich hatte den ersten Fehler begangen, doch Camille hatte mich ihrerseits noch übertroffen; es war nun an der Zeit, das wiedergutzumachen, es war allerhöchste Zeit, das war jetzt unsere letzte Chance, und ich war der Einzige, der es tun konnte, ich war der Einzige, der die Fäden in der Hand hielt, die Lösung lag am Ende meines Steyr Mannlicher.

Eine Gelegenheit bot sich mitten am Vormittag des darauffolgenden Samstags. Es war Anfang März, die Luft war schon frühlingshaft mild, und als ich eines der großen Glasfenster öffnete, die auf den See hinausgingen, um den Lauf meiner Waffe hinauszuschieben, spürte ich nicht den geringsten Hauch von Kälte, nichts, was mich beim Zielen hätte beeinträchtigen können. Das Kind saß am Terrassentisch vor einer großen Pappschachtel, die die Teile eines Disney-Puzzles enthielt – um genau zu sein: Schneewittchen, wie mir mein Fernglas zeigte, bislang waren nur Gesicht und Oberkörper der Heldin wieder zusammengesetzt. Ich stellte das Zielfernrohr auf maximale Vergrößerung, bevor ich meine Waffe in Anschlag brachte, dann wurde mein Atmen regelmäßig und langsam. Der Kopf des Kindes im Profil nahm das gesamte Visier ein; der Junge selbst bewegte sich überhaupt nicht, er war vollkommen auf sein Puzzle konzentriert – tatsächlich eine Übung, die große Konzentration erfordert. Ein paar Minuten vorher hatte ich die Babysitterin in Richtung der oberen Zimmer verschwinden sehen – wenn das Kind in ein Buch oder ein Spiel vertieft war, das hatte ich bemerkt, nutzte sie die Gelegenheit, um oben im Internet zu surfen, nachdem sie einen Kopfhörer aufgesetzt hatte, wahrscheinlich würde sie das für ein paar Stunden beschäftigen, ich nahm an, dass sie erst wieder hinunterging, wenn es Zeit für das Mittagessen des Jungen war.

Er blieb zehn Minuten lang völlig reglos sitzen, abgesehen von kleinen Handbewegungen, wenn er in dem Haufen von Puzzleteilen wühlte – Schneewittchens Bluse vervollständigte sich Stück für Stück. Seine Reglosigkeit wurde nur von meiner eigenen übertroffen – nie hatte ich so langsam und tief geatmet, nie hatten meine Hände so wenig gezittert, nie hatte ich meine Waffe so sehr im Griff gehabt, ich fühlte mich in der Lage, den perfekten Schuss zu vollbringen, befreiend und einzigartig, der wichtigste Schuss meines Lebens, das alleinige Endziel meines monatelangen Trainings.

Diese Reglosigkeit hielt zehn, wahrscheinlich eher fünfzehn oder zwanzig Minuten lang an, bevor meine Finger zu zittern begannen und ich zu Boden sackte, meine Wangen schabten über den Teppich, und ich begriff, dass es vorbei war, dass ich nicht schießen würde, dass es mir nicht gelingen würde, den Lauf der Dinge zu verändern, dass die Mechanismen des Unglücks die stärksten waren, dass ich Camille niemals zurückgewinnen würde und dass wir einsam sterben würden, unglücklich und einsam, jeder für sich. Ein Zittern durchlief mich, als ich wieder aufstand, Tränen ließen meinen Blick verschwimmen, und ich betätigte ganz aus Versehen den Abzug, die große Scheibe des Panoramasaals zerplatzte in Hunderte von Glasscherben, es war so laut, dass ich dachte, man könnte es vielleicht in dem gegenüberliegenden Haus gehört haben. Ich richtete mein Fernglas auf das Kind: Nein, es hatte sich nicht gerührt, es war noch immer auf sein Puzzle konzentriert, Schneewittchens Kleid setzte sich Stück für Stück zusammen.

Langsam, sehr langsam, mit der Langsamkeit einer Trauerzeremonie, schraubte ich die Teile des Steyr Mannlicher auseinander, die sich noch immer mit der gleichen Präzision in ihre Schaumgehäuse fügten. Als die Polycarbonathülle geschlossen war, kam mir kurz der Gedanke, sie in den See zu werfen, doch dann erschien mir diese ostentative Bekundung des Scheiterns ziemlich unnötig, das Scheitern hatte sich ohnehin vollzogen, es zusätzlich zu betonen, wäre diesem ehrbaren Gewehr gegenüber ungerecht gewesen, das seinerseits nichts weiter verlangt hatte, als seinem Benutzer zu dienen, dessen Absichten präzise und ausgezeichnet umzusetzen.

Als Zweites kam mir die Idee, die Brücke zu überqueren, dem Kind gegenüberzutreten. Ich bewegte das Projekt zwei bis drei Minuten lang in meinem Kopf, dann leerte ich eine Flasche Guignolet Kirsch, und das brachte mich wieder zur Vernunft oder wenigstens zu einem normalen Maß an Vernunft, ich könnte ihm ja ohnehin nur ein Vater oder ein Ersatzvater sein, und was sollte dieses Kind mit einem Vater anfangen, wozu sollte es irgendeinen Vater brauchen? Zu gar nichts, ich hatte das Gefühl, mir die Parameter einer bereits gelösten, und zu meinem Nachteil gelösten, Gleichung in den Sinn zu rufen, wie bereits gesagt, hieß es er oder ich, und die Antwort war: er.

Als Drittes verstaute ich, vernünftiger geworden, die Waffe im Kofferraum meines G 350 und fuhr, ohne mich noch einmal umzudrehen, in Richtung Saint-Aubert. In etwas über einem Monat würden Leute kommen, um das Restaurant wieder zu eröffnen, würden die Spuren der wilden Besatzung entdecken, würden wahrscheinlich einen Obdachlosen verdächtigen, würden beschließen, den unteren Lieferanteneingang mit einem zusätzlichen Alarm zu schützen – es war nicht mal gesagt, dass die Polizei ermitteln, dass sie nach Fingerabdrücken suchen würde.

Was mich betraf, schien nichts meinen Weg in die Vernichtung abbremsen zu können. Trotzdem verließ ich das Haus in Saint-Aubert-sur-Orne nicht, zumindest nicht sofort, was mir im Rückblick schwer erklärbar erscheint. Ich erhoffte mir nichts, ich war mir ganz und gar bewusst, dass ich mir nichts zu erhoffen hatte, meine Analyse der Situation erschien mir umfassend und unbestreitbar. Es gibt in der menschlichen Psyche gewisse Bereiche, die wenig bekannt sind, da sie wenig erforscht wurden, weil sich glücklicherweise wenige Menschen in der Situation befunden haben, es tun zu müssen, und denjenigen, die es getan haben, im Allgemeinen zu wenig Vernunft geblieben ist, um eine annehmbare Beschreibung zu liefern. Man kann sich diesen Bereichen kaum anders nähern als durch Anwendung paradoxer, ja sogar absurder Formeln, von denen mir nur die Wendung »gegen alle Hoffnung voll Hoffnung glauben« wirklich im Gedächtnis ist. Es ist nicht mit der Nacht vergleichbar, es ist viel schlimmer; und ohne es selbst erlebt zu haben, glaube ich, dass man, selbst wenn man in die wahre Nacht eintaucht, die Polarnacht, die sechs Monate dauert, noch einen Begriff von der Sonne oder eine Erinnerung an sie hat. Ich war in eine *Nacht ohne Ende* eingetreten, und doch blieb etwas, in meinem tiefsten Inneren blieb irgendetwas, weit weniger als eine Hoffnung, nennen wir es eine »Ungewissheit«. Man könnte auch sagen, dass, selbst wenn man persönlich das Spiel verloren, wenn man seine letzte Karte ausgespielt hat, bei manchen – nicht bei allen, nicht bei allen – noch der Gedanke bestehen bleibt, dass *etwas im Himmel* die Dinge wieder in die Hand nehmen, willkürlich entscheiden wird, die Rollen neu zu verteilen, die Karten neu zu mischen, und das, obgleich man nie, in keinem Augenblick seines Lebens, das Eingreifen oder auch nur die Gegenwart einer wie auch immer gearteten Gottheit gespürt hat, obgleich einem bewusst ist, dass man das Eingreifen einer wohlgesinnten Gottheit gar nicht sonderlich verdient, und obgleich man sich angesichts der Anhäufung von Irrtümern und Fehlern, aus welcher das eigene Leben besteht, darüber im Klaren ist, sie weniger als jeder andere zu verdienen.

Die Pacht des Hauses lief noch über einen Zeitraum von drei Wochen weiter, was zumindest den Vorteil hatte, meiner Geistesverwirrung eine konkrete Grenze zu setzen – selbst wenn es wenig wahrscheinlich war, dass ich länger als ein paar Tage in diesem Zustand bleiben würde. Eine Sache hatte ich in jedem Fall unmittelbar zu erledigen, und zwar eine Fahrt nach Paris, ich musste auf zwanzig Milligramm Captorix erhöhen, das war eine elementare Überlebensvorkehrung, die ich nicht vernachlässigen durfte. Ich vereinbarte einen Termin bei Doktor Azote für elf Uhr am übernächsten Vormittag, kurz nach meiner Ankunft mit dem Zug am Gare Saint-Lazare, ich ließ gerade genug Zeit dazwischen, um die zu erwartende Verspätung auszugleichen.

DIE REISE TAT MIR seltsamerweise ganz gut, indem sie meine Gedanken zu zwar negativen, aber unpersönlichen Betrachtungen abschweifen ließ. Der Zug erreichte den Gare Saint-Lazare mit einer Verspätung von fünfunddreißig Minuten, was ungefähr meiner Erwartung entsprach. Der Stammesstolz der Eisenbahner, der altüberlieferte Stolz auf die Einhaltung des Fahrplans, der zu Beginn des 20. Jahrhunderts derart groß und tief verankert gewesen war, dass die Dorfbewohner auf dem Land ihre Uhren nach den vorbeifahrenden Zügen stellten, war eindeutig verschwunden. Die SNCF war eines der Unternehmen, deren vollständigem Zusammenbruch und Zerfall ich zu meinen Lebzeiten beigewohnt hatte. Nicht nur konnten die angegebenen Ankunfts- und Abfahrtszeiten heutzutage als bloßer Scherz betrachtet werden, auch das Konzept der Gastronomie schien vollständig aus den Intercity-Zügen verschwunden zu sein, ebenso wie sämtliche Bestrebungen, das Material instand zu halten – aus den aufgerissenen Sitzen quoll dichter Füllstoff, und die Toiletten, zumindest diejenigen, die nicht – vermutlich aus Vergesslichkeit – zugesperrt waren, befanden sich in einem so abscheulichen Zustand, dass ich mich nicht überwinden konnte, sie zu betreten, und es vorzog, mich auf dem Bahnsteig zwischen zwei Waggons zu erleichtern.

Das Gefühl einer umfassenden Katastrophe mindert immer ein wenig die individuellen Katastrophen, das ist sicherlich auch der Grund dafür, dass es in Kriegszeiten so wenige Selbstmorde gibt, und ich ging mit nahezu beschwingten Schritten in Richtung der Rue d'Athènes. Doch schon der erste Blick, den Doktor Azote mir zuwarf, nahm mir alle Illusionen. Darin mischten sich Beunruhigung, Mitgefühl und echte fachmännische Besorgnis. »Sie machen keinen guten Eindruck«, stellte er knapp fest. Ich konnte ihm umso weniger widersprechen, als er mich monatelang nicht gesehen hatte, er hatte einen Bezugspunkt, der mir zwangsläufig fehlte.

»Natürlich gehen wir auf zwanzig Milligramm«, fuhr er fort, »aber gut, ob fünfzehn Milligramm oder zwanzig ... Antidepressiva können auch nicht alles richten, das wird Ihnen bewusst sein.« Es war mir bewusst. »Außerdem muss man bedenken, dass zwanzig Milligramm immerhin die erhältliche Höchstdosis sind. Sie könnten natürlich zwei Tabletten nehmen, auf fünfundzwanzig steigern, auf dreißig und dann auf fünfunddreißig, und wo hört man dann auf? Ehrlich gesagt, rate ich Ihnen davon ab. Tatsächlich ist es bis zwanzig getestet, darüber hinaus nicht, und ich würde das Risiko ungern eingehen. Wie steht es denn in sexueller Hinsicht?«

Die Frage machte mich sprachlos. Dabei musste ich zugeben, dass es gar keine schlechte Frage war, sie hatte einen Bezug zu meiner Situation, einen Bezug, der mir entfernt, unbestimmt erschien, aber trotzdem einen Bezug. Ich erwiderte nichts, doch wahrscheinlich breitete ich die Hände aus, öffnete leicht den Mund, jedenfalls musste mein Ausdruck ziemlich bezeichnend gewesen sein, denn er sagte: »Okay, okay, ich sehe schon …«

»Wir nehmen Ihnen trotzdem Blut ab, um den Testosteronspiegel zu überprüfen«, fuhr er fort. »Normalerweise müsste es sehr schlecht darum bestellt sein, anders als das natürliche hemmt das vom Captorix produzierte Serotonin die Testosteronsynthese, fragen Sie mich nicht, wieso, man weiß es nicht. Normalerweise, wohlgemerkt normalerweise, müsste die Wirkung komplett reversibel sein, sobald Sie das Captorix absetzen, wird der Spiegel wieder ansteigen, das haben jedenfalls die Studien gezeigt, zugleich gibt es nie eine hundertprozentige Sicherheit, wenn wir auf die absolute wissenschaftliche Gewissheit warten müssten, wäre nicht ein einziges Medikament jemals auf den Markt gekommen, ist Ihnen das alles klar?« Ich bejahte.

»Trotzdem, trotzdem …«, sprach er weiter. »Wir werden uns nicht aufs Testosteron beschränken, wir machen eine umfassende Hormonuntersuchung. Nur bin ich kein Endokrinologe, es könnte schon sein, dass mir irgendwas entgeht, möchten Sie nicht vielleicht einen Spezialisten aufsuchen, ich kenne da einen, der nicht übel ist.«

»Das möchte ich lieber nicht.«

»Das möchten Sie lieber nicht … Gut, das muss ich wohl als Vertrauensbeweis ansehen. Na schön, wir versuchen es weiter. Die Hormone sind im Grunde keine allzu komplizierte Angelegenheit, mit einem knappen Dutzend hat man die wichtigsten zusammen. Und außerdem gefiel mir das zu meiner Studienzeit immer, Endokrinologie war eins meiner Lieblingsfächer, es wird mir Spaß machen, mich da noch mal ein bisschen hinein zu vertiefen.« Er schien einen fernen Anflug von

Nostalgie zu verspüren, wie es von einem gewissen Alter an wohl unvermeidlich ist, wenn man an seine Studienzeit zurückdenkt, ich verstand ihn umso besser, als ich selbst immer große Freude an der Biochemie gehabt hatte, die Eigenschaften dieser komplexen Moleküle zu studieren, hatte mir ein eigenartiges Vergnügen bereitet, der Unterschied ist, dass ich mich eher für pflanzliche Moleküle wie Chlorophyll oder die Anthocyane interessiert hatte, aber die Grundlagen waren im Großen und Ganzen dieselben, ich verstand sehr gut, was er meinte.

Ich verließ die Praxis also mit zwei Rezepten, das Captorix 20 mg besorgte ich mir in einer Apotheke unweit des Gare Saint-Lazare, die Hormonanalyse würde bis zu meiner Rückkehr nach Paris warten müssen, ich würde nach Paris zurückkehren, das war jetzt unvermeidlich, die vollkommene Einsamkeit entspricht dort immer noch eher der Norm, ist der Umgebung angemessener.

TROTZDEM KEHRTE ICH NOCH ein letztes Mal ans Ufer des Sees von Rabodanges zurück. Ich hatte mich für einen Sonntagmittag entschieden, eine Zeit, zu der Camille sicherlich nicht zu Hause sein würde, weil sie bei ihren Eltern in Bagnoles-de-l'Orne zu Mittag aß. Wäre Camille da gewesen, ich glaube, es wäre mir nahezu unmöglich gewesen, endgültig Abschied zu nehmen. Endgültig Abschied zu nehmen? Glaubte ich das wirklich? Ja, ich glaubte es wirklich, schließlich hatte ich Leute sterben sehen, ich würde selbst bald sterben, man begegnet dem endgültigen Abschied ständig, sein ganzes Leben lang, wenn es nicht glücklicherweise kurz ist, man begegnet ihm so gut wie täglich. Das Wetter war absurd schön, strahlender, warmer Sonnenschein erhellte das Wasser des Sees, ließ die Wälder funkeln. Der Wind heulte nicht, die Bäche murmelten nicht, die Natur offenbarte einen nahezu beleidigenden Mangel an Empathie. Alles war friedlich, erhaben und ruhig. Hätte ich jahrelang allein mit Camille in diesem abgelegenen Haus mitten im Wald leben und glücklich sein können? Ja, das wusste ich. Mein ohnehin sehr geringes Bedürfnis nach sozialen Beziehungen (wenn man darunter andere als Liebesbeziehungen versteht) war im Laufe der Jahre auf null gesunken. Ist das normal? Zwar lebten die wenig anziehenden Vorfahren der Menschheit in Stämmen von einigen Dutzend Individuen zusammen, das war ungefähr die Größe eines kleinen Dörfchens, und dieses Modell bestand lange fort, bei den Jägern und Sammlern ebenso wie bei den ersten Ackerbau betreibenden Volksstämmen. Aber seitdem war einige Zeit vergangen, die Stadt war erfunden worden, mitsamt ihrer natürlichen Konsequenz, der Einsamkeit, zu der allein die Paarbeziehung eine wirkliche Alternative bieten konnte, wir würden niemals ins Stammesstadium zurückkehren, gewisse wenig intelligente Soziologen behaupteten, in den zusammengesetzten »Patchwork-Familien« von heute neue Sippenverbände zu erkennen, das konnte schon sein, aber ich persönlich kannte keine zusammengesetzten Familien – zersetzte Familien, das schon, ich kannte sogar kaum andere, ausgenommen natürlich die im Übrigen zahlreichen Fälle, in denen der Zersetzungsprozess bereits im Paarbeziehungsstadium begann, vor der Produktion von Kindern. Was den Zusammensetzungsprozess angeht, so habe ich ihn nie beobachten können – »Wenn unser Herz einmal seine Lese gehalten hat, ist Leben nur noch ein Übel«, schreibt Baudelaire äußerst treffend, diese Sache mit den Patchwork-Familien war meiner Meinung nach nichts als widerlicher Mist, auch wenn es sich um bloße optimistische, postmoderne, auf die oberen und obersten sozioprofessionellen Kategorien zugeschnittene Unangepasstheitspropaganda handelte, die jenseits der Metrostation Porte de Charenton ungehört verhallte. Also ja, ich hätte allein mit Camille in diesem abgelegenen Haus mitten im Wald leben können, jeden Morgen hätte ich die Sonne über dem See aufgehen sehen, und ich glaube, im Rahmen meiner Möglichkeiten wäre ich glücklich gewesen. Doch das Leben hatte, wie man so sagt, etwas anderes im Sinn, mein Gepäck stand bereit, am frühen Nachmittag könnte ich wieder in Paris sein.

Ich erkannte die Rezeptionistin des Mercure-Hotels ohne Schwierigkeiten wieder, und sie erkannte mich auch. »Sie sind wieder da?«, erkundigte sie sich, ich bejahte mit einem Anflug von Ergriffenheit, denn ich hatte gespürt, ich hatte mit Gewissheit gespürt, dass sie drauf und dran gewesen war zu sagen: »Sie sind wieder *unter uns?*«, ein Skrupel hatte sie im letzten Moment zurückgehalten, sie musste eine sehr genaue Vorstellung davon haben, wie vertraulich man mit einem Gast werden durfte, selbst wenn es ein treuer Gast war. Der folgende Satz, »Sie sind eine Woche lang unser Gast?«, schien mir exakt der gleiche zu sein, den sie bei meinem ersten Aufenthalt ein paar Monate vorher zu mir gesagt hatte.

Mit einer infantilen, ja geradezu erbärmlichen Befriedigung kehrte ich in mein winziges Hotelzimmer zurück, in seine funktionale und sinnreiche Einrichtung, und am nächsten Tag nahm ich meine täglichen Rundgänge wieder auf, die mich von der Brasserie O'Jules über die Rue Abel Hovelacque zum Carrefour City führten, woraufhin ich die Avenue des Gobelins ein Stück zurückging, um schließlich wieder in die Avenue de la Sœur Rosalie einzubiegen. Doch etwas hatte sich geändert, etwas in der allgemeinen Atmosphäre, ein Jahr oder beinahe ein Jahr war vergangen, es war Anfang Mai, ein außergewöhnlich milder Mai, ein regelrechter Vorgeschmack auf den Sommer. Normalerweise hätte ich so etwas wie Begierde oder zumindest Lust verspüren müssen, als ich mich zwischen diesen jungen Mädchen in kurzen Röcken oder hautengen Leggings wiederfand, die unweit von mir an den Tischen der Brasserie O'Jules saßen und Kaffee bestellten, während sie vielleicht Vertraulichkeiten über ihr Liebesleben austauschten, was deutlich wahrscheinlicher war, als dass sie ihre individuellen Lebensversicherungspläne verglichen. Doch ich empfand nichts, absolut gar nichts, obwohl wir theoretisch zur selben Spezies gehörten, ich musste mich um diese Sache mit den Hormonwerten kümmern, Doktor Azote hatte mich gebeten, ihm eine Ausfertigung der Ergebnisse zu schicken.

Drei Tage später rief ich ihn an, er wirkte betreten. »Es ist komisch, wissen Sie ... Wenn es Ihnen nichts ausmacht, würde ich gern einen Kollegen zurate ziehen. Könnten Sie in einer Woche vorbeikommen?« Ich trug den Termin unkommentiert in meinen Kalender ein. Wenn einem ein Arzt sagt, er habe in den Untersuchungsergebnissen etwas Sonderbares entdeckt, sollte man zumindest Besorgnis empfinden; das war bei mir nicht der Fall. Unmittelbar nachdem ich aufgelegt hatte, dachte ich, ich hätte zumindest besorgt tun sollen, ein wenig nachfragen, das hatte er wahrscheinlich erwartet. Es sei denn, dachte ich dann, er wisse vielleicht gar nicht so recht, wie es um mich stand; das war natürlich ein unangenehmer Gedanke.

Der Termin war am darauffolgenden Montag um 19 Uhr 30, vermutlich war es sein letzter an dem Tag, ich fragte mich sogar, ob er nicht eigens etwas länger blieb. Er wirkte ausgelaugt und steckte sich eine Camel an, bevor er mir eine anbot – das hatte etwas von einem Todeskandidaten. Ich sah, dass er ein paar Berechnungen auf meine Untersuchungsergebnisse gekritzelt hatte. »Nun«, sagte er, »der Testosteronwert ist wirklich niedrig, das hatte ich erwartet, das ist das Captorix. Aber was dazukommt, ist, dass Ihr Cortisolspiegel stark erhöht ist, es ist unglaublich, was Sie an Cortisol ausschütten können. Ehrlich gesagt … darf ich offen sprechen?« Ja, antwortete ich, unsere Gespräche seien doch bislang stets von Offenheit geprägt gewesen. »Nun gut, also, ehrlich gesagt …« Er zögerte immer noch, seine Lippen zitterten leicht, bevor er zu mir sagte: »Ich habe den Eindruck, Sie sind schlicht dabei, vor Kummer zu sterben.«

»Das gibt es wirklich, an Kummer sterben?« war die einzige Erwiderung, die mir in den Sinn kam.

»Nun ja, das ist kein sehr wissenschaftlicher Ausdruck, aber es ist immer besser, man nennt die Dinge beim Namen. Wobei es letztlich nicht der Kummer ist, der Sie tötet, nicht unmittelbar. Ich nehme an, Sie haben schon zugenommen?«

»Ich glaube, ja, es ist mir nicht besonders aufgefallen, aber ich habe schon das Gefühl.«

»Das bringt das Cortisol unweigerlich mit sich, Sie werden immer weiter zunehmen, Sie werden richtiggehend fettleibig werden. Und wenn Sie einmal fettleibig sind, mangelt es nicht an tödlichen Krankheiten, da gibt es eine reiche Auswahl. Was mich veranlasst hat, Ihre Behandlung zu überdenken, ist das Cortisol. Ich zögere, Ihnen zu raten, das Captorix abzusetzen, weil Ihr Cortisolspiegel dann ansteigen könnte; wobei ich mir, offen gestanden, nicht vorstellen kann, dass er noch weiter ansteigt.«

»Also raten Sie mir, das Captorix abzusetzen?«

»Nun ja ... Das ist keine selbstverständliche Entscheidung. Denn wenn Sie es absetzen, wird Ihre Depression zurückkommen, sie wird sogar noch stärker zurückkommen, Sie werden zu einem regelrechten Wrack werden. Andererseits, wenn Sie es weiter nehmen, können Sie sich das mit der Sexualität aus dem Kopf schlagen. Notwendig wäre, das Serotonin auf einem akzeptablen Niveau zu halten – das sieht bei Ihnen ganz gut aus –, aber zugleich das Cortisol zu senken und vielleicht das Dopamin und die Endorphine ein bisschen anzuheben, das wäre ideal. Aber ich habe das Gefühl, mich nicht sehr klar auszudrücken, ist das verständlich, können Sie mir noch folgen?«

»Nicht ganz, ehrlich gesagt.«

»Nun ...« Er warf wieder einen Blick auf das Blatt, einen etwas verstörten Blick, es kam mir vor, als würde er seinen eigenen Berechnungen nicht mehr richtig trauen, bevor er mich wieder ansah und unvermittelt sagte: »Haben Sie mal über Nutten nachgedacht?« Ich war sprachlos, und wahrscheinlich stand mir buchstäblich der Mund offen, ich musste völlig verblüfft wirken, denn er fuhr fort: »Wobei man sie heute ›Escortgirls‹ nennt, aber das kommt auf dasselbe heraus. Sie stehen doch finanziell nicht ganz schlecht da?«

Ich bestätigte, zumindest in dieser Hinsicht sei momentan alles in Ordnung.

»Nun« – meine Reaktion schien ihn ein wenig aufgemuntert zu haben – »manche von denen sind gar nicht so übel, wissen Sie. Wobei man ehrlich sagen muss, dass das die Ausnahme ist, die meisten sind schlicht Geldmaschinen, dazu meinen sie noch, sie müssten Begierde, Lust und Liebe heucheln und alles, was man sich sonst noch wünschen kann, das zieht vielleicht bei sehr jungen und sehr beschränkten Leuten, aber nicht bei Männern wie uns.« (Er hatte wahrscheinlich »wie Ihnen« sagen wollen, aber er sagte tatsächlich »wie uns«, er war wirklich erstaunlich, dieser Arzt.) »Kurz: In unserem Fall verschlimmert das höchstens die Verzweiflung. Aber immerhin vögelt man, das ist doch besser als nichts, und wenn man noch mit einem brauchbaren Mädel vögeln kann, ist es umso besser, aber gut, das wissen Sie wohl.

Kurz gesagt«, fuhr er fort, »kurz gesagt, ich habe Ihnen eine kleine Liste zusammengestellt ...« Er zog ein DIN-A4-Blatt aus einer Schublade seines Schreibtisches, auf das er drei Vornamen geschrieben hatte: Samantha, Tim und Alice; hinter jedem Namen stand eine Telefonnummer. »Sie brauchen nicht zu sagen, dass Sie wegen mir anrufen. Oder doch, erwähnen Sie es ruhig, vielleicht ist das besser, diese Mädels sind auf der Hut, man muss das verstehen, sie haben keinen einfachen Beruf.«

Ich brauchte eine Zeit lang, um mich von meiner Überraschung zu erholen. Auf eine Weise verstand ich es, die Ärzte können auch nicht alles richten, es braucht ein Minimum an Freude, um das Leben bestreiten zu können, um einen Fuß vor den anderen zu setzen, wie man so sagt, aber Escortgirls, das war trotzdem überraschend, und ich verstummte, er brauchte selbst ein paar Minuten, bis er fortfuhr (in der Rue d'Athènes herrschte überhaupt kein Verkehr mehr, die Stille im Raum war nun vollkommen):

»Ich bin kein Befürworter des Todes. In aller Regel schätze ich den Tod nicht. Aber es gibt natürlich Fälle ...« (Er machte eine vage, ungeduldige Handbewegung, wie um einen wiederkehrenden und dummen Einwand fortzuwischen.) »Es gibt gewisse Fälle, da ist das die beste Lösung, diese Fälle sind übrigens sehr selten, viel seltener als behauptet, Morphium funktioniert eigentlich fast immer, und in den seltenen Fällen einer Unverträglichkeit bleibt noch die Hypnose, aber so weit sind Sie noch nicht, mein Gott, Sie sind ja keine fünfzig Jahre alt! Man muss sich eins klarmachen, wenn Sie in Belgien oder in Holland wären, und Sie würden Sterbehilfe beantragen, würden Sie das bei der Depression, mit der Sie sich herumschlagen, ohne Schwierigkeiten bewilligt kriegen. Aber ich bin Arzt. Und wenn einer zu mir kommt und sagt: ›Ich bin niedergeschlagen, ich will mir eine Kugel in den Kopf jagen‹, soll ich dann sagen: ›Okay, jagen Sie sich eine Kugel rein, ich bin Ihnen gern behilflich‹? Tja, nein, es tut mir leid, aber nein, dafür bin ich nicht Arzt geworden.«

Ich versicherte ihm, ich hätte augenblicklich nicht die geringste Absicht, nach Belgien oder Holland zu gehen. Er wirkte beruhigt, tatsächlich glaube ich, dass er eine Bekräftigung dieser Art von mir erwartet hatte, war es mit mir wirklich so weit gekommen, war es so offensichtlich? Ich hatte seine Erklärungen mehr oder weniger verstanden, aber es gab da trotzdem noch eine Sache, die ich nicht begriff, und ich stellte ihm eine Frage: War die Sexualität das einzige Mittel, um die übermäßige Cortisol-Ausschüttung zu reduzieren?

»Nein, überhaupt nicht. Man bezeichnet das Cortisol oft als ›Stresshormon‹, und das ist nicht falsch. Ich bin mir sicher, dass Mönche zum Beispiel sehr wenig Cortisol ausschütten; aber das ist nicht mehr wirklich mein Bereich. Nun, ich weiß, es wirkt vielleicht seltsam, Sie als ›gestresst‹ zu bezeichnen, wo Sie den ganzen Tag lang eigentlich so gut wie nichts machen, aber die Zahlen sprechen für sich!« Er tippte kräftig auf das Blatt mit meinen Untersuchungswerten. »Sie sind gestresst, Sie sind in einem extremen Ausmaß gestresst, es ist ein bisschen, als hätten Sie einen stillen Burn-out, als würden Sie sich innerlich aufzehren. Nun ja, solche Dinge sind nicht leicht zu erklären. Außerdem ist es spät geworden ...« Ich sah auf meine Armbanduhr, es war tatsächlich nach einundzwanzig Uhr, ich hatte ihm wirklich die Zeit gestohlen, und außerdem bekam ich ein wenig Hunger, mir kam kurz der Gedanke, ich könnte zum Essen ins Mollard gehen, wie zur Zeit von Camille, und gleich darauf regte sich reiner Schrecken in mir, es gab keinen Zweifel, ich war wirklich ein Vollidiot.

»Ich mache Folgendes«, schloss er. »Ich gebe Ihnen ein Rezept für Captorix 10 mg, falls Sie sich entscheiden sollten, es abzusetzen – denn ich sage es noch mal, setzen Sie es nicht abrupt ab. Gleichzeitig muss man die Prozedur auch nicht unnötig kompliziert machen: Sie bleiben zwei Wochen lang auf zehn Milligramm, und dann gehen Sie auf null. Ich will Ihnen nichts vormachen, das kann hart werden, denn Sie nehmen jetzt schon lange Antidepressiva. Es wird hart werden, aber ich glaube, es ist das Richtige.«

Auf der Schwelle seiner Tür drückte er mir lange die Hand, bevor wir auseinandergingen. Ich hätte gern etwas gesagt, hätte gern eine Formulierung gefunden, die meine Dankbarkeit und Bewunderung zum Ausdruck gebracht hätte, in den dreißig Sekunden, die ich brauchte, um meinen Mantel anzuziehen und zur Tür zu gehen, suchte ich hektisch nach einer Formulierung; doch auch diesmal fehlten mir die Worte.

ZWEI ODER DREI MONATE vergingen, mein Blick fiel oft auf das Rezept für das Captorix 10 mg, mit dem ich ausschleichen würde; ich hatte auch das DIN-A4-Blatt mit den Telefonnummern der drei Escortgirls; und ich tat nichts als fernzusehen. Wenn ich um kurz nach zwölf von meinem kleinen Spaziergang zurück war, schaltete ich den Fernseher ein, und letztlich schaltete ich ihn nie aus, es gab ein umweltgerechtes Energiesparsystem, das erforderte, stündlich einmal auf den OK-Knopf zu drücken, also drückte ich stündlich, bis mir der Schlaf eine vorübergehende Befreiung verschaffte. Kurz nach acht Uhr schaltete ich wieder ein; die Debatten in der Sendung *Politique matin* halfen mir unbestreitbar beim Waschen, in Wahrheit konnte ich nicht behaupten, sie vollständig zu verstehen, ich verwechselte ständig die Parteien La République en marche und La France insoumise, und sie ähnelten sich tatsächlich ein bisschen, beiden Bezeichnungen war gemein, dass sie einen Eindruck nahezu unerträglicher Energie erzielten, aber genau das half mir: Statt direkt die Flasche Grand Marnier in Angriff zu nehmen, fuhr ich mit dem Seifenhandschuh über meinen Körper, und bald war ich für meinen kleinen Spaziergang bereit.

Das übrige Programm war blasser, ich trank mir einen leichten Schwips an und schaltete maßvoll durch die Kanäle, wobei der Eindruck vorherrschte, von einer kulinarischen Sendung zur nächsten zu wechseln, die kulinarischen Sendungen hatten sich in einem beträchtlichen Ausmaß vermehrt, während die Erotik im gleichen Zug aus den meisten Sendern verschwunden war. Frankreich und vielleicht das gesamte Abendland war zweifellos im Begriff, in die *orale Phase* zurückzufallen, um es mit den Worten des österreichischen Clowns zu sagen. Ich folgte demselben Weg, das war unzweifelhaft, ich wurde langsam dicker, und selbst die sexuelle Alternative stand mir nicht mehr klar vor Augen. Ich war bei Weitem nicht als Einziger in dieser Lage, es gab sicherlich noch *Schwanzgesteuerte* und *Fickluder,* aber es war zum Hobby geworden, zu einem absonderlichen Nischenhobby, das einer Elite vorbehalten war (einer Elite, zu der, wie mir eines Morgens im O'Jules kurz einfiel, und es war sicherlich das letzte Mal, dass ich an sie dachte, Yuzu gehört hatte), wir waren in gewisser Weise ins 18. Jahrhundert zurückgefallen, in dem die Zügellosigkeit einer bunt zusammengewürfelten Aristokratie vorbehalten war, einer Mischung aus Abstammung, Glück und Schönheit.

Es mochte auch die Jungen geben, jedenfalls einen Teil der Jungen, die durch ihre bloße Jugend zur Aristokratie der Schönheit gehörten und die vielleicht noch ein paar Jahre lang – zwischen zwei und fünf, gewiss unter zehn – zuversichtlich waren; es war Anfang Juni, und ich musste jeden Morgen, wenn ich ins Café ging, zur Kenntnis nehmen: An den jungen Mädchen lag es auf keinen Fall, die jungen Mädchen waren noch immer da, während die Dreißig- und Vierzigjährigen größtenteils aufgegeben hatten und die »schicke, sexy Pariserin« nur noch ein Mythos ohne jede Grundlage war, jedenfalls riefen inmitten des abendländischen Libidoverlusts die jungen Mädchen, vermutlich einem unbezwingbaren hormonellen Antrieb folgend, dem Mann die Notwendigkeit der Fortpflanzung der Spezies in Erinnerung, sachlich betrachtet, konnte man ihnen keinen Vorwurf machen, sie schlugen die Beine im passenden Augenblick übereinander, wenn sie ein paar Meter von mir entfernt im O'Jules am Tisch saßen, manchmal legten sie sogar ein ganz reizendes Getue an den Tag, leckten an ihren Fingern, während sie ein Pistazien-Vanille-Eis genossen, jedenfalls verrichteten sie ihre Arbeit der Erotisierung des Lebens mehr als anständig, sie waren da, aber ich war es, der nicht mehr da war, weder für sie noch für sonst irgendjemanden, und der nicht mehr beabsichtigte, es noch einmal zu sein.

Zu Beginn des Abends, ungefähr zu der Zeit, als *Questions pour un champion* anfing, erlebte ich schmerzerfüllte Momente voller Selbstmitleid. Dann dachte ich an Doktor Azote, diesen Mann, von dem ich nicht wusste, ob er sich all seinen Patienten gegenüber auf die gleiche Weise verhielt, aber wenn, dann war er ein Heiliger, und ich dachte auch an Aymeric, aber die Dinge hatten sich geändert, ich war wirklich alt geworden, ich würde Doktor Azote nicht zu mir einladen, um Platten zu hören, zwischen uns würde keinerlei Freundschaft entstehen, die Zeit der zwischenmenschlichen Beziehungen war längst vergangen, jedenfalls für mich.

IN DIESEM STABILEN, wenn auch trübsinnigen Zustand war ich also, als mir die Rezeptionistin eine ziemlich schlechte Nachricht überbrachte. Es war ein Montagmorgen, und ich schickte mich wie jeden Tag an, in Richtung O'Jules aufzubrechen, ich war munter, verspürte sogar eine gewisse Befriedigung bei dem Gedanken, eine neue Woche anzugehen, als mich die Rezeptionistin mit einem diskreten »Monsieur ...« anhielt. Sie wolle mir mitteilen, sie müsse mir mitteilen, sie habe die traurige Pflicht, mir mitzuteilen, dass das Hotel demnächst komplett auf Nichtraucher umstellen werde, das seien die neuen Vorschriften, sagte sie, die Entscheidung sei auf Ebene der Unternehmensgruppe getroffen worden, sie hätten keinerlei Möglichkeit, sich ihr zu entziehen. Das sei ärgerlich, sagte ich, ich würde gezwungen sein, mir eine Wohnung zu kaufen, aber selbst wenn ich die erste nähme, die ich besichtigte, würden die Formalitäten einige Zeit in Anspruch nehmen, heutzutage gebe es überall einen Haufen Befunde, Energiebilanz, Treibhausgasausstoß oder was auch immer, jedenfalls dauere es Monate, mindestens zwei oder drei, bis man wirklich einziehen könne.

Sie sah mich verwirrt an, als hätte sie mich nicht recht verstanden, bevor sie nachfragte: Ich würde eine Wohnung kaufen, weil ich nicht im Hotel bleiben könne, sei das richtig? Sei es so um mich bestellt?

Nun ja, es war so um mich bestellt, was hätte ich ihr anderes sagen sollen? Es gibt Momente, in denen das Schamgefühl versagt, weil man schlicht nicht mehr die Kraft hat, es aufrechtzuerhalten. So war es um mich bestellt. Sie blickte mir direkt in die Augen, ich sah das Mitgefühl, das sich auf ihr Gesicht stahl, das ihre Züge nach und nach entstellte, ich hoffte nur, sie würde nicht anfangen zu weinen, sie war ein nettes Mädchen, da hatte ich keinen Zweifel, ihr Freund konnte sich gewiss glücklich schätzen, aber was konnte sie schon dagegen ausrichten? Was können wir, wir alle zusammen, schon gegen irgendetwas ausrichten?

Sie werde mit ihrem Vorgesetzten reden, sagte sie mir, sie werde noch am selben Morgen mit ihm reden, sie sei sich sicher, man könne eine Lösung finden. Beim Davongehen schenkte ich ihr ein breites Lächeln, ein vollkommen aufrichtiges Lächeln als Zeichen der Freundschaft, das aber zugleich einen – offen gestanden betrügerischen – Eindruck von heldenhaftem Optimismus (das wird schon wieder, ich komme schon zurecht) vermitteln wollte. Es würde nicht wieder werden, ich würde nicht zurechtkommen, und ich wusste es nur zu gut.

Ich sah gerade zu, wie Gérard Depardieu über die Herstellung hausgemachter Wurst in Apulien in Verzückung geriet, als mich besagter Vorgesetzter zu sich rief. Sein Aussehen überraschte mich, er ähnelte eher Bernard Kouchner oder ganz generell einem Mediziner, der sich für humanitäre Hilfe einsetzte, als dem Geschäftsführer eines Mercure-Hotels; ich begriff nicht, wie seine täglichen Aufgaben solche Mimikfalten, eine solche Bräune hatten hervorbringen können. Er musste an den Wochenenden Survival-Trecks in unwirtlicher Umgebung machen, das war sicherlich die Erklärung. Er steckte sich eine Gitanes an, während er mich begrüßte, und bot mir ebenfalls eine an. »Audrey hat mir Ihre Situation erklärt«, begann er, sie hieß also Audrey. Meine Anwesenheit schien ihn verlegen zu machen, er konnte mir kaum in die Augen sehen – das ist normal, wenn man es mit einem Verurteilten zu tun hat, man weiß nie, wie man damit umgehen soll, Männer wissen es jedenfalls nicht, Frauen manchmal, selten.

»Das kriegen wir schon hin«, fuhr er fort. »Es wird zwangsläufig eine Inspektion geben, aber nicht gleich, meiner Ansicht nach in frühestens sechs Monaten, aber eher einem Jahr. Damit bleibt Ihnen genug Zeit, eine Lösung zu finden.«

Ich stimmte ihm zu und erklärte, ich würde innerhalb von höchstens drei oder vier Monaten ausziehen. Damit war es vorbei, wir hatten uns nichts mehr zu sagen. Er hatte mir geholfen. Ich bedankte mich, bevor ich sein Büro verließ, er sagte, das sei nicht der Rede wert, es sei wirklich das Mindeste, was er tun könne, ich spürte, dass er zu einer Schmährede gegen diese Arschlöcher ansetzte, die uns das Leben vermiesten, aber dann verstummte er, er hatte diese Schmährede wohl zu oft gehalten, und er wusste, dass es nichts brachte, die Arschlöcher waren die Stärkeren. Ich entschuldigte mich meinerseits für die Unannehmlichkeiten, bevor ich aus der Tür ging, und in dem Moment, in dem ich diese banalen Worte aussprach, begriff ich, dass sich mein Leben nunmehr darauf beschränken würde: mich für die Unannehmlichkeiten zu entschuldigen.

ICH WAR ALSO IN DEM ZUSTAND, in dem das alternde, sterbende und sich vom Tod erfasst fühlende Tier ein Lager sucht, um sein Leben zu beschließen. Der Bedarf an Möbeln ist daher überschaubar: Ein Bett genügt, man weiß ja, man wird es kaum mehr verlassen müssen; kein Bedarf an Tischen, Sofas oder Sesseln, das wäre unnützes Beiwerk, das überflüssige, ja schmerzliche Erinnerungen an ein Sozialleben weckt, das nicht mehr stattfinden wird. Ein Fernseher ist notwendig, fernsehen lenkt ab. All das ließ mich zu einer Einzimmerwohnung tendieren – einer größeren Einzimmerwohnung, groß genug, um sich nach Möglichkeit etwas darin zu bewegen.

Die Frage des Stadtteils erwies sich als schwieriger. Ich hatte mir im Laufe der Zeit ein kleines Netz an Therapeuten geschaffen, von denen jeder mit der Überwachung eines meiner Organe betraut war, um zu vermeiden, dass ich vor der Stunde meines tatsächlichen Todes übermäßigen Qualen ausgesetzt wäre. Die meisten hatten ihre Praxen im 5. Arrondissement von Paris, ich war für mein letztes Leben, mein medizinisches Leben, mein wahres Leben dem Stadtviertel meiner Studienzeit, meiner Jugend, meines Traumlebens treu geblieben. Es war logisch, in der Nähe meiner Therapeuten, meiner nunmehr hauptsächlichen Ansprechpartner zu bleiben. Diese Reisen zu ihren Praxen waren gewissermaßen keimfrei, unschädlich gemacht durch ihre medizinische Natur. Im selben Viertel zu wohnen, wäre dagegen, das wurde mir gleich zu Beginn meiner Wohnungsbesichtigungen klar, ein entsetzlicher Fehler gewesen.

Die erste Einzimmerwohnung, die ich mir ansah, war sehr ansprechend: hohe Decken, hell, zu einem großzügigen und baumbewachsenen Hof hin gelegen, der Preis war wohlgemerkt hoch, doch das würde ich mir vielleicht leisten können, wobei das nicht ganz sicher war, aber dennoch hatte ich im Grunde schon beschlossen, die Sache unter Dach und Fach zu bringen, als ich beim Hinaustreten auf die Rue Lhomond von einer Welle grauenhafter Traurigkeit überrollt wurde, die mir den Atem verschlug, ich bekam kaum noch Luft, und meine Beine konnten mich nur mit Mühe tragen, ich musste mich ins nächstbeste Café flüchten, was es auch nicht besser machte, im Gegenteil, ich erkannte darin sofort eines der Cafés wieder, die ich während meines Studiums an der Landwirtschaftlichen Hochschule besucht hatte, sicherlich war ich mit Kate in diesem Café gewesen, die Einrichtung hatte sich kaum verändert. Ich bestellte etwas zu essen, ein Kartoffelomelette und drei Leffe halfen mir, mich allmählich wieder zu fangen, o ja, das Abendland fiel in die orale Phase zurück, und ich konnte es verstehen, ich glaubte die Sache mehr oder weniger überstanden zu haben, als ich das Lokal verließ, aber alles ging von Neuem los, als ich in die Rue Mouffetard einbog, diese Strecke wurde zum Kreuzweg, diesmal waren es Bilder von Camille, die mir wieder in den Sinn kamen, ihre kindliche Freude, wenn sie sonntags auf den Markt ging, ihr Entzücken angesichts des

Spargels, des Käses, des exotischen Gemüses, der lebenden Hummer, ich brauchte über zwanzig Minuten, um zur Metrostation Monge zurückzukommen, ich wankte wie ein Greis und rang unter Qualen nach Atem, jenen unbegreiflichen Qualen, die alte Menschen manchmal überkommen und die nichts anderes sind als die Last des Lebens, nein, das 5. Arrondissement war ausgeschlossen, völlig ausgeschlossen.

Also begann ich mich Stück für Stück die Linie 7 hinunterzuarbeiten, ein Abstieg, der von einem entsprechenden Preissturz begleitet wurde, und fand mich Anfang Juli überrascht bei einer Wohnungsbesichtigung in der Avenue de la Sœur Rosalie wieder, fast direkt gegenüber dem Mercure-Hotel. Ich entschied mich in dem Moment dagegen, als mir klar wurde, dass ich irgendwo in meinem Inneren den unausgesprochenen Plan hegte, mit Audrey in Kontakt zu bleiben, mein Gott, wie schwer die Hoffnung zu überwinden ist, wie hartnäckig und durchtrieben sie ist, geht das allen Menschen so?

Ich musste weiter hinunter, noch weiter nach Süden, musste jede Hoffnung auf ein mögliches Leben weit von mir weisen, sonst würde ich nicht zurande kommen, und in dieser geistigen Verfassung begann ich die Hochhäuser zu besichtigen, die sich von der Porte de Choisy bis zur Porte d'Ivry erstreckten. Ich musste nach der Leere suchen, nach dem Unbeschriebenen, Blanken; die Umgebung entsprach dieser Suche in nahezu idealer Weise, in einem dieser Hochhäuser zu wohnen, hieß, im Nichts zu wohnen, nicht wirklich im Nichts, sagen wir, in der unmittelbaren Nachbarschaft des Nichts. Der Quadratmeterpreis wurde in diesen von Arbeitern bewohnten Gegenden übrigens sehr erschwinglich, mit meinem geplanten Budget hätte ich zwei, ja sogar drei Zimmer erwerben können, aber andererseits – wen hätte ich darin unterbringen sollen?

Die Hochhäuser glichen sich alle, und die Einzimmerwohnungen glichen sich ebenfalls, es scheint mir, als hätte ich die leerste, ruhigste und blankste in einem der anonymsten Hochhäuser ausgewählt, dort war zumindest gesichert, dass mein Einzug unbemerkt vonstattengehen, dass er nicht den geringsten Kommentar hervorrufen würde – ebenso wenig wie mein Tod. Die vor allem aus Chinesen bestehende Nachbarschaft würde mir Neutralität und Höflichkeit gewährleisten. Der Blick aus meinen Fenstern reichte unnötig weit über die südlichen Vorortsiedlungen – in der Ferne ließen sich Massy und wahrscheinlich Corbeil-Essonnes ausmachen; das spielte kaum eine Rolle, denn es gab Rollläden, und ich nahm mir vor, sie vom Tag nach meinem Einzug an geschlossen zu halten. Es gab einen Müllschlucker, der mich wohl endgültig überzeugte; durch Nutzung des Müllschluckers auf der einen und des neuen Lebensmittellieferdienstes von Amazon auf der anderen Seite könnte ich nahezu vollständige Unabhängigkeit erreichen.

Mein Auszug aus dem Mercure-Hotel war seltsamerweise ein schwieriger Moment, was vor allem an der kleinen Audrey lag, sie hatte Tränen in den Augen, aber andererseits, was konnte ich machen, wenn sie das nicht verkraftete, würde sie im Leben gar nichts verkraften, sie war höchstens fünfundzwanzig Jahre alt, aber sie musste sich trotzdem abhärten. Darum gab ich ihr einen Kuss auf die Wange und dann zwei und dann vier, sie warf sich mit echter Hingabe in diese Küsse hinein, sie umarmte mich sogar kurz, und dann war alles gesagt, mein Taxi war vor dem Hotel vorgefahren.

Mein Umzug ging reibungslos vonstatten, ich fand rasch Möbel, mietete wieder einen SFR-Decoder – ich hatte beschlossen, diesem Anbieter treu zu bleiben, treu bis ans Ende meiner Tage, das war eines der Dinge, die mich das Leben gelehrt hatte. Das Sportangebot interessierte mich dabei weniger, wie mir nach ein paar Wochen klar wurde, ich wurde alt, da war es normal, dass mein sportliches Interesse nachließ. Doch im breit gefächerten Angebot von SFR blieben noch einige Perlen, insbesondere im kulinarischen Bereich, ich wurde jetzt ein richtig dicker alter Kerl, ein epikureischer Philosoph, warum nicht, was hatte Epikur denn sonst noch groß im Kopf gehabt? Zugleich waren ein Kanten altbackenes Brot und ein Rinnsal Olivenöl nicht sehr üppig, ich brauchte Hummermedaillons und Jakobsmuscheln an feinem Gemüse, ich war ein Décadent und keine griechische Dorfschwuchtel.

Gegen Mitte Oktober begann ich der gleichwohl untadeligen kulinarischen Sendungen überdrüssig zu werden, und damit setzte mein wirklicher Niedergang ein. Ich versuchte mich für Gesellschaftsdebatten zu interessieren, aber diese Phase war enttäuschend und von kurzer Dauer: Der extreme Konformismus der Redner, die niederschmetternde Gleichförmigkeit ihrer Empörung und Begeisterung war so groß geworden, dass ich ihre Redebeiträge inzwischen nicht nur in groben Zügen, sondern selbst bis in die Einzelheiten hinein, tatsächlich fast wortgetreu voraussagen konnte, die Leitartikler und die wichtigen Zeitzeugen marschierten auf wie nutzlose europäische Marionetten, Idioten folgten auf Idioten, beglückwünschten sich zur Richtigkeit und Moralität ihrer Ansichten, ich hätte ihnen ihre Dialoge schreiben können, und schließlich schaltete ich den Fernseher ganz aus, all das hätte mich nur noch trauriger gemacht, hätte ich die Kraft gehabt, weiterzuschauen.

Ich hatte schon seit Langem vorgehabt, Thomas Manns *Zauberberg* zu lesen, ich hatte immer eine Ahnung gehabt, dass es ein düsteres Buch war, aber das entsprach ja schließlich meiner Situation, jetzt war zweifellos der richtige Moment. Ich vertiefte mich also in das Buch, zuerst voller Bewunderung, dann mit immer größeren Vorbehalten. Obgleich der Umfang und die Ambitionen beträchtlich größer waren, blieb die Aussage letztlich die gleiche wie bei *Der Tod in Venedig*. Ebenso wie dieses alte Rindvieh Goethe (der deutsche Humanist mit mediterranem Einschlag, einer der grauenvollsten Schwafler der Weltliteratur), ebenso wie sein (dennoch weitaus sympathischerer) Held Aschenbach war Thomas Mann, Thomas Mann selbst, und das war ausgesprochen schlimm, der Faszination der Jugend und der Schönheit erlegen, die er letztlich über alles andere gestellt hatte, über alle intellektuellen und moralischen Qualitäten, und denen er letzten Endes auch selbst ohne die geringste Zurückhaltung gefrönt hatte. Die gesamte Kultur der Welt war folglich zu nichts gut, die gesamte Kultur der Welt brachte keinerlei moralischen Nutzen oder irgendwie gearteten Vorteil, da zur selben Zeit, genau zur selben Zeit Marcel Proust am Ende von *Die wiedergefundene Zeit* mit einer bemerkenswerten Offenheit schlussfolgerte, dass nicht nur gesellschaftliche Beziehungen, sondern selbst Freundschaftsbeziehungen nichts Substanzielles zu bieten hätten, dass sie ganz schlicht Zeitverschwendung seien und dass es im Gegensatz zu dem, was die Leute von Welt glaubten, keineswegs intellektuelle Gespräche seien, was der Schriftsteller brauche, sondern »lockere Liebeleien mit erblühenden jungen Mädchen«. Mir liegt in diesem Stadium der Beweisführung sehr daran, die »erblühenden jungen Mädchen« durch »junge, feuchte Muschis« zu ersetzen; mir scheint, das würde zur Klarheit der Diskussion beitragen, ohne seine Poesie zu schädigen (was gibt es Schöneres, Poetischeres als eine Muschi, die feucht zu werden beginnt? Ich verlange, dass über die Antwort ernsthaft nachgedacht wird. Ein Schwanz, der sich allmählich aufrichtet? Das ließe sich vertreten. Das hängt, wie so vieles auf der Welt, von dem sexuellen Blickwinkel ab, den man einnimmt).

Marcel Proust und Thomas Mann, um auf mein Thema zurückzukommen, mochten die Kultur der Welt beherrschen, sie mochten (in diesem eindrucksvollen frühen 20. Jahrhundert, das eigenhändig acht Jahrhunderte, ja sogar etwas mehr, europäischer Kultur zusammenfasste) an der Spitze des gesamten Wissens und der gesamten Intelligenz der Welt stehen, sie mochten jeder für sich den Gipfel der französischen und der deutschen Zivilisation und damit der strahlendsten, stärksten und höchstentwickelten Zivilisationen ihrer Zeit bilden, und doch unterlagen sie der Gnade und unterwarfen sich jedweder feuchten jungen Muschi oder jedwedem beherzt aufgestellten jungen Schwanz – je nach ihren persönlichen Präferenzen, Thomas Mann blieb in dieser Hinsicht unbestimmbar, und Proust wurde im Grunde auch nicht sehr deutlich. Das Ende vom *Zauberberg* war somit noch trauriger, als der Beginn der Lektüre vermuten ließ: Es brachte durch den Ausbruch eines ebenso absurden wie mörderischen Krieges zwischen den beiden höchsten Zivilisationen der Zeit im Jahr 1914 nicht nur das Scheitern des gesamten Gedankens der europäischen Kultur zum Ausdruck; es stand durch den endgültigen Sieg der tierischen Anziehungskraft sogar für das endgültige Ende der gesamten Zivilisation, der gesamten Kultur. Eine heiße Mieze hätte Thomas Mann so richtig *aufgeilen* können; Marcel Proust wäre auf Rihanna *steil gegangen;* diese beiden Schriftsteller, die Glanzlichter ihrer jeweiligen Literaturen, waren, anders ausgedrückt, keine ehrenwerten Männer, und man muss um einiges weiter zurückgehen, wahrscheinlich bis ins frühe 19. Jahrhundert, in die Zeit der aufkeimenden Romantik, um gesündere und reinere Luft zu schöpfen.

Und selbst über diese Reinheit ließe sich noch streiten, Lamartine war im Grunde auch nur eine Art Elvis Presley, mit seiner Lyrik konnte er *die Mädels schwach machen,* immerhin machte er seine Eroberungen im Namen der reinen Lyrik, Lamartines Hüftschwung war zurückhaltender als der von Elvis, das nehme ich jedenfalls an, man müsste sich dazu Videoaufzeichnungen anschauen, die es zu der Zeit noch nicht gab, aber das spielte keine große Rolle, diese Welt war ohnehin tot, sie war für mich tot – und nicht nur für mich, sie war schlichtweg tot. Trost fand ich schließlich in der leichter zugänglichen Lektüre Sir Arthur Conan Doyles. Neben der *Sherlock-Holmes*-Reihe hatte Conan Doyle eine beeindruckende Zahl von Kurzgeschichten verfasst, die durchweg vergnüglich und oft sogar wirklich spannend waren, er war sein ganzes Leben lang ein herausragender *Pageturner*-Autor gewesen, wahrscheinlich der beste der gesamten Weltliteratur, doch in seinen eigenen Augen hatte das wahrscheinlich nicht viel gezählt, das war nicht seine Botschaft, die Wahrheit über Conan Doyle war, dass man auf jeder Seite die Demonstration einer noblen Seele, eines aufrichtigen, guten Herzens mitschwingen fühlte. Am anrührendsten war wohl seine persönliche Einstellung zum Tod: Im Zuge eines von verzweifeltem Materialismus geprägten Medizinstudiums vom christlichen Glauben abgefallen und sein ganzes Leben lang mit wiederholten grausamen Verlusten wie dem seiner eigenen Söhne konfrontiert, die den Kriegsplänen Englands zum Opfer fielen, konnte er sich als letzte Rettung nur dem Spiritismus zuwenden, dem letzten Glauben, dem allerletzten Trost all jener, die sich weder mit dem Tod ihrer Nächsten abfinden noch zum Christentum bekennen können.

Ich hatte keine Nächsten, und es erschien mir, als könnte ich mich mit dem Gedanken des Todes immer leichter abfinden; gewiss wäre ich gern glücklich gewesen, wäre ich gern in eine Gemeinschaft der Glücklichen vorgedrungen, alle Menschen wollen das, doch das stand in diesem Stadium außer Frage. Anfang Dezember kaufte ich mir einen Fotodrucker und um die hundert Schachteln mattes Fotopapier von Epson im Format 10 x 15 cm. Eine der vier Wände meiner Einzimmerwohnung wurde von einer mittelhohen Glasfront, deren Rollläden ich geschlossen hielt, und einem darunter verlaufenden großen Heizkörper eingenommen. Die Fläche der zweiten wurde durch mein Bett, ein Nachtschränkchen und zwei halbhohe Bücherregale verkleinert. Die dritte Wand war frei mit Ausnahme eines Durchgangs zur Diele mit dem Bad zur Rechten und der Kochnische zur Linken. Nur die vierte Wand war komplett frei verfügbar. Da ich mich aus Bequemlichkeit auf die letzten beiden Wände beschränkte, konnte ich eine Schaufläche von sechzehn Quadratmetern nutzen, bei einem Fotoformat von 10 x 15 cm also etwas über tausend Fotos zur Schau stellen. Auf meinem Laptop waren etwas mehr als dreitausend, die mein gesamtes Leben abbildeten. Eines von dreien auszuwählen, erschien mir zumutbar, sogar sehr zumutbar, und ich hatte den Eindruck, doch ganz gut gelebt zu haben.

(Bei genauerer Betrachtung war mein Leben trotzdem merkwürdig verlaufen. Tief in meinem Inneren hatte ich nach meiner Trennung von Camille jahrelang gedacht, wir würden früher oder später wieder zusammenkommen, das sei unvermeidlich, weil wir uns liebten, wir müssten, wie man so sagt, etwas Gras über die Sache wachsen lassen, aber wir seien noch jung, wir hätten das ganze Leben vor uns. Jetzt dachte ich daran zurück und erkannte, dass das Leben vorbei gewesen war, dass es an uns vorbeigezogen war, ohne großartig zu uns herüberzuwinken, dass es dann mit Diskretion und Eleganz, mit Behutsamkeit seine Karten wieder aufgenommen, dass es sich schlicht von uns abgewandt hatte; bei näherer Betrachtung war unser Leben wirklich nicht besonders lang gewesen.)

Ich wollte gewissermaßen eine Facebook-Pinnwand erstellen, die aber für mich allein da war, eine Facebook-Pinnwand, die nur von mir gesehen werden würde – und ganz kurz vom Mitarbeiter der Maklerfirma, der nach meinem Ableben meine Wohnung begutachten würde; er würde etwas überrascht sein, dann würde er alles auf den Müll schmeißen und wahrscheinlich eine Grundreinigung veranlassen, um die Kleberrückstände von den Wänden zu entfernen.

Dank der modernen Kameras war die Arbeit mühelos; jedem meiner Bilder waren Uhrzeit und Datum der Aufnahme zugewiesen, nichts war einfacher, als sie anhand dieser Kriterien zu sortieren. Hätte ich bei meinen späteren Geräten die GPS-Funktion aktiviert, dann hätte ich auch die Orte mit Gewissheit zuordnen können, aber das brauchte es in Wahrheit gar nicht, ich erinnerte mich an die Orte meines Lebens, ich erinnerte mich perfekt an sie, mit einer nutzlosen chirurgischen Präzision. Mein zeitliches Gedächtnis war weniger zuverlässig, die Daten waren unwichtig, alles, was stattgefunden hatte, hatte für die Ewigkeit stattgefunden, das wusste ich jetzt, aber es war eine verschlossene, unzugängliche Ewigkeit.

Ich habe im Laufe dieser Erzählung gewisse Fotos erwähnt, zwei von Camille, eines von Kate. Es gab noch andere, etwas mehr als dreitausend andere von weit geringerem Interesse, ich stellte sogar überrascht fest, an welchem Punkt meine Fotos mittelmäßig geworden waren: Diese Touristenfotos aus Venedig oder Florenz, die mit denen Hunderttausender anderer Touristen absolut identisch waren, warum hatte ich geglaubt, die machen zu müssen? Und was hatte mich wohl dazu verleiten können, diese banalen Bilder zu entwickeln? Ich würde sie trotzdem an die Wand kleben, jedes an seinen Platz, ohne mir zu erhoffen, dass sich daraus irgendeine Art von Schönheit oder Sinn ergäbe; aber ich würde trotzdem weitermachen bis zum Ende, weil ich es konnte, faktisch konnte ich es, es war eine körperliche Arbeit, die ich bewältigen konnte.

Also tat ich es.

AM ENDE GING ES auch bei mir um die laufenden Kosten. In diesen Hochhäusern im 13. Arrondissement waren sie außergewöhnlich hoch, das hatte ich nicht erwartet, und es würde mit meinem Lebensplan in Konflikt treten. Noch vor wenigen Monaten (waren es nur wenige Monate gewesen? Ein ganzes Jahr oder sogar zwei? Ich schaffte es nicht mehr, mein Leben mit einem zeitlichen Ablauf zu verknüpfen, es überdauerten nur einige Bilder inmitten eines unbestimmten Nichts, der aufmerksame Leser wird sie vervollständigen), kurz gesagt: Als ich beschloss zu verschwinden, sowohl dem Landwirtschaftsministerium als auch Yuzu endgültig den Rücken zu kehren, hatte ich noch das Gefühl gehabt, reich zu sein, und geglaubt, auf unbegrenzte Zeit vom Erbe meiner Eltern leben zu können.

Gegenwärtig hatte ich noch etwas über zweihunderttausend Euro auf dem Konto. Natürlich stand außer Frage, dass ich Urlaub machte (um was zu tun? Funboarden? Alpinskifahren? In irgendeinem Club auf Fuerteventura, wohin ich mit Camille gereist war, hatte ich mal einen Typen getroffen, der allein gekommen war: Er aß allein, und offensichtlich aß er bis zum Ende seines Aufenthalts allein; er war zwischen dreißig und vierzig, er schien Spanier zu sein, nicht übel aussehend und wahrscheinlich von einem annehmbaren gesellschaftlichen Niveau, man hätte sich ihn als Bankbediensteten vorstellen können; der Mut, den er jeden Tag aufbringen musste, insbesondere zur Essenszeit, hatte mir die Sprache verschlagen, mich förmlich mit Schrecken erfüllt). Ich würde auch am Wochenende nicht mehr wegfahren, das mit den Boutique-Hotels war für mich vorbei, allein in ein Boutique-Hotel, da konnte man sich auch gleich die Kugel geben, es war ein wirklich trauriger Moment gewesen, als ich meinen G 350 auf dem finsteren Parkplatz im dritten Kellergeschoss abgestellt hatte, der im Kaufpreis meiner Wohnung inbegriffen war, der Boden war widerlich und glitschig, die Atmosphäre ekelerregend, hier und dort lagen Gemüseabfälle herum: Das war ein trauriges Ende für meinen alten G 350, der Freiheitsentzug in diesem schmutzigen und düsteren Parkhaus, für ihn, der Gebirgsstraßen hinuntergebraust war, der Moore und Furten durchquert hatte, der etwas über 380 000 Kilometer gelaufen war und mich nicht ein einziges Mal im Stich gelassen hatte.

Ebenso wenig dachte ich daran, die Escortgirls anzurufen, im Übrigen hatte ich den Zettel verloren, den ich von Doktor Azote bekommen hatte. Als ich das bemerkte und mir sagte, ich hätte ihn wahrscheinlich in meinem Zimmer im Mercure-Hotel vergessen, kam mir kurz der beunruhigende Gedanke, dass Audrey darauf stoßen, dass ihre Wertschätzung für mich darunter leiden könnte (aber warum hätte mich das kümmern sollen? Mein Seelenleben hatte wirklich weder Hand noch Fuß). Natürlich hätte ich Azote noch einmal darum bitten oder mich auch einfach selbst umsehen können, entsprechende Internetseiten gab es reichlich, aber das erschien mir ziemlich sinnlos: Im Augenblick war nichts in Richtung einer Erektion vorstellbar, meine sporadischen Masturbationsversuche ließen diesbezüglich keinerlei Zweifel aufkommen, die Welt hatte sich folglich in eine neutrale Oberfläche ohne Unebenheiten und ohne Reize verwandelt, meine Betriebskosten waren schlagartig gesunken; aber die Summe der laufenden Kosten war so unanständig hoch, dass ich mir, selbst wenn ich mich auf den gemäßigten Genuss von Speise und Wein beschränkte, höchstens zehn Jahre erhoffen konnte, bevor mein Bankguthaben gegen null gehen und dem Ganzen ein Ende setzen würde.

Ich hatte vor, es nachts zu tun, wenn mir der Anblick des Betons der Esplanade nicht Einhalt gebieten würde, ich setzte wenig Vertrauen in meinen eigenen Mut. In dem von mir geplanten Ablauf war die Folge der Ereignisse kurz und perfekt: Mit einem Schalter am Eingang des Hauptzimmers konnte ich die Rollläden innerhalb weniger Sekunden öffnen. Auf dem Weg zum Fenster würde ich versuchen, an nichts zu denken, ich würde das große Glasfenster aufschieben, würde mich hinauslehnen, und das wär's.

Der Gedanke an den Sturz hielt mich lange zurück, ich stellte mir vor, minutenlang ins Leere zu fallen, während ich mir des unvermeidlichen Zerplatzens meiner Organe beim Aufprall zunehmend bewusst wurde, des absoluten Schmerzes, der mich durchfahren würde, und mich ein mit jeder Sekunde meines Sturzes wachsendes grauenvolles, totales Entsetzen befiel, das nicht einmal von der seligen Gnade einer Ohnmacht abgemildert werden würde.

Das lange wissenschaftliche Studium war doch für etwas gut gewesen: In Wirklichkeit war die Strecke *h*, die ein Körper im freien Fall innerhalb einer Zeit *t* überwand, durch die Formel $h = 1/2\ gt^2$ genau vorgegeben, wobei *g* die Beschleunigungskonstante war, was für eine Höhe *h* eine Fallzeit von $t = \sqrt{2h/g}$ ergab. In Anbetracht der Höhe (fast genau hundert Meter) meines Gebäudes und der Tatsache, dass der Luftwiderstand bei solchen Fallhöhen vernachlässigt werden konnte, bedeutete das eine Fallzeit von viereinhalb Sekunden, höchstens fünf, wenn man den Luftwiderstand unbedingt einrechnen musste, wie man sieht, musste man daraus kein Drama machen; mit ein paar Gläsern Calvados im Kopf war nicht mal gesagt, dass man wirklich zum Nachdenken kam. Es hätte gewiss deutlich mehr Selbstmorde gegeben, wenn die Leute diese simple Zahl gekannt hätten: viereinhalb Sekunden. Ich würde mit einer Geschwindigkeit von 159 Stundenkilometern auf den Boden auftreffen, diese Vorstellung war etwas weniger angenehm, aber gut, es war ja nicht in erster Linie der Aufprall, vor dem ich Angst hatte, sondern der Sturz, und mein Sturz, das war durch die Physik eindeutig festgelegt, würde kurz sein.

Zehn Jahre waren viel zu viel, meine moralischen Qualen würden lange vorher ein unerträgliches und unmittelbar tödliches Ausmaß erreichen, aber zugleich konnte ich mir nicht vorstellen, ein Erbe zu hinterlassen (wem hätte ich es auch vermachen sollen, dem Staat? Diese Aussicht war höchst unerfreulich). Ich musste also den Rhythmus meiner Ausgaben steigern, das war mehr als schäbig, das war schlichtweg armselig, aber die Aussicht, mit Geld auf dem Konto zu sterben, war mir unerträglich. Ich hätte es spenden, hätte mich großzügig zeigen können, aber wem gegenüber? Den Querschnittsgelähmten, den Obdachlosen, den Migranten, den Blinden? Ich würde meine Kohle doch nicht irgendwelchen Rumänen zuschustern. Man hatte mir wenig geschenkt, und ich hatte selbst keine große Lust, etwas zu verschenken; ich hatte keine Gutherzigkeit entwickelt, der psychologische Prozess hatte nicht stattgefunden, im Gegenteil waren mir die Menschen in ihrer Gesamtheit immer gleichgültiger geworden, gar nicht zu reden von Fällen offener Feindseligkeit. Ich hatte versucht, mich gewissen Menschen (und vor allem gewissen weiblichen Menschen, weil sie mich von Beginn an stärker angezogen hatten, aber davon habe ich schon erzählt) zu nähern, jedenfalls glaube ich, eine normale, standardmäßige, durchschnittliche Anzahl von Versuchen unternommen zu haben, doch aus verschiedenen Gründen (die ich ebenfalls zur Sprache gebracht habe) war daraus nichts erwachsen, nichts hatte mir das Gefühl gegeben, dass ich einen Ort oder eine Umgebung zum Leben hatte oder einen Grund, sie mir zu schaffen.

Die einzige Möglichkeit, mein Bankguthaben zu reduzieren, war, weiter zu fressen, zu versuchen, mich für kostspielige und feine Speisen zu interessieren (Trüffel aus Alba? Hummer aus Maine?), ich hatte gerade die achtzig Kilo überschritten, doch das würde die Fallzeit nicht beeinflussen, wie schon die beachtenswerten, von Galileo der Legende nach auf der Spitze des Turms von Pisa, wahrscheinlicher aber auf der Spitze irgendeines Turms in Padua durchgeführten Versuche gezeigt hatten.

Auch mein Hochhaus trug den Namen einer italienischen Stadt (Ravenna? Ancona? Rimini?). Der Zufall hatte nichts Belustigendes an sich, aber dennoch erschien mir der Versuch nicht unsinnig, eine humorvolle Einstellung zu entwickeln, mir den Augenblick, in dem ich mich aus dem Fenster beugte, in dem ich mich dem Wirken der Schwerkraft aussetzte, wie einen Scherz vorzustellen, der Tod ließ sich schließlich scherzhaft betrachten, in jeder Sekunde starb ein ganzer Haufen Leute, und sie taten es höchst erfolgreich, beim ersten Versuch, ohne großes Gewese, manche hatten die Gelegenheit sogar für ein *Bonmot* genutzt.

Ich würde es schaffen, ich spürte, ich war so weit, ich war auf der Zielgeraden. Ich hatte noch Captorix für zwei Monate, wahrscheinlich würde ich noch ein letztes Mal zu Doktor Azote gehen müssen; diesmal müsste ich ihn anlügen, eine Verschlechterung meines Zustands vortäuschen, einen Rettungsversuch seinerseits abwehren, eine Noteinweisung ins Krankenhaus oder was auch immer; ich müsste mich optimistisch und unbeschwert geben, ohne dabei zu übertreiben, meine schauspielerischen Fähigkeiten waren begrenzt. Das war nicht einfach, er war ganz und gar nicht dumm; aber das Captorix abzusetzen, und sei es nur für einen Tag, war unvorstellbar. Man darf das Leiden nicht über ein gewisses Maß steigen lassen, sonst tut man sich wer weiß was an, man kippt Rohrreiniger runter, und die inneren Organe, die aus den gleichen Substanzen bestehen, die für gewöhnlich Abflüsse verstopfen, zersetzen sich unter grauenhaften Qualen; oder man wirft sich eben vor die Metro und hat hinterher zwei Beine weniger und zerfetzte Eier, ist aber noch immer nicht tot.

ES IST EINE KLEINE WEISSE, ovale, teilbare Tablette.

Sie erschafft nichts, und sie verändert nichts; sie interpretiert. Was endgültig war, lässt sie vergehen; was unumgänglich war, macht sie unwesentlich. Sie liefert eine neue Interpretation des Lebens – weniger reichhaltig, künstlicher und von einer gewissen Unbeweglichkeit geprägt. Sie bietet weder irgendeine Form von Glück noch auch nur tatsächlichen Trost, sie wirkt auf eine andere Art: Indem sie das Leben in eine Abfolge von Formalitäten verwandelt, lässt sie Veränderung zu. Mithin hilft sie den Menschen zu leben oder zumindest nicht zu sterben – über eine gewisse Zeit hinweg.

Doch der Tod setzt sich durch, die molekulare Rüstung splittert, der Zerfallsprozess nimmt seinen Lauf. Schneller geht es sicherlich bei jenen, die der Welt nie angehört haben, die nie vorhatten zu leben oder zu lieben oder geliebt zu werden; jenen, die immer gewusst haben, dass das Leben außerhalb ihrer Reichweite liegt. Sie alle, und es gibt viele von ihnen, haben, wie man so sagt, nichts zu bereuen; ich gehöre nicht dazu.

Ich hätte eine Frau glücklich machen können. Oder vielmehr zwei; ich habe gesagt, um wen es sich handelte. Es war von Beginn an alles klar, ausgesprochen klar, aber wir haben es nicht begriffen. Sind wir Illusionen von individueller Freiheit, von einem offenen Leben, von unbegrenzten Möglichkeiten erlegen? Das mag sein, diese Gedanken entsprachen dem Zeitgeist; wir haben sie nicht formalisiert, danach stand uns nicht der Sinn; wir haben uns damit zufriedengegeben, uns ihnen anzupassen, uns von ihnen zerstören zu lassen und dann sehr lange darunter zu leiden.

Gott kümmert sich tatsächlich um uns, er denkt in jedem Augenblick an uns, und manchmal gibt er uns sehr genaue Weisungen. Seine überschwängliche Liebe, die in unsere Brust strömt, bis es uns den Atem verschlägt, seine Erleuchtungen, seine Verzückungen, unerklärlich angesichts unserer biologischen Natur, unserer Stellung als einfache Primaten sind äußerst klare Zeichen.

Und heute verstehe ich den Standpunkt Christi, seinen wiederkehrenden Ärger über die Verhärtung der Herzen: Da sind all die Zeichen, und sie erkennen sie nicht. Muss ich wirklich zusätzlich noch mein Leben für diese Erbärmlichen geben? Muss man wirklich so deutlich werden?

Offenbar ja.

Die französische Originalausgabe
erschien 2019 unter dem Titel
›Sérotonine‹ bei Flammarion, Paris.

Erste Auflage 2019

Übersetzung: Stephan Kleiner
Umschlaggestaltung: Lübbeke Naumann Thoben, Köln
Satz: Angelika Kudella, Köln
Gesetzt aus der Documenta
Druck und Verarbeitung: CPI books GmbH, Leck
Gedruckt auf säurefreiem und chlorfrei gebleichtem Papier
Printed in Germany
ISBN 978-3-8321-8388-2

www.dumont-buchverlag.de